Maravilhosa
GRAÇA

Dados Internacionais de Catalogação na Publicação (CIP)
(Câmara Brasileira do Livro, SP, Brasil)

Yancey, Philip
    Maravilhosa graça / Philip Yancey; tradução Yolanda M. Krievin. — 2. ed. rev. e ampl. — São Paulo: Editora Vida, 2007.

    Título original: *What's So Amazing About Grace?*
    Bibliografia.
    ISBN 978-85-7367-412-5

    1. Graça (Teologia) I. Título.

06-2836   CDD-234.1

Índice para catálogo sistemático

1. Graça : Teologia dogmática cristã   234.1

PHILIP YANCEY

Maravilhosa GRAÇA

Tradução
Yolanda Krievin

2. edição revista e atualizada

Vida

EDITORA VIDA
Rua Conde de Sarzedas, 246 — Liberdade
CEP 01512-070 — São Paulo, SP
Tel.: 0 xx 11 2618 7000
atendimento@editoravida.com.br
www.editoravida.com.br
@editora_vida /editoravida

Editor responsável: Sônia Freire Lula Almeida
Editor-assistente: Gisele Romão da Cruz
Preparação: Lílian Palhares
Revisão: Beth Abreu e Jurandy Bravo
Revisão do Acordo Ortográfico:
Gisele Romão da Cruz
Diagramação: Set-up Time
Capa: Arte Peniel (adaptação)

MARAVILHOSA GRAÇA
©1997, de Philip D. Yancey
Originalmente publicado nos EUA com
o título *What's So Amazing About Grace?*
Edição brasileira © 2007, Editora Vida
Publicação com permissão contratual da
ZONDERVAN PUBLISHING HOUSE
(Grand Rapids, Michigan, EUA)

Todos os direitos desta edição em língua portuguesa
reservados e protegidos por Editora Vida pela
Lei 9.610, de 19/02/1998.

É proibida a reprodução desta obra por quaisquer meios
(físicos, eletrônicos ou digitais), salvo em breves citações,
com indicação da fonte.

∎

Exceto em caso de indicação em contrário,
todas as citações bíblicas foram extraídas de
Nova Versão Internacional (NVI)
© 1993, 2000, 2011 by International Bible Society, edição
publicada por Editora Vida. Todos os direitos reservados.

Todas as citações bíblicas e de terceiros foram adaptadas
segundo o Acordo Ortográfico da Língua Portuguesa,
assinado em 1990, em vigor desde janeiro de 2009.

∎

As opiniões expressas nesta obra refletem o ponto de vista
de seus autores e não são necessariamente equivalentes às
da Editora Vida ou de sua equipe editorial.

Os nomes das pessoas citadas na obra foram alterados nos
casos em que poderia surgir alguma situação embaraçosa.

Todos os grifos são do autor, exceto indicação em
contrário.

2. edição: jun. 2007
1ª reimp.: mar. 2008
2ª reimp.: jul. 2010 (Acordo Ortográfico)
3ª reimp.: fev. 2011
4ª reimp.: ago. 2011
5ª reimp.: mar. 2012
6ª reimp.: set. 2019
7ª reimp.: out. 2020
8ª reimp.: abr. 2022
9ª reimp.: jun. 2023

Esta obra foi composta em *Garamond*
e impressa por Gráfica Patras sobre papel
Pólen Natural 70 g/m² para Editora Vida.

Sumário

Agradecimentos — 7

1. A última palavra perfeita — 9

PARTE I: COMO É DOCE OUVIR

2. A festa de Babette: uma história — 17
3. Um mundo sem graça — 24
4. O Pai que sofre por amor — 40
5. A nova matemática da graça — 53

PARTE II: ROMPENDO O CICLO DA AUSÊNCIA DE GRAÇA

6. Ciclo ininterrupto: uma história — 71
7. Um ato nada natural — 76
8. Por que perdoar? — 88
9. Acerto de contas — 101
10. O arsenal da graça — 114

PARTE III: CHEIRO DE ESCÂNDALO

11. Um lar para bastardos: uma história — 133
12. Esquisitices, não — 138
13. Olhos curados pela graça — 150
14. Brechas — 166
15. Anulação da graça — 182

PARTE IV. SONS DA GRAÇA PARA UM MUNDO SURDO

16. Big Harold: uma história — 203
17. Aroma misto — 211
18. Astúcia de serpente — 224
19. Caminhos verdejantes — 238
20. Gravidade e graça — 256

Notas — 269

Agradecimentos

Lista de nomes em página de agradecimentos faz-me lembrar os discursos da noite do Oscar, quando atores e atrizes agradecem a todos, desde as professoras do ensino fundamental até as do terceiro ano de piano.

Também sou grato a meu professor de piano, mas quando escrevo um livro, existem algumas pessoas para as quais meus agradecimentos não são simples extravagância, mas uma necessidade. O primeiro esboço e a versão final deste livro são muito diferentes, graças à ajuda das seguintes pessoas: Doug Frank, Harold Fickett, Tim Stafford, Scott Hoezee e Hal Knight. Pedi a ajuda deles porque todos sabem alguma coisa sobre como escrever e também a respeito da graça divina; a reação deles para comigo foi uma grande prova de amizade. Sinto-me devedor a cada um.

Meus colegas da revista *Christianity Today*, especialmente Harold Myra, ajudaram-me em algumas áreas muito especiais do manuscrito.

Pobre John Sloan! Ele é pago para revisar meus manuscritos, mas acabou dando seu parecer não apenas a respeito do primeiro esboço, mas de todas as versões subsequentes. Sabe-se da natureza "invisível" do trabalho realizado pelos revisores, mas as excelentes contribuições de John são muito visíveis para mim quando leio o resultado final.

Agradeço também a Bod Hudson, da Zondervan, que acrescentou toques finais na revisão.

O sentimento de gratidão é bastante apropriado quando o tema é graça. Enquanto penso nesses meus amigos, sinto-me imediatamente enriquecido e nada merecedor.

Pensando nisso, creio que deveria agradecer também ao apóstolo Paulo que, por meio de sua magnífica carta aos Romanos, ensinou-me tudo o que sei a respeito da graça e também me deu o esboço deste livro. Descrevo a "ausência da graça", tento decifrar a graça, lido com as objeções que surgem no decorrer do processo e discuto como a graça é vivida em um mundo frio e cruel — seguindo exatamente o desenrolar de Romanos.

(Também devo acrescentar que, embora as histórias contidas neste livro sejam verdadeiras, em alguns casos mudei nomes e lugares para preservar a identidade dos envolvidos.)

1
A última palavra perfeita

Eu não sei nada, exceto uma coisa que todos sabem: quando a Graça dança, eu também devo dançar.

W. H. AUDEN

Em meu livro *O Jesus que eu nunca conheci*,[a] contei uma história verídica que muito tempo depois continuou me perseguindo. Eu a ouvi de um amigo que trabalha com pessoas marginalizadas em Chicago:

> Uma prostituta veio falar comigo e contou que passava por terríveis dificuldades: sem lar, doente, incapaz de comprar comida para si e para a filha de 2 anos de idade. Entre soluços e lágrimas, contou-me que estivera alugando a filha — de apenas 2 anos de idade! — a homens interessados em sexo pervertido. Ela ganhava mais alugando a menina por uma hora do que poderia ganhar ela mesma em uma noite. Tinha de fazê-lo, dizia, para sustentar o vício das drogas. Eu mal aguentava ouvir sua história sórdida. Em primeiro lugar porque eu me sentia legalmente responsável, tendo de denunciar casos de abuso contra crianças. Mas naquele momento eu não tinha ideia do que dizer àquela mulher.
>
> Finalmente, perguntei a ela se nunca havia pensado em ir a uma igreja para pedir ajuda. Nunca me esquecerei do olhar assustado que vi em seu rosto. "Igreja!", ela exclamou. "Por que eu iria a uma igreja? Eu já me sinto terrível o suficiente. Eles vão me fazer sentir ainda pior."

---

[a] São Paulo: Editora Vida, 1998, 7ª impressão [N. do E.].

O que me impressionou na história de meu amigo é que mulheres muito parecidas com aquela prostituta procuraram Jesus, não fugiram dele. Por pior que uma pessoa se sentisse a respeito de si mesma, ela sempre o procurava como um refúgio. Será que a igreja perdeu esse dom? Evidentemente, os desvalidos que recorriam a ele quando vivia na Terra já não se sentem bem-vindos entre os seus discípulos. O que aconteceu?

Quanto mais eu pensava nisso, mais me sentia atraído por uma palavra-chave. Tudo o que vem a seguir se desenrola com base nessa palavra.

Como escritor, jogo com as palavras o dia inteiro, brinco com elas, ouço-lhes os meios-tons, divido-as ao meio e tento empregá-las em meus pensamentos. Descobri que elas têm a tendência de se estragar com o passar do tempo, como carne deteriorada. Quando os tradutores da versão da Bíblia King James contemplaram a forma mais elevada de amor, escolheram a palavra "caridade" para expressá-la. Contudo, nos dias de hoje, ouvimos o protesto de desdém: "Não quero sua caridade!".

Talvez eu continue retornando à palavra *graça* por ser um termo teológico expressivo que não se corrompeu. Eu a chamo de "a última palavra perfeita" porque todos os usos que consigo encontrar para ela retêm um pouco da glória original. Como um vasto lençol d'água, ela sustenta a orgulhosa civilização americana, lembrando-nos de que as coisas boas não vêm de nossos próprios esforços, e sim pela graça de Deus. Mesmo agora, apesar de nossa guinada secular, as raízes principais ainda se estendem para a graça. Veja como utilizamos essa palavra.

Muitas pessoas "dão graças" antes das refeições, reconhecendo diariamente o pão como uma dádiva de Deus. Somos *gratos* pela bondade de alguém, sentimo-nos *gratificados* com boas notícias, *congratulados* quando temos sucesso, *graciosos* hospedando amigos. Quando uma pessoa nos serve bem, deixamos uma *gratificação*. Em cada um desses usos, ouço a exclamação infantil de prazer dos que não merecem.

Um compositor pode inserir uma *nota graciosa* e melódica na partitura. Embora não sejam essenciais à melodia — são *gratuitas* —, elas acrescentam um brilho cuja ausência seria sentida. Quando experimento tocar pela primeira vez uma sonata de Beethoven ou Schubert no piano, toco-a toda, algumas vezes, sem esses artifícios. A sonata flui, mas que diferença faz quando sou capaz de acrescentar as notas graciosas que temperam a partitura como saborosas especiarias!

Na Inglaterra, alguns usos evidenciam explicitamente a fonte teológica da palavra. Os súditos britânicos dirigem-se à realeza utilizando a expressão "Sua Graça". Os estudantes de Oxford e de Cambridge podem "receber uma graça" que os isenta de certas exigências acadêmicas. O Parlamento declara um "ato de graça" para perdoar um criminoso.

Os editores de Nova York também sugerem um significado teológico com sua política de *agraciar*. Se assino doze exemplares de uma revista, posso receber alguns exemplares extras mesmo depois de expirada minha assinatura. São "exemplares de graça", enviados para me incentivar a renovar a assinatura. Cartões de crédito, agências de aluguel de carros e imobiliárias igualmente estendem aos clientes um "período de graça" não merecido.

Também aprendo a respeito de uma palavra com seu antônimo. Os jornais dizem que o comunismo "caiu em desgraça", uma frase igualmente aplicada a Jimmy Swaggart, Richard Nixon e O. J. Simpson. Insultamos uma pessoa apontando a carência da graça: "Seu *ingrato*!". Ou, pior ainda, dizemos: "Você é uma *desgraça*!". Alguém realmente desprezível não tem "a menor graça". Meu uso predileto da raiz *graça* aparece na melíflua expressão *persona non grata*: uma pessoa que ofende o governo com algum ato de traição é proclamada oficialmente uma "pessoa não grata", indesejável.

Os muitos usos da palavra convencem-me de que a *graça* é realmente surpreendente: trata-se de nossa última palavra perfeita. Ela contém a essência do evangelho como uma gota de água pode conter a imagem do sol. O mundo tem sede de graça em situações que nem reconhece; não nos causa admiração que o hino *Preciosa a graça de Jesus*[b] [*Amazing Grace*] continue sendo tão repetido mais de duzentos anos depois de sua composição. Para uma sociedade que parece estar à deriva, sem amarras, não sei de lugar melhor para lançar uma âncora de fé.

Contudo, como as notas melódicas na música, o estado de graça na vida das pessoas mostra-se passageiro. O muro de Berlim cai em uma noite de euforia; os negros sul-africanos fazem longas e exuberantes filas para votar pela

---

[b] Hino 314. *Hinário para o Culto Cristão*. Rio de Janeiro: JUERP, 1999 [N. do E.].

primeira vez; Yitzhak Rabin e Yasser Arafat apertam-se as mãos em Rose Garden — por um momento, a graça se faz presente. Mas, depois, a Europa Oriental inicia uma longa tarefa de reconstrução, a África do Sul tenta descobrir como governar um país e Arafat, disfarçadamente, lança projéteis, sendo Rabin atingido por um deles. Como uma estrela que desaparece, a graça se dissipa em uma explosão final de luz pálida, para depois ser engolfada pelo buraco negro da "ausência de graça".

"As grandes revoluções cristãs", disse H. Richard Niebuhr "não acontecem por meio da descoberta de algo desconhecido até então. Elas acontecem quando alguém aceita radicalmente algo que sempre esteve aí."[1] Por estranho que pareça, às vezes descubro ausência da graça dentro da igreja, uma instituição fundada para proclamar, na frase de Paulo, "o evangelho da graça de Deus".

O escritor Stephen Brown observa que o veterinário fica sabendo muita coisa a respeito do dono de um cão — que ele não conhece — apenas olhando o animal. O que o mundo fica sabendo a respeito de Deus ao nos observar como seus seguidores na Terra? Busque as raízes da palavra *graça* no grego e você vai descobrir um verbo que significa "eu me regozijo, estou feliz". Em minha experiência, o regozijo e a alegria não são as primeiras imagens que vêm à mente das pessoas quando pensam na igreja. Elas imaginam santarrões e veem a igreja como um lugar para ir depois que tiverem endireitado as coisas, não antes. Pensam em moralidade, não em graça. "Igreja!", disse a prostituta. "Por que eu iria a uma igreja? Eu já me sinto terrível o suficiente. Eles vão me fazer sentir ainda pior."

Essa atitude origina-se parcialmente de um conceito deturpado, ou de preconceito, dos de fora. Visitei abrigos, asilos, hospícios e ministérios na prisão dirigidos por voluntários cristãos generosos, cheios da graça. Mesmo assim, o comentário da prostituta é doloroso porque ela encontrou um ponto fraco na igreja. Alguns de nós parecemos tão ansiosos em fugir do inferno que nos esquecemos de celebrar nossa viagem para o céu. Outros, justamente preocupados com questões de uma "guerra cultural" moderna, negligenciam a missão da igreja como um porto da graça neste mundo carente de graça.

"A graça está por toda parte", disse o moribundo sacerdote no romance *Diário de um pároco de aldeia*, de Georges Bernanos.[2] Sim, mas com que facilidade nós a ignoramos, fazendo-nos surdos à eufonia.

Frequentei uma faculdade cristã. Anos depois, quando me encontrava ao lado de seu diretor em um avião, ele me pediu que avaliasse minha educação. "Coisas boas, coisas ruins", repliquei. "Encontrei ali muita gente piedosa. Na verdade, encontrei Deus. Quem poderia avaliar uma coisa dessas? Contudo, mais tarde percebi que em quatro anos eu não aprendi quase nada a respeito da graça. Talvez seja a palavra mais importante da Bíblia, a essência do evangelho. Como pude ignorá-la?"

Comentei essa conversa numa palestra subsequente de uma capela e, ao fazê-lo, ofendi os professores. Alguns sugeriram que eu não fosse mais convidado para falar. Uma alma gentil escreveu-me perguntando se eu não poderia ter dito aquilo de maneira diferente. Talvez, como estudante, tenham me faltado os receptores para captar a graça que me rodeava? Por respeitar e amar aquele homem, pensei muito em sua pergunta. Mas por fim, concluí que experimentei tanta carência de graça no *campus* de uma universidade cristã como em qualquer outro lugar na vida.

O conselheiro David Seamands resumiu sua carreira da seguinte forma:

> Há muitos anos, cheguei à conclusão de que as duas causas principais da maioria dos problemas emocionais entre os cristãos são estas: o fracasso em entender, receber e viver a graça e o perdão incondicionais de Deus; e o fracasso em anunciar esse amor, esse perdão e essa graça incondicionais aos outros [...]. Lemos e ouvimos falar sobre uma boa teologia da graça, e até cremos nela. Mas não é assim que vivemos. As boas-novas do evangelho da graça não penetraram no nível das nossas emoções.[3]

"O mundo pode fazer quase tudo tão bem ou melhor que a igreja", diz Gordon MacDonald. "Você não precisa ser cristão para construir casas, alimentar os famintos ou curar os enfermos. Há apenas uma coisa que o mundo não pode fazer. Ele não pode oferecer graça."[4] MacDonald identificou com precisão a única contribuição realmente importante da igreja. Aonde mais o mundo poderia ir para encontrar graça?

Ignazio Silone, romancista italiano, escreveu a respeito de um revolucionário procurado pela polícia. A fim de escondê-lo, seus camaradas o vestiram com as roupas de um padre e o enviaram a uma remota vila ao pé dos Alpes. A notícia se espalhou e em pouco tempo uma longa fila de camponeses apareceu à porta dele, cheios de histórias de pecados e vidas desfeitas. O "sacerdote" protestava e tentava desvencilhar-se deles, sem resultados. Não pôde fazer nada além de sentar-se e ouvir as histórias das pessoas que morriam de fome da graça.

Acho que, de fato, é por isso que todos vão à igreja: fome da graça. O livro *Growing Up Fundamentalist* [Fundamentalistas em formação] narra uma reunião de estudantes em uma escola missionária no Japão. "Com uma ou duas exceções, todos abandonaram a fé, mas depois voltaram", contou um deles. "E aqueles entre nós que voltaram têm uma coisa em comum: todos descobriram a graça."[5]

Quando olho para minha própria peregrinação, marcada por erros, desvios e becos sem saída, vejo agora que me impulsionava minha busca pela graça. Rejeitei a igreja durante algum tempo porque encontrei bem pouca graça ali. Voltei porque não descobri graça em nenhum outro lugar.

Para dizer a verdade, mal a experimentei, tenho dispensado menos do que recebi e estou longe de ser um especialista no assunto. De fato, são esses os motivos que me impeliram a escrever a respeito. Queria conhecer mais, entender mais, experimentar mais graça. Não me atrevo — e o perigo é muito real — a escrever um livro desagradável a respeito da graça. Saiba, então, desde o início, que escrevo como um peregrino qualificado apenas pela fome que sinto.

A graça não é assunto fácil para um escritor. Tomando emprestado o comentário de E. B. White a respeito do humor: "[A graça] pode ser dissecada como uma rã, mas ela morre no processo, e o que está ali dentro é deprimente para todos, exceto para as mentes puramente científicas". Acabei de ler um tratado de 13 páginas a respeito da graça na *New Catholic Encyclopedia* [Nova enciclopédia católica] que me curou de qualquer desejo de dissecar a graça e de mostrar seu interior. Não quero que ela morra. Por essa razão, vou apoiar-me mais em histórias do que em silogismos.

Resumindo, prefiro transmitir graça em vez de explicá-la.

PARTE I
Como é doce ouvir

2
A festa de Babette: uma história

Karen Blixen, dinamarquesa de nascimento, casou-se com um barão e passou os anos de 1914 a 1931 administrando uma plantação de café na África Oriental Britânica (seu livro *A fazenda africana*[a] [*Out of Africa*] fala sobre aqueles anos). Depois do divórcio, ela voltou à Dinamarca e começou a escrever em inglês com o pseudônimo Isak Dinesen. Um de seus contos, "A festa de Babette",[1] tornou-se um clássico respeitado depois de ser transformado em filme na década de 1980.

Dinesen situou a história na Noruega, mas os cineastas dinamarqueses mudaram o local para uma pobre vila de pescadores no litoral da Dinamarca, uma localidade de ruas lamacentas e cabanas cobertas de palha. Neste ambiente triste, um ministro de barbas brancas liderava um grupo de cristãos de uma austera seita luterana.

Em Norre Vosburg, os poucos prazeres mundanos capazes de tentar um camponês eram condenados pela seita. Todos usavam roupas pretas. A alimentação consistia em bacalhau cozido e uma papa feita de pão escaldado em água enriquecida com um borrifo de cerveja. Aos sábados, o grupo reunia-se e cantava hinos como "Feliz Jerusalém, meu lar, em ti almejo estar!". Eles haviam direcionado suas bússolas para a Nova Jerusalém, e a vida na Terra era apenas tolerada como um meio de chegar lá.

O velho pastor, um viúvo, tinha duas filhas adolescentes: Martina, chamada assim por causa de Martinho Lutero, e Philippa, em homenagem ao discípulo de Lutero, Felipe Melanchthon. Os habitantes da vila costumavam ir à

---

[a] Publicado pela Civilização Brasileira em 2001 e reeditado pela Cosac & Naify em 2005. Inspirou o filme *Entre dois amores*, de 1985, com direção de Sidney Pollack [N. do R.].

igreja apenas para se deliciar observando as duas, cuja radiante beleza não podia ser ocultada, apesar do grande esforço das irmãs.

Martina captou os olhares de um jovem e arrojado oficial da cavalaria. Ao resistir-lhe, obstinadamente, às investidas — afinal, quem cuidaria do velho pai? —, ele partiu para se casar com uma dama de companhia da rainha Sofia.

Além de muito bela, Philippa também possuía a voz de um rouxinol. Quando cantava a respeito de Jerusalém, visões reluzentes da cidade celestial pareciam surgir. E aconteceu de Philippa conhecer o mais famoso cantor de ópera daquele tempo, o francês Achille Papin, que passava uns dias no litoral por motivos de saúde. Enquanto caminhava pelas ruelas poeirentas de uma cidade atrasada, Papin ouviu, para sua grande admiração, uma voz digna da Grand Opera de Paris.

"Deixe-me ensiná-la a cantar da maneira certa", ele insistiu com Philippa, "e toda a França cairá a seus pés. A realeza fará fila para conhecê-la e você andará de carruagem puxada por cavalos para jantar no magnífico Café Anglais". Lisonjeada, Philippa concordou em tomar algumas lições — mas só algumas. Cantar o amor causou-lhe certo nervosismo; a agitação dentro de si perturbou-a mais ainda e, quando uma ária de *Don Giovanni* terminou e os braços de Papin a enlaçaram, com os lábios dele tocando os seus, ela soube, sem a menor sombra de dúvida, que aqueles novos prazeres tinham de ser abandonados. Seu pai escreveu um bilhete desistindo de todas as futuras lições e Achille Papin voltou a Paris, triste como se tivesse perdido um bilhete de loteria premiado.

Passaram-se quinze anos e muita coisa mudou na vila. As duas irmãs, agora solteironas de meia-idade, tentaram dar continuidade à missão do falecido pai, mas, sem sua liderança vigorosa, a seita foi perdendo expressão. Um irmão queixava-se de outro por causa de algum negócio. Espalharam-se boatos de que havia um caso de sexo ilícito havia trinta e dois anos envolvendo dois membros da comunidade. Duas velhas senhoras não se falavam por uma década. Embora ainda se reunissem aos domingos e cantassem velhos hinos, apenas um punhado de pessoas dava-se ao trabalho de comparecer e a música perdera o entusiasmo. Apesar de todos esses problemas, as duas filhas do ministro continuaram fiéis, organizando os cultos e escaldando pão para os anciãos desdentados da vila.

Uma noite, chuvosa demais para que alguém se aventurasse pelas ruas lamacentas, elas ouviram fortes batidas na porta. Quando a abriram, uma mulher caiu desmaiada. Reanimaram-na e descobriram que não falava dinamarquês. Ela lhes entregou uma carta de Achille Papin. Ao ver aquele nome Philippa enrubesceu, e sua mão tremia enquanto lia a carta de apresentação. O nome da mulher era Babette. Ela havia perdido o marido e o filho durante a guerra civil na França. Com a vida em perigo, tivera de fugir, e Papin lhe arranjara uma passagem em um navio na esperança de que aquela vila lhe demonstrasse misericórdia. "Babette sabe cozinhar", dizia a carta.

As irmãs não tinham dinheiro para pagar Babette e, antes de mais nada, não sabiam se deviam ter uma empregada. Desconfiaram de sua arte culinária — os franceses não comiam cavalos e rãs? —, mas, por meio de gestos e súplicas, Babette amoleceu-lhes o coração. Ela poderia fazer alguns serviços em troca de quarto e comida.

Durante os doze anos seguintes, Babette trabalhou para as irmãs. A primeira vez que Martina mostrou-lhe como cortar um bacalhau e cozinhar a papa, as sobrancelhas de Babette elevaram-se e seu nariz enrugou um pouco, mas ela nunca questionou as tarefas. Alimentava os pobres da cidade e assumira todas as tarefas domésticas, ajudando até mesmo nos cultos aos domingos. Um ponto em que todos concordavam era que Babette trouxera vida nova à estagnada comunidade.

Uma vez que Babette nunca se referia a seu passado na França, foi uma grande surpresa para Martina e Philippa quando, um dia, depois de doze anos, ela recebeu a primeira carta. Babette leu-a, viu as irmãs de olhos arregalados e anunciou de maneira natural que uma coisa maravilhosa havia acontecido. Todos os anos, um amigo em Paris renovava o número de Babette na loteria francesa. Nesse ano, seu bilhete fora premiado. Dez mil francos!

As irmãs apertaram-lhe a mão, parabenizando-a, mas bem no íntimo desfaleciam. Sabiam que logo ela iria embora.

A sorte grande de Babette na loteria coincidiu com o momento em que as irmãs discutiam sobre a celebração de uma festa em homenagem ao centenário de nascimento do pai. Babette fez-lhes um pedido. Disse que em doze anos nunca lhes pedira nada. Elas assentiram. "Agora, porém, tenho um pedido: gostaria de preparar uma refeição para o culto de aniversário. Quero cozinhar uma verdadeira refeição francesa."

Embora as irmãs tivessem sérias dúvidas a respeito do plano, Babette, sem sombra de dúvida, estava certa de que nunca pedira nenhum favor em doze anos. Que escolha tinham a não ser concordar?

Quando o dinheiro chegou da França, Babette fez uma rápida viagem para providenciar os preparativos para o jantar. Nas semanas que se seguiram à sua volta, os habitantes de Norre Vosburg foram surpreendidos com a visão de vários barcos ancorados descarregando provisões para a cozinha de Babette. Trabalhadores empurravam carrinhos de mão cheios de gaiolas com pequenas aves. Caixas de champanhe — *champanha!* — e vinho logo se seguiram. A cabeça inteira de uma vaca, vegetais frescos, trufas, faisões, presunto, estranhas criaturas que viviam no mar, uma imensa tartaruga ainda viva mexendo a cabeça feito uma cobra, de um lado para o outro — tudo isso ia parar na cozinha das irmãs, agora firmemente comandada por Babette.

Martina e Philippa, alarmadas com os preparativos, que mais pareciam coisa de bruxa, explicavam a embaraçosa situação aos membros da seita, agora apenas onze pessoas, velhas e grisalhas. Todos manifestavam simpatia por elas. Depois de algumas discussões, concordaram em comer a refeição francesa, contendo os comentários para que Babette não entendesse mal. Línguas haviam sido feitas para louvor e ação de graças, não para satisfazer gostos exóticos.

Nevava em 15 de dezembro, o dia do jantar, iluminando a aldeia obscura com um brilho branco. As irmãs ficaram satisfeitas ao saber que um hóspede inesperado se juntaria a elas: a senhora Loewenhielm, de 90 anos de idade, estaria acompanhada de seu sobrinho, o oficial da cavalaria que cortejara Martina tempos atrás e que agora ocupava o cargo de general no palácio real.

Babette conseguira emprestadas louças e cristais suficientes e enfeitara o recinto com velas e sempre-verdes. A mesa estava linda. Quando a refeição começou, todos os habitantes da aldeia se lembraram do pacto e ficaram mudos, como tartarugas ao redor de um lago. Apenas o general comentou sobre a comida e a bebida. "*Amontillado!*", exclamou ele quando levantou o primeiro copo. "O mais fino *amontillado* que já provei." Quando experimentou a primeira colherada de sopa, o general poderia jurar que era de tartaruga, mas como se acharia tal coisa no litoral da Jutlândia?

"Incrível!", disse ele quando experimentou o seguinte prato. "*Blinis Demidoff!*". Todos os outros convivas, com as faces franzidas por profundas rugas, comiam as mesmas raras iguarias sem indicar nenhuma expressão ou fazer comentários. Quando o general entusiasmado elogiou o champanhe, um Veuve Cliquot 1860, Babette pediu a seu ajudante de cozinha que mantivesse o copo do general cheio o tempo todo. Ele era a única pessoa que parecia apreciar o que tinha a sua frente.

Embora ninguém mais falasse a respeito da comida ou da bebida, aos poucos o banquete desencadeou um efeito mágico sobre os habitantes da vila. O sangue esquentou. As línguas se soltaram. Eles falaram sobre os velhos tempos, quando o pastor era vivo, e do Natal em que a baía congelou. O irmão que enganara o outro nos negócios finalmente confessou, e as duas mulheres que tinham uma rixa acabaram conversando. Uma mulher arrotou, e o irmão ao seu lado disse sem pensar: "Aleluia!".

O general, entretanto, não conseguia falar de nada além da comida. Quando o ajudante de cozinha trouxe o *coup de grâce* (veja a palavra novamente aqui), codornizes preparadas *en Sarcophage*, o general exclamou que vira tal prato apenas em um lugar na Europa, no famoso Café Anglais de Paris, o restaurante que já fora célebre por ter uma mulher como chefe de cozinha.

Cheio de vinho, o apetite satisfeito, incapaz de se conter, o general levantou-se para fazer um discurso: "A misericórdia e a verdade, meus amigos, se encontraram", ele começou. "A justiça e a bem-aventurança se beijaram." Então ele fez uma pausa, "pois — conforme comenta Isak Dinesen — ele tinha o hábito de fazer seus discursos com cuidado, consciente do seu propósito, mas ali, no meio da simples congregação do pastor, foi como se toda a figura do General Loewenhielm, com o peito coberto de condecorações, fosse porta-voz de uma mensagem que tinha de ser transmitida". A mensagem do general era *graça*.

Embora os irmãos e as irmãs da seita não compreendessem totalmente o discurso do general, naquele momento "as vãs ilusões desta Terra dissiparam-se diante de seus olhos como fumaça, e eles viram o Universo como realmente era". O pequeno grupo desfez-se e saiu para uma cidade coberta de reluzente neve sob um céu recoberto de estrelas.

"A festa de Babette" termina com duas cenas. Do lado de fora, os velhos dão-se as mãos ao redor da fonte e cantam entusiasmados os antigos hinos da fé.

É uma cena de comunhão: o banquete de Babette abriu o portão e a graça entrou silenciosamente. Eles sentiram, acrescenta Isak Dinesen, "como se realmente tivessem seus pecados lavados e tornados brancos como a lã, e nessas vestes inocentes, recuperadas, pulavam de alegria como cordeirinhos travessos".

A cena final acontece do lado de dentro, na bagunça de uma cozinha cheia até o teto de louça para lavar, panelas engorduradas, conchas, carapaças, ossos cartilaginosos, engradados quebrados, cascas de vegetais e garrafas vazias. Babette está sentada no meio da bagunça, parecendo tão cansada quanto na noite em que chegara, doze anos antes. Subitamente, as irmãs percebem que, conforme o combinado, ninguém falara com Babette a respeito do jantar.

— Foi um jantar e tanto, Babette — Martina diz para começar.

Babette parece distante. Depois de um minuto ela responde: — Eu era a cozinheira do Café Anglais.

— Todos nós nos lembraremos desta noite quando você tiver voltado para Paris, Babette — Martina acrescenta, como se não a tivesse ouvido.

Babette diz-lhes que não voltará para Paris. Todos os seus amigos e parentes tinham sido mortos ou feitos prisioneiros. E, naturalmente, seria muito caro voltar para Paris.

— Mas e os dez mil francos? — as irmãs perguntam.

Então Babette deixa cair a bomba. Gastara tudo, cada franco dos dez mil que ganhara, na comida que acabavam de devorar. — Não se assustem — ela lhes diz. — É esse mesmo o preço de um jantar para doze pessoas no Café Anglais.

No discurso do general, Isak Dinesen não deixa dúvidas de que escreveu "A festa de Babette" não apenas como uma história a respeito de uma excelente refeição, mas como uma parábola da graça: um presente que custa tudo para o doador e nada para quem recebe. É isso que o General Loewenhielm disse aos carrancudos paroquianos reunidos ao redor da mesa de Babette:

> Todos nós fomos informados de que a graça deve ser buscada no Universo, mas em nossa loucura humana e em nossa visão reduzida, imaginamos que a graça divina seja finita. [...] Mas chega o momento em que nossos olhos são abertos e vemos e entendemos que a graça é infinita. A graça, meus amigos, não exige nada de nós a não ser que a aguardemos com confiança e a reconheçamos com gratidão.

Doze anos antes, Babette aparecera entre aquelas pessoas desprovidas de graça. Discípulas de Lutero, elas ouviam sermões a respeito da graça quase todos os domingos, e no restante da semana tentavam obter o favor de Deus por meio da piedade e da renúncia. A graça chegou até elas na forma de uma festa, a festa de Babette, uma refeição desperdiçando uma vida inteira sobre aqueles que não a haviam merecido e que mal possuíam a faculdade de recebê-la. A graça veio a Norre Vosburg como sempre vem: livre de pagamento, sem restrições, sem compromisso, como oferta da casa.

3
Um mundo sem graça

> *A graça momentânea dos homens mortais, que nós procuramos mais do que a graça de Deus.*
>
> Shakespeare, *Ricardo III*

Seguindo de ônibus para o trabalho, um amigo meu ouviu a conversa de uma jovem sentada perto dele com o vizinho do outro lado do corredor. A mulher lia *Além da trilha menos percorrida* [*The Road Less Traveled*], de Scott Peck,[a] livro que permaneceu na lista dos *best-sellers* do *The New York Times* por mais tempo do que qualquer outro.

— O que você está lendo? — perguntou o rapaz.

— Um livro que uma amiga me deu. Ela disse que mudou sua vida.

— É mesmo? Do que se trata?

— Não tenho certeza. Uma espécie de guia para a vida. Ainda não li muita coisa — disse a jovem, começando a folhear o livro. — Aqui estão os títulos dos capítulos: Disciplina, Amor, Graça...

O homem interrompeu-a para perguntar:

— O que é graça?

— Não sei — ela retrucou. — Ainda não cheguei lá.

Às vezes, penso nessa última linha quando ouço o noticiário do horário nobre. Um mundo marcado por guerras, violência, opressão econômica, confrontos religiosos, processos e desintegração de famílias claramente ainda não alcançou a graça. "Ah, que coisa é um homem carente de graça", suspirou o poeta George Herbert.[1]

---

[a] Nova Era, 2002 [N. do R.].

Infelizmente, também penso nessa frase da conversa no ônibus quando visito determinadas igrejas. Como excelente vinho derramado em um jarro de água, a maravilhosa mensagem da graça de Jesus fica diluída no vaso da igreja. "Pois a Lei foi dada por intermédio de Moisés; a graça e a verdade vieram por intermédio de Jesus Cristo",[2] escreveu o apóstolo João. Os cristãos gastam muita energia debatendo e decretando a verdade; cada igreja defende sua versão particular. Mas o que dizer da graça? Como é difícil encontrar uma igreja que esteja competindo com suas rivais para superá-las em graça.

A graça é o melhor presente do cristianismo ao mundo. Ela é uma boa nova espiritual em nosso meio, exercendo uma força maior do que a vingança, mais forte do que o racismo, mais forte do que o ódio. É triste dizer, mas, infelizmente, para um mundo carente, a igreja às vezes apresenta mais uma forma de carência de graça. Muito frequentemente, nós nos parecemos mais com as pessoas carrancudas que se reuniam para comer pão escaldado do que com aqueles que acabaram de participar da festa de Babette.

Fui criado em uma igreja que estabelecia limites distintos entre "o tempo da Lei" e "o tempo da Graça". Embora ignorássemos muitas proibições morais do Antigo Testamento, tínhamos nossos próprios mandamentos prediletos rivalizando com os dos judeus ortodoxos. No alto da lista vinham o fumo e a bebida (contudo, como estávamos no Sul, com sua economia dependente do tabaco, algumas permissões eram feitas para o fumo). O cinema vinha logo abaixo desses vícios, com muitos membros de igreja recusando-se até a assistir ao filme *A noviça rebelde* [*The Sound of Music*]. O *rock*, naquela época, na infância, era igualmente considerado algo abominável, com certeza algo demoníaco em sua origem.

Outras proibições — como usar maquiagem e joias; ler o jornal dominical, assistir a ou participar de esportes aos domingos; homens e mulheres nadando juntos (prática curiosamente intitulada "banho misto"); comprimento das saias para as moças; comprimento dos cabelos para os rapazes — eram obedecidas ou não, dependendo do nível espiritual da pessoa. Cresci com a forte impressão de que uma pessoa se tornava espiritual obedecendo a essas regras sem significado. Considerando minha própria vida, eu não conseguia perceber muita diferença entre as dispensações da Lei e da Graça.

Minhas visitas a outras igrejas convenceram-me de que essa escada para atingir a espiritualidade é quase universal. Os católicos, os menonitas, as Igrejas de Cristo, os luteranos e os batistas do sul têm todos ordens próprias de conduta. Você obtém a aprovação da igreja, e presumivelmente de Deus, ao seguir o padrão prescrito.

Mais tarde, quando comecei a escrever a respeito do problema da dor, encontrei outra forma de ausência da graça. Alguns leitores levantaram objeções à minha simpatia para com os que sofrem. As pessoas sofrem porque merecem, diziam. Deus as está punindo. Tenho muitas dessas cartas em meu arquivo, declarações modernas dos "provérbios de cinza"[3] dos amigos de Jó.

Em seu livro *Culpa e graça*, o médico suíço Paul Tournier,[4] um homem de profunda fé pessoal, admite: "Não consigo estudar com você este problema sério da culpa sem levantar o fato óbvio e trágico de que a religião — tanto a minha como também a de todos os cristãos — pode oprimir em vez de libertar".

Tournier fala de pacientes que o procuraram: um homem cheio de culpa por causa de um antigo pecado, uma mulher que não conseguia livrar-se da lembrança de um aborto que fizera havia dez anos. O que os pacientes realmente buscam, diz Tournier, é a graça. Mas o que eles encontram em algumas igrejas é a vergonha, a ameaça do castigo e um sentimento de julgamento e crítica. Em suma, quando procuram pela graça na igreja, com frequência encontram ausência da graça.

Uma mulher divorciada recentemente contou-me que estava em sua igreja com a filha de 15 anos de idade quando a esposa do pastor se aproximou dizendo: "Ouvi dizer que você e seu marido estão se divorciando. O que eu não consigo entender é: se vocês amam Jesus, por que estão fazendo isso?". A esposa do pastor nunca havia conversado com minha amiga antes e sua dura repreensão na presença da filha deixou-a perplexa. "A dor residia no fato de que meu marido e eu amávamos Jesus de coração, mas o casamento fora dissolvido, sem chance de reconciliação. Se ela pelo menos tivesse me abraçado e dito: 'Sinto muito'..."

Mark Twain costumava falar de pessoas que eram "boas no pior sentido da palavra", uma frase que, para muitos, capta a reputação dos cristãos de hoje. Recentemente, andei fazendo uma pergunta a pessoas desconhecidas — pessoas sentadas ao meu lado no avião, por exemplo — quando dava início a uma conversa: "Quando digo as palavras 'cristão evangélico', no que você pensa?" Em resposta, ouvi principalmente descrições políticas: ativistas barulhentos a favor da vida, oponentes aos direitos dos homossexuais ou proponentes da censura à Internet. Ouvi também referências à Moral Majority, organização dispersada anos atrás.[b] Nenhuma vez — *nem uma única vez* — ouvi uma descrição com cheiro de graça. Aparentemente, esse não é o aroma que os cristãos espalham pelo mundo.

H. L. Mencken descreveu o puritano como uma pessoa com medo obsessivo de que alguém, em algum lugar, seja feliz; hoje, muita gente aplicaria a mesma caricatura aos evangélicos ou aos fundamentalistas. De onde vem essa reputação de retidão sem alegria? Um artigo da humorista Erma Bombeck dá uma pista:

> Domingo passado, na igreja, eu prestava atenção a uma criança que se virava para trás e sorria para todos. Ela não estava fazendo nenhum barulho, nem estava cantarolando, nem chutando, nem rasgando os hinários, nem mexendo na bolsa da mãe. Apenas sorrindo. Finalmente, sua mãe olhou para ela com cara feia e num sussurro teatral que poderia ser ouvido em um pequeno teatro da Broadway, disse: "Pare de sorrir! Você está na igreja!" Em seguida, deu-lhe um tapa e, quando lágrimas começaram a rolar pela face da criança, acrescentou: "Assim é melhor", e retomou as suas orações...
>
> De repente me zanguei. Percebi que o mundo inteiro está em prantos e, se você não está chorando, é melhor começar. Eu quis abraçar aquela criança com o rosto molhado de lágrimas e lhe falar a respeito do meu Deus. O Deus feliz. O Deus sorridente. O Deus que precisava ter senso de humor para ter criado gente como nós.[...] Por tradição, as pessoas usam a fé com a solenidade de acompanhantes de enterro, a seriedade de uma máscara trágica e a dedicação de um emblema do Rotary.
>
> Que loucura, pensei. Aqui está uma mulher sentada ao lado da única luz ainda existente em nossa civilização — a única esperança, nosso único

---

[b] Moral Majority, organização que buscava restabelecer valores tradicionais na sociedade por meio do apoio a políticos conservadores dos Estados Unidos; tinha como objetivo retornar às premissas da palavra de Deus para salvar a nação [N. do R.].

milagre, nossa única promessa de infinidade. Se ela não podia sorrir na igreja, para onde deveria ir?[5]

Essa caracterização de cristãos certamente está incompleta, pois conheço muitos que personificam a graça. Mas em algum ponto da história a Igreja adquiriu uma reputação por causa da ausência da graça. Como orou uma garotinha inglesa: "*Ó Deus, transforme as pessoas ruins em pessoas boas, e as pessoas boas em pessoas agradáveis*".

William James, talvez o mais importante filósofo americano do século passado, tinha uma visão simpática da igreja, conforme expressou em seu clássico estudo *As variedades da experiência religiosa*. Contudo, ele lutava para compreender a intolerância dos cristãos que perseguiam os quacres porque estes não cumprimentavam tirando o chapéu e discutiam com vigor os princípios morais implícitos no ato de tingir tecidos. Ele escreveu a respeito do ascetismo de um padre francês do interior que decidiu

> "que nunca cheiraria uma flor, nunca beberia quando estivesse morrendo de sede, nunca espantaria uma mosca, nunca demonstraria nojo diante de um objeto repugnante, nunca se queixaria de nada que prejudicasse seu conforto pessoal, nunca se assentaria, nunca se apoiaria nos cotovelos quando estivesse ajoelhado".[6]

O famoso místico São João da Cruz aconselhava os fiéis a mortificar toda alegria e esperança, voltando-se "não para o que mais agrada, mas para o que mais desagrada", e a "desprezar-se, e a desejar que os outros o desprezem".[7] São Bernardo costumava cobrir os olhos para não ver a beleza dos lagos suíços.

Atualmente, o legalismo mudou de foco. Em uma cultura totalmente secular, a igreja está mais inclinada a demonstrar a ausência da graça por meio de um espírito de superioridade moral ou uma atitude irrefletida para com os oponentes na "guerra cultural".

A igreja também transmite a ausência da graça mediante sua falta de união. Mark Twain costumava dizer que colocara um cachorro e um gato juntos em uma gaiola para ver como conviveriam. Saíram-se bem. Ele então colocou um pássaro, um porco e uma cabra. O mesmo aconteceu e os animais deram-se bem após alguns ajustes. Então ele colocou um batista, um presbiteriano e um católico juntos — e logo não sobrou nenhum com vida.

O intelectual judeu Anthony Hecht escreve, um homem moderno, em um tom mais sério:

> Com o passar dos anos, não somente a conheci melhor [a minha fé] como também me tornei cada vez mais familiarizado com as convicções dos meus vizinhos cristãos. Muitos deles eram pessoas boas que eu admirava e com as quais aprendi coisas boas. E havia muita coisa na doutrina cristã que também me parecia agradável. Mas poucas coisas me atingiram com mais força do que a profunda e incompreensível hostilidade existente entre católicos e protestantes.[8]

Eu "pego no pé" dos cristãos porque sou um deles e não vejo motivos para fingir que somos melhores do que somos. Luto contra as garras da ausência da graça em minha própria vida. Embora não perpetue a severidade da minha criação, luto diariamente contra o orgulho, a inclinação para julgar e um sentimento de que, de alguma forma, devo obter a aprovação de Deus. Nas palavras de Helmut Thielicke "... o diabo tem êxito em colocar seus ovos em um ninho piedoso.[...] O odor sulfuroso do inferno não é nada comparado com o cheiro ruim emitido pela graça divina putrefata".[9]

Contudo, na verdade, uma pressão virulenta de ausência da graça pode ser vista em todas as religiões. Tenho ouvido testemunhas oculares falando da recentemente reavivada Dança do Sol, ritual em que os jovens guerreiros lakotas, nativos norte-americanos, cravam garras de águias em seus mamilos e, puxando uma corda amarrada a um poste sagrado, atiram-se na direção contrária até que as garras rasguem-lhes a carne. Em seguida, entram em uma sauna e amontoam pedras candentes até que a temperatura se torne insuportável — tudo isso na tentativa de expiar os pecados.

Tenho observado camponeses devotos rastejando sobre joelhos sangrentos pelas ruas calçadas de pedras da Costa Rica, e camponeses hindus oferecendo sacrifícios aos deuses da varíola e a serpentes venenosas na Índia. Tenho visitado países islâmicos em que membros da "polícia moral" patrulham as calçadas armados, à procura de mulheres cujas roupas os ofendam e que se atrevam a dirigir um carro.

Por uma triste ironia, os humanistas que se rebelam contra a religião conseguem, com frequência, inventar formas piores de ausência da graça.

Nas universidades modernas, ativistas das causas "liberais" — feminismo, ambientalismo, multiculturalismo — podem demonstrar um espírito cruel de ausência da graça. Não conheço nenhum legalismo mais abrangente do que o do comunismo soviético, que criou uma rede de espionagem para denunciar qualquer pensamento falso, mau uso de palavras ou desrespeito aos ideais do comunismo. Soljenitsyn, por exemplo, passou a maior parte da vida no Gulag como punição por ter feito uma observação indiferente a respeito de Stalin em uma carta pessoal.[c] Além disso, não conheço nenhuma Inquisição mais severa do que a da Guarda Vermelha na China, que se apresenta com carapuças e exibições teatrais de contrição pública.

Até os melhores humanistas inventaram sistemas de ausência da graça para substituir os que foram rejeitados na religião. Benjamin Franklin estabeleceu treze virtudes cívicas ou éticas, incluindo o Silêncio ("Fale apenas o que possa beneficiar os outros ou você mesmo; fuja da conversa fútil"), a Frugalidade ("Não gaste a não ser para o bem dos outros e o seu; ou seja, não desperdice nada"), a Aplicação ("Não perca tempo; esteja sempre ocupado com alguma coisa útil; descarte todas as ações desnecessárias") e a Tranquilidade ("Não se perturbe com insignificâncias ou acidentes comuns ou inevitáveis"). Ele elaborou um livro dedicando uma página para cada virtude, com uma coluna na qual registrava os "defeitos". Escolhendo uma diferente virtude para exercitar a cada semana, anotava diariamente todos os erros, recomeçando a cada treze semanas a fim de repassar pela lista quatro vezes por ano. Durante décadas Franklin carregou o livrinho com ele, lutando por um ciclo limpo de treze semanas. À medida que obtinha algum resultado, descobriu-se lutando contra um outro defeito:

> Talvez não exista nenhuma paixão natural tão dura de subjugar quanto o *orgulho*. Reprima-o. Lute contra ele. Sufoque-o. Mortifique-o quanto quiser. Ele continua vivo e de vez em quando vai espreitar e aparecer. [...] Mesmo se eu pudesse imaginar que já o venci, provavelmente ficaria orgulhoso de minha humildade.[10]

---

[c] O escritor dissidente soviético Alexander Soljenitsyn passou um total de onze anos na prisão e no exílio na Sibéria. O Gulag era o sistema penal institucional da antiga União Soviética, composto por uma rede de campos de concentração [N. do R.].

Esses esforços vigorosos, em todas as suas formas, não estariam traindo um profundo anseio pela graça? Vivemos em uma atmosfera sufocada pela fumaça da ausência de graça. Ela vem de fora, como um dom, não como uma realização. Com que facilidade ela se desvanece em nosso mundo competitivo, que mira só a sobrevivência dos mais aptos, de quem é o melhor?

A culpa revela o anseio pela graça. Uma organização em Los Angeles opera a Apology Sound-Off Line,[11] um serviço telefônico que dá às pessoas oportunidade de confessar seus erros pelo preço de uma chamada telefônica. Quem não crê mais em padres agora confia seus pecados a uma máquina que fala. Cerca de duzentas chamadas anônimas são feitas todos os dias, deixando mensagens de sessenta segundos. O adultério é uma confissão comum. Algumas pessoas confessam atos criminosos: estupros, abuso sexual infantil e até mesmo homicídios. Um alcoólatra em recuperação deixou a seguinte mensagem: "Gostaria de me desculpar com todas as pessoas que magoei em meus dezoito anos de vício." O telefone toca. "Gostaria apenas de dizer que sinto muito", soluça uma jovem. Ela conta que acabou de provocar um acidente de automóvel no qual cinco pessoas morreram. "Gostaria de trazê-las de volta."

Certa vez um colega apanhou o ator agnóstico W. C. Fields lendo a Bíblia em seu camarim. Embaraçado, Fields escondeu o livro e explicou: "Estou apenas procurando por ambiguidades". É provável que ele estivesse procurando pela graça.

Lewis Smedes, professor de Psicologia no Seminário Teológico Fuller, escreveu um livro inteiro estabelecendo correlações entre vergonha e graça (intitulado adequadamente *Shame and Grace* [Vergonha e graça]). Diz ele:

> Eu não achava que a culpa era meu problema principal. O que mais sentia era uma noção total de indignidade que não conseguia ligar a quaisquer pecados concretos dos quais fosse culpado. Mais do que perdão, eu precisava me convencer de que Deus me aceitava, me possuía, me segurava, me confirmava, e que nunca me abandonaria mesmo que não ficasse muito impressionado com o que tinha nas mãos.[12]

Smedes continua dizendo que identificou três fontes comuns de vergonha deformadora: a cultura secular, a religião sem a graça e os pais que rejeitam.

A cultura secular diz que a pessoa deve ter boa aparência, sentir-se bem e fazer o bem. A religião sem a graça diz que devemos seguir as regras ao pé da letra e que o fracasso provoca rejeição eterna. Os pais que rejeitam — "Você não tem vergonha?" — convencem-nos de que nunca conseguiremos sua aprovação.

Como os habitantes das cidades que já não percebem mais o ar poluído, nós respiramos, inconscientes, a atmosfera da ausência da graça. Já na pré-escola e no jardim de infância somos testados, avaliados e depois classificados como "adiantados", "normais" ou "lentos". Dali em diante, recebemos notas que indicam nossa capacidade na matemática, nas ciências, na interpretação de texto e também nossa "competência social" e "cidadania". Os testes voltam com os erros — não com os acertos — destacados. Tudo isso coopera em nossa preparação para o mundo real com sua classificação constante, uma versão adulta do jogo infantil denominado "o rei da montanha".

O serviço militar pratica a ausência da graça em sua forma mais pura. Após receber um título, um uniforme, um salário e um código de comportamento, cada soldado sabe exatamente seu papel em relação aos outros: cumprimente os superiores e obedeça-lhes, dê ordens aos inferiores. As empresas são mais sutis — um pouco. A Ford classifica os funcionários segundo uma escala de 1 (escriturários e secretárias) a 27 (presidente). Você tem de, pelo menos, atingir a escala 9 para ter direito a uma vaga no estacionamento; a escala 13 proporciona benefícios tais como uma janela, plantas e um intercomunicador; os escritórios do grau 16 são equipados com banheiros privativos.

Cada instituição, ao que parece, dá continuidade à ausência da graça e insiste no fato de que *fazemos por merecer* nossas regalias. Os departamentos de justiça, os programas de fidelidade das companhias aéreas e as imobiliárias não podem operar pela graça. O governo mal conhece essa palavra. As ligas esportivas recompensam aqueles que fazem bons passes, marcam gols, cestas, *strikes*; não há lugar para quem fracassa. A revista *Fortune* publica o nome das quinhentas pessoas mais ricas, mas ninguém sabe o nome das quinhentas pessoas mais pobres.

A anorexia é um produto direto da ausência de graça: exibe o ideal da beleza de modelos esqueléticas e então as adolescentes se abstêm de alimentos até a morte, na tentativa de atingir esse ideal. Peculiar tendência da civilização ocidental moderna, a anorexia raramente ocorre em lugares como a África moderna (onde as mais rechonchudas, não as magras, são admiradas).

Tudo isso acontece nos Estados Unidos, uma sociedade supostamente igualitária. Outras sociedades refinaram a arte da ausência de graça por meio de sistemas sociais rígidos baseados em classe, raça ou casta. A África do Sul costumava dividir os cidadãos em quatro categorias sociais: brancos, negros, pardos e asiáticos (quando os investidores japoneses protestaram, o governo criou uma nova categoria: "brancos honorários"). O sistema de castas da Índia era tão cheio de labirintos que, na década de 1930, os britânicos descobriram uma nova casta que não conheceram nos três séculos de sua presença ali: obrigadas a lavar as roupas dos "intocáveis",[d] essas pobres criaturas acreditavam que poderiam contaminar as castas mais elevadas só de olhar para elas, por isso só saíam à noite e evitavam todo e qualquer contato com outras pessoas.

O jornal *The New York Times*[13] publicou em 1995 uma série de reportagens sobre crimes no Japão moderno. Por que, eles perguntavam, nos Estados Unidos se prendiam 519 cidadãos para cada 100 mil, quando no Japão se prendiam apenas 37? Em busca de respostas, o repórter entrevistou um japonês que acabara de cumprir pena por assassinato. Nos quinze anos que passou na prisão, ele não recebeu uma única visita. Após ser solto, sua esposa e seu filho vieram encontrar-se com ele apenas para lhe dizer que nunca retornasse à sua casa. Suas três filhas, agora casadas, recusavam-se a vê-lo. "Acho que tenho quatro netos", o homem disse com tristeza, "mas nunca vi uma fotografia deles". A sociedade japonesa encontrou uma maneira de aproveitar o poder da ausência da graça. Uma cultura que valoriza "ter a cara limpa" não tem lugar para aqueles que trazem a desgraça.

Até mesmo as famílias, que associam os indivíduos pelo nascimento, não por seu desempenho, respiram a poluída fumaça da ausência de graça. Uma história de Ernest Hemingway[14] revela essa verdade. Um pai espanhol decidiu reconciliar-se com o filho que fugira para Madri. Tomado de remorso, o pai publica o seguinte anúncio no jornal *El Liberal:* "PACO, ENCONTRE

---

[d] Ser considerado um "intocável" e sofrer discriminação em virtude de sua casta é uma realidade para os 160 milhões de *dalits* que vivem na Índia. No rígido sistema de castas hindu, que divide as pessoas desde o nascimento, os *dalits* são uma subcasta. Considerados quase subumanos, estão sujeitos aos trabalhos mais degradantes e seus direitos humanos são sistematicamente violados. Para muitos hindus, quem toca um *dalit* (ou até mesmo em sua sombra) fica impuro [N. do R.].

COMIGO NO HOTEL MONTANA TERÇA-FEIRA AO MEIO-DIA. ESTÁ TUDO PERDOADO. PAPÁ". Paco é um nome comum na Espanha. Assim, quando o pai chega ao local combinado, encontra oitocentos jovens chamados Paco à espera de seus pais.

Hemingway conhecia a ausência da graça nas famílias. Seus devotos pais (os avós dele haviam frequentado a universidade evangélica de Wheaton) detestavam a vida libertina que ele levava e, depois de algum tempo, sua mãe não permitiu mais que ele permanecesse em sua presença. Em um dos seus aniversários, ela lhe enviou um bolo com a arma que o pai usara para se matar. Em outro, escreveu uma carta explicando que a vida de uma mãe é como um banco. Dizia ela: "Cada filho que nasce entra no mundo com uma conta bancária grande e próspera, aparentemente inexaurível".[15] O filho, continuava ela, faz saques, não depósitos, durante os primeiros anos de vida. Mais tarde, quando cresce, é responsabilidade dele repor o suprimento que sacou. A mãe de Hemingway prosseguia enunciando todas as maneiras específicas pelas quais ele deveria ter feito "depósitos para manter a conta em dia": flores, frutas ou doces, um pagamento secreto das contas da mãe e, acima de tudo, determinação para deixar de lado "a negligência de seus deveres para com Deus e o seu Salvador, Jesus Cristo". Hemingway nunca superou o ódio pela mãe ou pelo Salvador.

Ocasionalmente, a música da graça soa alta e etérea, interrompendo o monótono e obscuro rosnado da ausência de graça.

Certa vez, enfiei a mão no bolso de uma calça em uma loja de saldos e encontrei uma nota de 20 dólares. Não tinha como encontrar o proprietário e o gerente da loja disse que eu poderia ficar com ela. Pela primeira vez comprei um par de calças (13 dólares) e saí da loja com um bom lucro. Revivo a experiência todas as vezes em que visto a calça e conto-a aos meus amigos sempre que o assunto compras é mencionado.

Outro dia, escalei pela primeira vez uma montanha de cerca de quinhentos metros de altitude. Foi uma caminhada brutal e cansativa; quando finalmente desci, achei que tinha ganhado o direito de comer um churrasco e de ter uma semana de folga nas atividades aeróbicas. Já no carro, quando fiz uma curva no caminho de volta para a cidade, deparei com um genuíno lago alpino rodeado por álamos de um tom verde vibrante por trás dos quais surgia o mais brilhante arco-íris que eu já vira. Fui para o acostamento e fiquei olhando por muito tempo para aquela paisagem, em silêncio.

Em uma viagem a Roma, minha esposa e eu seguimos o conselho de um amigo para visitar a Basílica de São Pedro bem cedo pela manhã. "Peguem um ônibus antes do amanhecer até a ponte ornamentada com todas as estátuas de Bernini", nosso amigo instruiu. "Esperem pelo nascer do sol e então corram para a catedral a alguns quarteirões de distância. De manhã vocês vão encontrar apenas freiras, peregrinos e padres." O sol nasceu em um céu límpido naquela manhã, tingindo o Tibre de vermelho e lançando raios alaranjados sobre as preciosas estátuas dos anjos de Bernini. Seguindo o conselho, corremos para a Basílica de São Pedro. Roma estava acabando de despertar. É claro que éramos os únicos turistas; nossos passos sobre o chão de mármore ecoaram fortes na basílica. Admiramos a *Pietà*, o altar e os diversos monumentos, depois subimos por uma escada externa para chegar ao balcão na base da imensa cúpula criada por Michelangelo. Foi quando percebi uma fila de cerca de duzentas pessoas atravessando a praça. "Horário perfeito", disse para minha mulher, pensando que eram turistas. Mas não eram turistas, e sim um coral de peregrinos da Alemanha. Eles chegaram, reuniram-se em um semicírculo abaixo de nós e começaram a cantar hinos. Conforme as vozes se elevavam, reverberando ao redor da cúpula e mesclando-se na harmonia das muitas partes, a meia esfera de Michelangelo, apenas uma obra grandiosa de arquitetura, transformou-se em um templo de música celestial. O som fez nossas células vibrarem. Ele recebeu consistência, como se pudéssemos encostar-nos nele, ou nadar nele, como se os hinos, não o balcão, nos sustentassem.

Claro que o fato de os presentes não merecidos e prazeres inesperados produzirem a maior alegria tem significado teológico. A graça eleva-se. Ou, segundo os dizeres de um para-choque: "A graça acontece".

Para muitos, o amor romântico é a experiência mais próxima de pura graça. Pelo menos alguém sente que eu — *eu!* — sou a criatura mais desejável, mais atraente, mais companheira do planeta. Alguém fica acordado à noite pensando em *mim*. Alguém me perdoa antes que eu peça, pensa em mim enquanto se veste. Alguém organiza a vida ao redor da minha. Alguém me ama exatamente como sou. Por isso, creio que escritores modernos como John

Updike e Walker Percy, que possuem forte sensibilidade cristã, escolhem um relacionamento sexual como símbolo da graça em seus romances. Eles falam a linguagem que nossa cultura compreende: a graça como um rumor, não uma doutrina.

Eis que então surge um filme como *Forrest Gump: o contador de histórias* [*Forrest Gump*], a respeito de um garoto com baixo QI que narra lugares-comuns ouvidos de sua mãe. Esse indivíduo retardado salva os companheiros no Vietnã, mantém-se fiel à namorada Jenny, apesar da infidelidade dela, mantém-se fiel ao filho e a si mesmo e vive como se genuinamente não soubesse que é alvo de todas as piadas. A cena mágica de uma pluma inicia e termina o filme — uma nota de graça tão leve que ninguém sabe onde vai parar. *Forrest Gump: o contador de histórias* foi para os tempos modernos o que o livro *O idiota*[e] [*The Idiot*], foi para a época de Dostoievski, provocando reações semelhantes. Muitos acharam que era ingênuo, ridículo, manipulador. Outros, entretanto, viram nele um rumor de graça que trouxe forte alívio após a violenta ausência da graça dos filmes *Tempo de violência* [*Pulp Fiction*] e *Assassinos por natureza* [*Natural Born Killers*]. Como resultado, *Forrest Gump: o contador de histórias* tornou-se o filme de maior sucesso de seu tempo. O mundo tem fome de graça.

Peter Greave[16] escreveu um diário sobre sua vida com lepra, enfermidade contraída enquanto servia na Índia. Voltou à Inglaterra, meio cego e parcialmente paralisado, para viver em um retiro dirigido por um grupo de irmãs anglicanas. Incapaz de trabalhar, um proscrito da sociedade, tornou-se uma pessoa amarga. Pensou em suicídio. Fez planos para fugir do retiro, mas sempre voltava atrás porque não tinha para onde ir. Certa manhã, contra seus hábitos, levantou-se muito cedo e ficou andando pela propriedade. Ao ouvir um murmúrio vindo da capela, foi até lá e viu as irmãs orando pelos pacientes cujos nomes estavam escritos nas paredes. Entre eles, encontrou o seu. De alguma forma aquela experiência de conexão, de ligação, mudou o rumo de sua vida. Sentiu-se bem-vindo. Experimentou a graça.

---

[e] Publicado pela Ediouro em 2000; pela Editora 34 em 2002; pela Martin Claret em 2005 [N. do R.].

A fé religiosa — com todos os seus problemas, apesar de sua enlouquecedora tendência para copiar a ausência de graça — sobrevive porque sentimos a beleza numinosa do dom imerecido que surge em momentos inesperados vindo do lado de fora. Recusando-nos a crer que nossas vidas cheias de culpa e vergonha não nos levam a nada a não ser à aniquilação, esperamos, sem nenhuma esperança, por um outro lugar dirigido por regras diferentes. Crescemos famintos de amor e, de maneira tão profunda que não conseguimos expressar, desejamos que nosso Criador nos ame.

A graça não chegou até mim inicialmente nas formas ou nas palavras de fé. Fui criado em uma igreja que, com frequência, utilizava a palavra, mas com significado diferente. A graça, assim como muitos termos religiosos, ficou desprovida de significado, de modo que eu já não podia mais confiar nela.

Experimentei a graça, pela primeira vez, por meio da música. Na faculdade cristã que frequentava, eu era considerado um desviado. As pessoas oravam por mim publicamente e perguntavam-me se eu não precisava de exorcismo. Eu me sentia embaraçado, perturbado, confuso. As portas do dormitório eram trancadas à noite, mas felizmente eu morava no primeiro andar. Descia pela janela do meu quarto e esgueirava-me para a capela, que tinha um grande piano Steinway. Lá, às escuras, a não ser por uma luzinha que entrava e deixava que eu lesse a partitura, eu ficava sentado mais ou menos uma hora todas as noites tocando as sonatas de Beethoven, os prelúdios de Chopin e os improvisos de Schubert. Meus dedos impunham uma espécie de ordem tátil ao mundo. Minha mente estava confusa, meu corpo estava confuso, o mundo estava confuso — mas ali eu experimentava um mundo oculto de beleza, de graça e de maravilhosa luz como uma nuvem e surpreendente como a asa de uma borboleta.

Algo parecido acontecia no mundo da natureza. Para fugir da pressão das ideias e das pessoas, eu fazia longas caminhadas pelas florestas de pinheiros salpicadas de cornisos. Seguia os voos em zigue-zague das libélulas ao longo do rio, observava bandos de pássaros girando sobre minha cabeça e quebrava achas de lenha para encontrar dentro delas muitos insetos. Eu apreciava a maneira certa e inevitável da natureza dando forma e lugar a todos os seres viventes. Tinha evidências de que o mundo possuía grandeza, grande bondade e, com certeza, traços de alegria.

Mais ou menos na mesma época, fiquei apaixonado. Foi exatamente como levar um tombo, algo que me virou do avesso, deixando-me em um estado de alegria incontrolável. A Terra inclinava-se sobre seu eixo. Naquele tempo eu não acreditava em amor romântico, pensando que se tratasse de uma criação humana, uma invenção dos poetas italianos do século 16. Estava tão despreparado para o amor quanto estivera para a bondade e para a beleza. De repente, meu coração parecia inchado, grande demais para caber no peito.

Eu estava experimentando a "graça comum", para utilizar o termo teológico. Descobri que é terrível sentir-se grato e não ter ninguém para agradecer, extasiado e não ter ninguém para adorar. Gradualmente, muito gradualmente, voltei para a fé descartada da minha infância. Eu experimentara "gotas da graça", a expressão que C. S. Lewis usava para descrever aquilo que desperta uma profunda nostalgia do "perfume de uma flor que não descobrimos, o eco de uma melodia que não ouvimos, notícias de um país que nunca visitamos".

A graça está em toda parte, como lentes que não percebemos porque olhamos por elas. Finalmente, Deus me deu olhos para perceber a graça que me cercava. Tenho certeza de que me tornei escritor na tentativa de restaurar palavras que foram obscurecidas por cristãos sem graça. Em meu primeiro emprego, em uma revista cristã, trabalhei para um homem bom e sábio, Harold Myra, que permitiu que eu desenvolvesse minha fé no meu próprio ritmo, sem máscaras.

Em alguns dos meus primeiros livros, trabalhei com o dr. Paul Brand, que passou grande parte da vida em uma região quente e árida no sul da Índia tratando de pacientes leprosos, muitos dos quais pertenciam à casta dos "intocáveis". Naquele solo tão inapropriado, Brand experimentou e transmitiu a graça de Deus. Com pessoas como ele, aprendi sobre a graça sendo agraciado.

Eu tinha ainda uma última pele para deitar fora em meu trajeto rumo ao crescimento na graça. Entendi que a imagem de Deus com a qual fui criado era lamentavelmente incompleta. Vim a conhecer um Deus que é, nas palavras do salmista, "compassivo e misericordioso, muito paciente, rico em amor e em fidelidade".

A graça é gratuita para pessoas que não merecem e eu sou uma dessas pessoas. Lembro-me de como eu era — ressentido, marcado pela ira, um simples elo endurecido em uma longa corrente de ausência de graça aprendida por parte da família e da igreja. Agora estou tentando, em minha própria pequenez, tocar a melodia da graça. Eu o faço porque sei, com mais certeza do que qualquer outra coisa, que qualquer sentimento de cura, de perdão ou de bondade que eu tenha tido vem unicamente da graça de Deus. Espero, sinceramente, que a igreja se torne uma cultura nutriz dessa graça.

4
O Pai que sofre por amor

> *Isso acontece com os filhos pródigos... a lembrança*
> *da casa de seu pai retorna.*
> *Se o filho tivesse vivido de maneira econômica,*
> *nunca teria tido a idéia de voltar.*
>
> SIMONE WEIL

Durante uma conferência britânica a respeito de religiões comparadas, especialistas de todo o mundo debatiam qual seria a crença única da fé cristã, se é que essa crença existia. Começaram eliminando as possibilidades. Encarnação? Outras religiões tinham diferentes versões de deuses aparecendo em forma humana. Ressurreição? Novamente, outras religiões tinham relatos de retorno dos mortos. O debate prosseguiu durante algum tempo até que C. S. Lewis entrou no recinto. "Qual é o motivo da confusão?", ele perguntou, e ouviu a resposta dos colegas de que estavam discutindo sobre a singular contribuição do cristianismo quando comparada às religiões do mundo. Lewis respondeu: "Ah, isso é fácil. É a graça".[1]

Após alguma discussão, os conferencistas tiveram de concordar. A noção do amor de Deus vindo até nós livre de retribuição, sem restrições, sem compromisso, parece ir contra todo instinto da humanidade. O caminho de oito passos do budismo, a doutrina hindu do carma, a aliança judaica, o código de leis muçulmano — cada um deles oferece um caminho para alcançar a aprovação. Apenas o cristianismo atreve-se a dizer que o amor de Deus é incondicional.

Consciente de nossa resistência inata à graça, Jesus falou sobre ela com frequência. Ele descreveu um mundo banhado pela graça de Deus: onde o sol brilha sobre bons e maus; onde as aves recolhem sementes de graça, sem arar nem colher para merecê-las; onde flores silvestres explodem sobre as encostas rochosas das montanhas, sem serem cultivadas. Como o turista de um país estrangeiro que percebe o que os nativos não percebem, Jesus viu a graça por toda parte. Mas ele nunca analisou nem definiu a graça, e quase nunca usou essa palavra. Em vez disso, transmitiu graça por meio de histórias conhecidas por nós como parábolas — que tomarei a liberdade de transportar para um cenário moderno.

Um mendigo mora perto do Mercado de Peixes de Fulton, na parte leste de Manhattan. O cheiro repugnante das carcaças e entranhas dos peixes quase o derruba e ele odeia os caminhões barulhentos que chegam antes do nascer do sol. A cidade fica apinhada de gente e os policiais atormentam-no quando vai até lá. No cais ninguém se importa com um homem grisalho que vive só e dorme em uma caçamba atrás de um armazém de cargas no porto.

Bem cedo, quando os trabalhadores estão descarregando enguias e linguados dos caminhões, gritando entre si em italiano, o homem levanta-se e esgueira-se pelas caçambas até os fundos dos restaurantes para turistas. Começar cedo é garantia de boa coleta: um pão de alho amanhecido intacto e batatas fritas, uma pizza que só foi beliscada, uma fatia de *cheesecake*. Come o que consegue engolir e guarda o resto em um saco de papel pardo. Enfurna as garrafas e as latas em sacos plásticos dentro de seu carrinho de compras enferrujado.

O sol pálido da manhã finalmente cai sobre os edifícios do cais, através da neblina do porto. Quando ele vê o bilhete da loteria da semana passada em cima de alfaces murchas, quase o deixa ali. Mas, pela força do hábito, pega o papel e enfia no bolso. Antigamente, quando tinha mais sorte, costumava comprar um bilhete por semana, nunca mais de um. Já passa do meio-dia quando se lembra do canhoto do bilhete e vai até a banca de jornal comparar os números. Três números combinam, o quarto, o quinto — no final, todos os sete! Não pode ser verdade. Coisas assim não acontecem com ele. Mendigos não ganham na loteria de Nova York.

Mas é verdade. Mais tarde, naquele dia, ele pisca diante de luzes e câmeras enquanto o pessoal da televisão apresenta a mais nova atração da mídia, o mendigo barbudo e maltrapilho que receberá 243 mil dólares anuais nos próximos vinte anos. Uma mulher elegante, usando minissaia de couro, sacode um microfone em seu rosto e pergunta: "Como você se sente?" Ele olha em volta espantado, sentindo o leve odor do perfume dela. Havia muito tempo, muito tempo mesmo, que ninguém lhe fazia aquela pergunta.

Ele se sentia como um homem que estivera quase morrendo de fome e que agora voltava à vida, começando a imaginar que nunca mais sentiria fome.

Um empresário em Los Angeles decide ganhar dinheiro apostando no setor de turismo. Nem todos os americanos dormem em albergues ou comem no McDonald's quando viajam para o exterior; alguns preferem desviar-se dos caminhos conhecidos. O empresário tem, então, a idéia de promover o turismo nas Sete Maravilhas do Mundo Antigo.

A maioria das maravilhas antigas, conforme ele descobriu, não deixou vestígios. Mas há um movimento em favor da restauração dos Jardins Suspensos da Babilônia e, após muitas andanças, o empresário consegue fretar um avião, um ônibus, reservar acomodações e contratar um guia que promete levar os turistas para trabalharem com arqueólogos profissionais — exatamente a atividade que os aventureiros amam. O empresário encomenda algumas propagandas a serem veiculadas na TV e lança-as durante os torneios de golfe, quando os turistas endinheirados estão assistindo.

Para financiar seu sonho, ele consegue o empréstimo de 1 milhão de dólares de um capitalista de risco, calculando que depois da quarta viagem poderá cobrir as despesas da operação e começar a pagar a dívida.

Uma coisa, entretanto, ele não calculou: duas semanas antes de sua viagem inaugural, Saddam Hussein invadiu o Kuwait e o governo americano proibiu qualquer viagem ao Iraque, local em que estão localizados os antigos Jardins Suspensos da Babilônia.

O empresário penou durante três semanas sem saber como dar a notícia ao capitalista de risco. Visitou bancos e não chegou a nenhuma conclusão. Pensou em hipotecar a própria casa, o que lhe garantiria apenas 200 mil dólares, um quinto do que precisava. Finalmente, elaborou um plano comprometendo-se a pagar 5 mil dólares por mês durante o resto da vida. Redigiu um contrato e, enquanto o fazia, a loucura tornava-se óbvia.

Cinco mil dólares por mês não pagariam nem os juros do empréstimo que fizera. Além disso, onde arranjaria 5 mil dólares todo mês? Mas a alternativa, a falência, arruinaria seu crédito. Ele foi ao escritório do investidor no Sunset Boulevard; nervoso, gaguejou um pedido de desculpas e então apresentou sua ridícula proposta de pagamentos mensais. Estava molhado de suor, apesar do ar-condicionado do escritório.

O especulador levantou a mão, interrompendo-o: "Espere um pouco. Do que você está falando? Devolução?". Ele riu. "Não seja tolo. Sou um especulador. Às vezes ganho, às vezes perco. Sabia que seu plano tinha riscos. Contudo, era uma boa ideia e não foi culpa sua a guerra estourar. Esqueça." Pegou o contrato, rasgou-o e jogou-o no cesto de lixo.

Uma das histórias de Jesus a respeito da graça foi narrada em três dos evangelhos, em versões ligeiramente diferentes. Minha versão preferida, entretanto, apareceu em outra fonte: uma notícia que saiu em um jornal, o *Boston Globe,* em junho de 1990, falando sobre um banquete de casamento muito incomum.

Acompanhada do noivo, uma mulher foi ao bufê do Hyatt Hotel de Boston encomendar sua festa de casamento. Os dois examinaram o cardápio, escolheram as louças, a prataria e os arranjos de flores de que mais gostaram. Ambos tinham gostos sofisticados e a conta chegou a 13 mil dólares. Após deixar um cheque da metade dessa quantia como sinal, o casal foi para casa escolher o modelo dos convites de casamento.

No dia em que os convites deveriam ser enviados pelo correio, o noivo acovardou-se. "Não tenho certeza", disse. "É uma decisão muito séria. Vamos pensar um pouco mais."

Quando a noiva, indignada, retornou ao Hyatt para cancelar o banquete, a gerente de eventos foi muito compreensiva. "Aconteceu o mesmo comigo, querida", disse, e contou a história do seu noivado desfeito. Mas, quanto à devolução do pagamento, tinha más notícias: "O contrato é claro. Você só poderá receber de volta 1,3 mil dólares. Há duas opções: perder o restante da entrada ou realizar o banquete. Sinto muito. Realmente, sinto mesmo".

Parecia loucura, mas quanto mais a noiva frustrada pensava no assunto, mais gostava da ideia de realizar a festa — não um banquete de casamento, é claro, mas uma festa de arromba. Dez anos antes, essa mesma mulher morara em um abrigo para mendigos. Ela se recuperara, encontrara um bom emprego e conseguira guardar um bom dinheiro. Agora tinha a ideia louca de usar suas economias para presentear os desvalidos de Boston com um luxuoso banquete.

E foi assim que, em junho de 1990, o Hyatt Hotel, no centro de Boston, recebeu um grupo de pessoas diferentes de todas as que já haviam passado por lá. A anfitriã mudou o menu para frango desossado — "em homenagem ao noivo", disse — e enviou convites aos abrigos de mendigos. Naquela noite quente de verão, pessoas acostumadas a raspar restos de pizzas das embalagens de papelão jantaram frango *à Cordon Bleu*. Garçons do Hyatt vestidos de *smoking* serviram *hors d'oeuvres* aos cidadãos idosos apoiados em muletas e em andadores de alumínio. Catadores de papel, mendigos e viciados passaram uma noite diferente da vida dura nas calçadas — bebendo champanhe, comendo torta de chocolate e dançando ao som da música de uma orquestra até tarde da noite.

Uma jovem fora criada em Traverse City, Michigan, cercada por pomares de cerejas. Seus pais, um tanto antiquados e conservadores, costumavam reagir mal ao *piercing* que ela usava no nariz, às músicas que ouvia e ao comprimento de sua saia; de vez em quando a repreendiam e ela ficava furiosa. "Odeio vocês!", gritou para o pai quando ele bateu à porta de seu quarto após uma discussão. Naquela noite, a jovem realizou um plano que mentalmente já ensaiara dezenas de vezes. Fugiu de casa.

Ela visitara Detroit apenas uma vez, em uma viagem que fizera de ônibus com os amigos da igreja para assistir ao jogo dos Tigers. Os jornais de Traverse City descreviam com detalhes deploráveis as gangues, as drogas e a violência reinantes na cidade de Detroit; assim, ela concluiu que provavelmente aquele seria o último lugar em que os pais a procurariam. Talvez pensassem na Califórnia, ou na Flórida, mas não em Detroit.

Em seu segundo dia na cidade, ela conheceu um homem dirigindo o maior carro que já vira na vida. Ele lhe ofereceu carona, pagou-lhe um almoço e arranjou um lugar para ela ficar. O homem deu-lhe alguns comprimidos que a fizeram sentir-se melhor do que nunca. Ela se sentiu ótima e concluiu: seus pais impediam que se divertisse.

A boa vida continuou durante um mês, dois meses, um ano. O homem com o carrão — ela o chamava de "chefe" — ensinou-lhe coisas de que os homens gostam. Sendo menor de idade, eles lhe pagavam mais. Ela morava em um apartamento pequeno e podia encomendar o que precisava. Ocasionalmente pensava nos pais, mas a vida deles parecia-lhe tão chata e provinciana que mal acreditava que fora criada ali.

Ela se assustou ao ver sua foto na embalagem da caixinha de leite com os dizeres: "Você viu esta criança?". Agora, porém, com o cabelo tingido de loiro e com toda a maquiagem que usava, ninguém a consideraria uma criança. Além do mais, a maioria dos seus amigos também fugira de casa e ninguém dava com a língua nos dentes em Detroit.

Após um ano, os primeiros sintomas incipientes da enfermidade apareceram, e ela ficou surpresa com a crueldade do chefe. "Hoje em dia, a gente não pode facilitar", ele rosnou; antes que a jovem percebesse, estava na rua sem um tostão. Ainda conseguia ganhar alguma coisa à noite, mas não lhe pagavam muito, e todo o dinheiro era usado para manter o vício. Quando chegou o inverno, acabou dormindo nas grades de metal do lado de fora de uma loja de departamentos. "Dormir" não seria a palavra certa — uma adolescente sozinha na noite de Detroit nunca pode baixar a guarda. Tinha olheiras profundas. A tosse piorava.

Uma noite ela estava acordada, atenta ao barulho de passos; de repente, tudo a seu redor pareceu diferente. Não se sentia mais como uma mulher do mundo. Sentia-se uma garotinha perdida em uma cidade fria e assustadora. Começou a soluçar. Seus bolsos estavam vazios e estava com fome. Precisava de uma picada. Trêmula, encolheu as pernas debaixo dos jornais que empilhara sobre o casaco. Alguma coisa acionou uma série de lembranças e uma imagem encheu-lhe a mente: o mês de maio em Traverse City, quando milhares de cerejeiras florescem todas ao mesmo tempo. Via até seu cachorro *golden retriever* correndo no meio das fileiras das árvores floridas atrás de uma bola de tênis.

"Deus, por que fugi?", perguntou a si mesma, e uma dor transpassou seu coração. "Meu cachorro em casa come melhor do que eu agora." Ela soluçava e imediatamente percebeu que desejava voltar para casa mais do que qualquer outra coisa no mundo.

Três telefonemas, todos caindo na secretária eletrônica. Nas duas primeiras vezes, desligou sem deixar mensagem; na terceira, porém, disse: "Papai, mamãe, sou eu. Estive pensando em voltar para casa. Estou pegando um ônibus e chegarei aí amanhã por volta da meia-noite. Se vocês não estiverem me esperando... bem, acho que ficarei no ônibus e irei para o Canadá".

Foram sete horas de viagem entre Detroit e Traverse City; durante aquele tempo ela percebia os erros no seu plano. E se os pais estivessem fora da cidade e não tivessem ouvido a mensagem? Talvez devesse ter esperado outro dia para poder falar com eles. E, mesmo que estivessem em casa, provavelmente já a considerassem morta havia muito tempo. Deveria ter lhes dado um tempo para se recuperarem do choque.

Seus pensamentos pulavam de lá para cá entre as preocupações e o discurso que estava preparando para o pai. "Papai, sinto muito. Sei que estava errada. A culpa não foi sua; foi minha. Papai, você pode me perdoar?" Repetiu as palavras muitas e muitas vezes, sentindo a garganta apertada enquanto as ensaiava. Havia anos não pedia perdão a ninguém.

O ônibus estivera andando com as luzes acesas desde Bay City. Pequenos flocos de neve batiam no calçamento desgastado por milhares de pneus, e o asfalto exalava vapor. Ela esquecera como a noite é escura lá fora. Um cervo cruzou a estrada como uma flecha, e o ônibus deu uma guinada. De vez em quando, aparecia um *outdoor* ao lado da estrada. Uma placa indicava quantos quilômetros faltavam até Traverse City. "Ó, Deus!"

Quando o ônibus finalmente entrou na rodoviária, os freios sibilando em protesto, o motorista anunciou pelo microfone: "Quinze minutos, pessoal. É todo o tempo que vamos ficar aqui". Quinze minutos para decidir sua vida. Ela se examinou em um espelhinho, alisou o cabelo e limpou o dente sujo de batom. Olhou para as manchas de fumo nas pontas dos dedos e ficou imaginando se os pais iriam perceber. Isso se estivessem lá.

A jovem entrou no saguão sem saber o que esperar. Nenhuma das milhares de cenas que passaram por sua cabeça prepararam-na para aquilo que viu. Ali, naquele terminal de ônibus de paredes de concreto e cadeiras de plástico de Traverse City, em Michigan, estava um grupo de quarenta parentes, irmãos e irmãs, tios e primos, uma avó e uma bisavó para recebê-la. Todos usando chapeuzinho de festa e assoprando apitos; na parede do terminal havia um cartaz que dizia: "Bem-vinda ao lar!"

Da multidão que a recepcionava surge o pai. Ela olhou para ele através das lágrimas quentes que brotavam de seus olhos e começou o discurso memorizado: "Papai, sinto muito. Eu sei..."

Ele a interrompeu: "Quieta, filhinha. Não temos tempo para isso agora. Não temos tempo para pedidos de desculpas. Você vai chegar atrasada na festa. Lá em casa há um banquete esperando por você".

Estamos acostumados a achar um impedimento em cada promessa, mas as histórias de Jesus a respeito da graça extravagante não incluem nenhum impedimento, nenhuma brecha nos desqualificando para o amor de Deus. Cada uma delas traz em seu âmago, em sua essência, um final bom demais para ser verdadeiro — ou tão bom que tem de ser verdadeiro.

Como essas histórias são diferentes das noções de Deus que eu trouxe da minha infância: um Deus que perdoa, sim, mas relutante, depois de fazer o penitente se contorcer. Eu imaginava Deus como uma figura trovejante e distante que prefere medo e respeito ao amor. Jesus, pelo contrário, fala de um pai publicamente se humilhando e correndo ao encontro do filho para abraçar aquele que desperdiçou metade da fortuna da família. Não há nenhum discurso solene: "Espero que você tenha aprendido a lição!". Pelo contrário, Jesus fala da jovialidade do pai: "Pois este meu filho estava morto e voltou à vida; estava perdido e foi achado'..."; e então acrescenta a frase animadora: "E começaram a festejar".[2]

O que impede o perdão não é a relutância de Deus — "Estando ainda longe, seu pai o viu e, cheio de compaixão, correu para seu filho, e o abraçou e beijou"[3] —, mas a nossa. Os braços de Deus estão sempre estendidos; nós é que nos desviamos.

Tenho meditado bastante a respeito das histórias sobre a graça contadas por Jesus para que seu significado seja assimilado. Ainda assim, cada vez que me confronto com suas mensagens surpreendentes, percebo como o véu da ausência da graça obscurece minha visão de Deus. Uma dona de casa saltitando de alegria ao encontrar uma moeda perdida não é o que vem naturalmente à mente quando penso em Deus. Mas essa é a imagem na qual Jesus insistia.

A história do "filho perdido", afinal, aparece em uma série de três relatos — a ovelha perdida, a moeda perdida, o filho perdido —, todos destacando o mesmo ponto. Cada um deles destaca o sentimento de perda, fala da alegria da redescoberta e termina com uma cena de júbilo. Jesus diz realmente: "Você quer saber como é ser Deus? Quando um desses seres humanos me dá atenção, é como se eu tivesse acabado de encontrar minha propriedade mais valiosa, que eu considerava perdida para sempre". Para o próprio Deus, é como se fosse a descoberta de toda uma vida.

É estranho, mas a redescoberta pode tocar-nos mais profundamente do que a descoberta. Perder e depois achar uma caneta Mont Blanc torna o proprietário mais feliz do que no dia em que a adquiriu. Certa vez, antes da era dos computadores, perdi quatro capítulos de um livro que estava escrevendo ao deixar a única cópia na gaveta de um hotel. Durante duas semanas a gerência do hotel insistiu dizendo que o pessoal da limpeza jogara os papéis no lixo. Fiquei inconsolável. Onde encontraria energia para começar tudo de novo, quando durante meses havia trabalhado polindo e melhorando aqueles quatro capítulos? Nunca mais encontraria as mesmas palavras. Então, um dia, uma faxineira que mal falava inglês telefonou-me para dizer que não jogara os capítulos no lixo. Pode acreditar: senti muito mais alegria pelos capítulos encontrados do que sentira durante o processo de escrevê-los.

Essa experiência me dá uma ideia de como um pai deve sentir-se quando recebe um telefonema do FBI contando que a filha sequestrada seis meses antes foi finalmente localizada e está viva. Ou de uma esposa ao receber a visita do porta-voz do Exército desculpando-se pelo engano: seu marido não estava a bordo do helicóptero que caiu. Essas imagens oferecem um mero vislumbre de como deve sentir-se o Criador do Universo quando recebe de volta um outro membro de sua família. Nas palavras de Jesus: "Eu lhes digo que, da mesma forma, há alegria na presença dos anjos de Deus por um pecador que se arrepende".[4]

A graça é algo muitíssimo pessoal. Como Henri Nouwen destaca: "Deus se regozija. Não porque os problemas do mundo foram resolvidos, não porque todo o sofrimento e toda a dor da humanidade acabaram, não porque milhares de pessoas se converteram e estão agora o louvando por sua bondade. Não, Deus se regozija porque *um* dos seus filhos que estava perdido foi achado".[5]

Se eu me concentrasse na ética das personagens das parábolas — o mendigo de Fulton Street, o homem de negócios que perdeu 1 milhão de dólares, a multidão heterogênea do banquete de Boston, a prostituta adolescente de Traverse City —, acabaria com uma mensagem realmente muito estranha. Obviamente, Jesus não nos contou as parábolas para nos ensinar a viver. Creio que ele as contou para corrigir nossa noção a respeito de quem Deus é e a quem Deus ama.

Na Academia de Belas Artes de Veneza há uma pintura de Paolo Veronese que lhe provocou problemas com a Inquisição. A pintura apresenta Jesus em um banquete com seus discípulos, soldados romanos jogando em um canto, um homem com o nariz sangrando do outro lado, cães desgarrados perambulando, alguns bêbados e também anões, negros africanos e bárbaros anacrônicos. Convocado pela Inquisição para explicar aquele tipo de desacato, Veronese defendeu sua pintura mostrando nos Evangelhos que aquelas eram exatamente as pessoas com as quais Jesus se misturava. Escandalizados, os inquisidores ordenaram que mudasse o título da pintura e transformasse a cena religiosa em secular.

Ao ordenarem isso, os inquisidores tiveram a mesma atitude dos fariseus do tempo de Jesus. Eles também se escandalizaram com os cobradores de impostos, os mestiços, os estrangeiros e as mulheres de má reputação que cercavam Jesus. Eles também tinham dificuldade em assimilar a ideia de que aquelas eram pessoas que Deus amava. Enquanto Jesus cativava a multidão com suas parábolas a respeito da graça, os fariseus ficavam de longe, murmurando e rangendo os dentes. Para provocá-los, na história do "filho perdido", Jesus introduziu a figura do irmão mais velho para enunciar o devido sentimento de ultraje pelo fato de o pai ter recompensado um comportamento irresponsável. Que tipo de "valores familiares" seu pai comunicaria dando uma festa para tal renegado? Que tipo de virtude isso encorajaria?[a]

---

[a] O pregador contemporâneo Fred Craddock uma vez brincou com os detalhes da parábola para destacar exatamente esse ponto. Em um sermão, ele fez o pai dar o anel e o manto para o irmão mais velho, e depois matar o bezerro cevado em homenagem aos seus anos de fidelidade e obediência. Uma mulher lá atrás então gritou: "É assim que deveria estar escrito!" [N. do A.].

O Evangelho não é, de maneira nenhuma, o que nós sugerimos. Eu, de minha parte, esperaria que se honrasse a virtude contra a libertinagem. Esperaria ter de purificar-me para marcar uma audiência com um Deus santo. Mas Jesus falou de Deus ignorando o mestre religioso que se achava fantástico e deu atenção a um pecador comum que rogava: "Deus, tem misericórdia de mim".[6] Em toda a Bíblia, na verdade, Deus demonstra uma notável preferência por pessoas "autênticas" em vez de pessoas "boas". Nas palavras do próprio Jesus: "Haverá mais alegria no céu por um pecador que se arrepende do que por noventa e nove justos que não precisam arrepender-se".[7]

Em um de seus últimos atos antes de morrer, Jesus perdoou o ladrão que pendia da cruz, sabendo muito bem que ele se convertera por puro medo. Esse ladrão nunca estudaria a Bíblia, nunca frequentaria uma sinagoga ou igreja e nunca se retrataria com todos aqueles a quem prejudicara. Ele simplesmente disse: "Jesus, lembra-te de mim quando entrares no teu Reino", e Jesus lhe prometeu: "Eu lhe garanto: Hoje você estará comigo no paraíso".[8] Esse foi outro lembrete surpreendente de que a graça não depende do que fizemos por Deus, mas, antes, do que Deus fez por nós.

Pergunte às pessoas o que elas devem fazer para ir para o céu e a maioria responderá: "Ser bom". As histórias de Jesus contradizem essa resposta. Tudo que devemos fazer é clamar: "Socorro!". Deus recebe em sua casa qualquer um que o fizer e, de fato, já deu o primeiro passo. A maioria dos especialistas — médicos, advogados, conselheiros matrimoniais — dão-se alto valor e esperam que os clientes venham até eles. Deus, não. Como Soren Kierkegaard disse:

> Quando se trata de um pecador, Ele não fica simplesmente parado com os braços abertos dizendo: "Venha cá". Não. Ele fica ali e espera, como fizera o pai do filho perdido; ou melhor, ele não fica parado esperando: sai procurando, como o pastor procurou a ovelha perdida, como a mulher procurou a moeda perdida. Ele vai — não, Ele foi infinitamente mais longe do que qualquer pastor ou qualquer mulher. Ele seguiu calmamente o longo e infinito caminho de ser Deus para se tornar homem e, desse modo, foi procurar os pecadores.[9]

Kierkegaard mostra exatamente aquele que talvez seja o mais importante aspecto das parábolas de Jesus. Elas não são simplesmente histórias agradáveis para prender a atenção dos ouvintes, vasos literários para guardar verdades teológicas. Elas foram, realmente, o modelo da vida de Jesus na Terra. Ele foi o pastor que deixou a segurança do aprisco para sair na noite escura e perigosa. Nos seus banquetes, recebeu cobradores de impostos, marginais e prostitutas. Ele veio por causa dos doentes e não por causa dos sãos, pelos injustos e não pelos justos. E àqueles que o traíram — especialmente os discípulos, que o abandonaram na hora de sua maior necessidade — ele respondeu como um pai que sofre por amor.

O teólogo Karl Barth, após escrever milhares de páginas em sua obra *Church Dogmatics* [A dogmática eclesiástica], chegou a esta simples definição de Deus: "Aquele que ama".

Não faz muito tempo, um pastor amigo meu contou que passava por um momento difícil com a filha de 15 anos de idade. Ele sabia que ela tomava anticoncepcionais e várias noites nem se importava em voltar para casa. Os pais tentaram diversas formas de castigo, sem resultado. A filha mentia, enganava-os e ainda encontrara um jeito de acusá-los: "A culpa é de vocês, por serem tão rigorosos!".

Meu amigo disse: "Eu me lembro de ter ficado diante da janela da sala de estar, olhando para a escuridão, à sua espera. Sentia tanta raiva! Queria ser como o pai do filho perdido, mas estava furioso com minha filha pelo jeito com que ela distorcia os fatos para nos machucar. E, naturalmente, ela se machucava mais do que ninguém. Compreendi a passagem dos profetas expressando a ira de Deus. O povo sabia como machucá-lo e Deus exclamava sentindo dor. Mas, devo lhe dizer, quando minha filha voltou para casa naquela noite, ou praticamente no dia seguinte, o que eu mais desejava no mundo era tomá-la em meus braços, confessar meu amor por ela e dizer-lhe que queria o melhor para ela. Eu era um pai desamparado sofrendo por amor".

Agora, quando penso em Deus, apresento a imagem do pai que sofre por amor e que está a quilômetros de distância do severo monarca que eu costumava vislumbrar. Penso em meu amigo de pé diante da janela da sala de estar, perscrutando dolorosamente as trevas. Penso na descrição que Jesus fez do Pai que espera, sofredor, insultado, mas desejando mais do que tudo perdoar e começar tudo de novo, para anunciar alegremente: "Ele estava morto e voltou à vida; estava perdido e foi achado". [10]

O *Réquiem* de Mozart contém uma frase maravilhosa que se transformou em minha oração, uma prece que faço com confiança cada vez maior: "Lembre-se, Jesus misericordioso, de que eu sou o motivo da sua viagem". Creio que ele se lembra.

5
A nova matemática da graça

*Se não fosse o ponto, o ponto morto,
Não haveria dança, e há só a dança.*

T. S. Eliot

Quando uma coluna minha, intitulada "A matemática atroz do evangelho", apareceu na revista *Christianity Today*, logo fiquei sabendo que nem todos gostam de sátira. As cartas que recebi ferveram o interior de minha caixa de correio. "Philip Yancey, você não anda com Deus nem com Jesus!", escreveu um leitor irado. "Esta coluna é uma blasfêmia." Outro condenava minha "filosofia anticristã, intelectualizada". Outro, ainda, me chamava de "satânico". "Não existem revisores suficientes em sua equipe para se livrar dessa porcaria inconsequente e imatura?", outro perguntava ao editor.

Sentindo-me castigado, não estando acostumado a ser considerado blasfemo, anticristão e satânico, olhei perplexo para a coluna. O que acontecera de errado? Reunira quatro histórias, uma de cada evangelho, e obviamente em tom de brincadeira — pelo menos achava — apontei para o absurdo da matemática envolvida.

Lucas fala de um pastor que deixou suas noventa e nove ovelhas e mergulhou nas trevas para procurar uma ovelha perdida.[1] Um ato nobre, realmente, mas pense um pouco na aritmética subjacente. Jesus diz que o pastor deixou as noventa e nove ovelhas "no campo", o que presumivelmente significa que ficaram vulneráveis aos ladrões, aos lobos ou ao desejo inato de buscar a liberdade. Como se sentiria o pastor se retornasse com a ovelha perdida pendurada sobre o ombro apenas para descobrir que agora estavam faltando outras vinte e três?

Em uma cena também contada por João, uma mulher chamada Maria pegou um frasco — equivalente a um ano de trabalho! — de um exótico perfume e derramou-o sobre os pés de Jesus.[2] Pense no desperdício. Uma gota apenas de perfume não produziria o mesmo efeito? Até Judas podia perceber o absurdo: o tesouro agora escorrendo pelo chão sujo poderia ter sido vendido para ajudar os pobres.

Marcos registra uma terceira cena. Depois de ver uma viúva jogar duas moedinhas na caixa de contribuições do templo, Jesus desprezou as contribuições muito mais elevadas. "Afirmo-lhes", ele observou, "que esta viúva pobre colocou na caixa de ofertas mais do que todos os outros".[3] Espero que Ele tenha dito essas palavras bem baixinho, pois os doadores mais ricos não gostariam da comparação.

A quarta história, de Mateus,[4] envolve uma parábola que tenho ouvido em poucos sermões, por bons motivos. Jesus falou de um proprietário que contratou pessoas para trabalhar em suas vinhas. Algumas começaram ao nascer do sol, outras no meio da manhã, algumas na hora do almoço, outras no meio da tarde e algumas outras uma hora antes de encerrar o expediente. Todos pareciam satisfeitos até a hora do pagamento, quando aqueles que trabalharam doze horas sob o sol causticante ficaram sabendo que os desocupados, que mal haviam trabalhado uma hora, receberiam exatamente o mesmo pagamento. A atitude do patrão contradizia tudo o que eles sabiam a respeito de motivação para o trabalho e justa compensação. Era uma economia atroz, pura e simplesmente.

Com essa coluna, além de aprender uma lição a respeito de sátiras, também aprendi uma importante lição a respeito da graça. Talvez a palavra "atroz" não tivesse sido uma boa escolha, mas certamente a graça possui uma estridente nota de *injustiça*. Por que as moedinhas da viúva valeriam mais do que os milhões de um homem rico? E que empregador pagaria aos retardatários o mesmo valor oferecido aos trabalhadores regulares?

Não muito tempo depois de escrever a coluna, assisti a *Amadeus* (palavra latina que significa "amado de Deus"), uma peça que apresenta um compositor do século 18 procurando entender a mente de Deus. O devoto Antonio Salieri tinha o profundo desejo, mas não a aptidão, de criar uma música imortal de louvor. Ele fica enfurecido porque Deus concedera o maior de todos os dons de gênio musical já conhecido a um irreverente pré-adolescente chamado Wolfgang Amadeus Mozart.

Enquanto eu assistia à peça, percebi que via o lado irreverente de um problema que havia muito me perturbava. A peça fazia a mesma pergunta do livro bíblico de Jó, apenas invertida. O autor de Jó pergunta por que Deus "puniria" o mais justo homem na face da Terra; o autor de *Amadeus* pergunta por que Deus "recompensaria" um pirralho que nada merece. O problema do sofrimento encontra seu par perfeito no escândalo da graça. Uma frase da peça expressa o escândalo: "Que utilidade tem o homem, afinal, se não ensinar suas lições a Deus?".

Por que Deus escolheria Jacó, o enganador, em vez do respeitoso Esaú? Por que conferir poderes sobrenaturais de força a um delinquente mozartiano chamado Sansão? Por que preparar um pastorzinho nanico, Davi, para ser o rei de Israel? E por que conferir um sublime dom de sabedoria a Salomão, o fruto da ligação adúltera daquele rei? Na verdade, em cada uma dessas histórias do Antigo Testamento, o escândalo da graça ressoa sob a superfície até que, finalmente, nas parábolas de Jesus, ela explode em uma dramática sublevação para reformar a perspectiva moral.

A parábola de Jesus sobre os trabalhadores e o pagamento injusto que receberam mostra claramente esse escândalo. Em uma versão judaica contemporânea da história, os trabalhadores contratados à tarde trabalharam tanto que o empregador, impressionado, decide recompensá-los com o salário de todo um dia. Não foi assim na versão de Jesus, que salienta que o último grupo de trabalhadores esteve negligentemente sem atividade no mercado, coisa que apenas trabalhadores preguiçosos e incapazes poderiam estar fazendo durante a colheita. Além do mais, os folgados nada fizeram para destacar--se, e os outros trabalhadores ficaram escandalizados com o pagamento que receberam. Que empregador, em seu juízo perfeito, pagaria por uma hora de trabalho a mesma quantia que pagou por doze?

A história de Jesus não faz sentido do ponto de vista econômico, e essa foi a sua intenção. Ele estava oferecendo-nos uma parábola a respeito da graça, que não pode ser calculada como o salário de um dia. A graça não está relacionada com acabar primeiro ou depois; trata de não levar em conta. Recebemos a graça como um dom de Deus, não por alguma coisa que nos tenhamos esforçado muito para ganhar, um ponto que Jesus deixou claro na resposta do empregador:

> Amigo, não estou sendo injusto com você. Você não concordou em trabalhar por um denário? Receba o que é seu e vá. Eu quero dar ao que foi contratado por último o mesmo que lhe dei. Não tenho o direito de fazer o que quero com o meu dinheiro? Ou você está com inveja porque sou generoso?⁵

Salieri, você está com inveja porque sou tão generoso com Mozart? Saul, você está com inveja porque sou tão generoso com Davi? Fariseus, vocês estão com inveja porque abro o portão para os gentios entrarem no jogo depois do início? Porque honro a oração do cobrador de impostos mais do que a do fariseu, porque aceito a confissão de última hora de um ladrão e lhe dou as boas-vindas no Paraíso — isso lhes causa inveja? Vocês reclamam porque deixo as ovelhas obedientes para buscar a perdida ou porque sirvo um bezerro cevado ao perdido que não merece?

O empregador na história de Jesus não enganou os trabalhadores diaristas pagando a todos o equivalente a uma hora de trabalho em vez de doze. Não, os diaristas receberam o que fora prometido. Seu descontentamento ocorreu por causa da matemática escandalosa da graça. Eles não podiam aceitar que o empregador tivesse o direito de fazer o que queria com seu dinheiro, pagando aos desocupados doze vezes o que mereciam.

De maneira significativa, muitos cristãos que estudam essa parábola identificam-se com os empregados que trabalharam o dia todo, em vez dos outros no final do dia. Gostamos de nos considerar trabalhadores responsáveis, e o comportamento estranho do empregador nos desconcerta como desconcertou os ouvintes originais. Nós nos arriscamos a perder o ponto principal da história: Deus concede dons, não salários. Nenhum de nós recebe pagamento de acordo com o mérito, pois não somos capazes de satisfazer as exigências de Deus para uma vida perfeita. Se fôssemos pagos com base na justiça, todos iríamos parar no inferno.

Nas palavras de Robert Farrar Capon: "Se o mundo pudesse ter sido salvo por meio de uma boa contabilidade, teria sido salvo por Moisés, não por Jesus". A graça não pode ser reduzida a princípios contábeis. Na base do reino da ausência de graça, alguns trabalhadores merecem mais do que outros; no reino da graça, a palavra *merecer* nem mesmo se aplica.

Frederick Buechner diz:

> As pessoas estão preparadas para tudo, exceto para o fato de que além das trevas de sua cegueira há uma grande luz. Estão preparadas para continuar se extenuando, lavrando no mesmo antigo campo, até que as vacas voltem para casa, sem perceber, até tropeçarem nele, que há um tesouro enterrado nesse campo, suficiente para comprar o estado do Texas. Estão preparadas para um Deus que efetua barganhas duras, mas não para um Deus que paga tanto por uma hora de trabalho quanto por um dia. Estão preparadas para um Reino de Deus do tamanho de uma semente de mostarda que não é maior do que o olho de uma salamandra, mas não para a imensa figueira brava da Índia cujas sementes se transformam, com aves em seus ramos cantando Mozart. Estão preparadas para o trivial banquete das Igrejas evangélicas que frequentam, mas não para a ceia das bodas do Cordeiro...[6]

No meu entender, Judas e Pedro destacavam-se como os discípulos mais matemáticos. Judas devia ter demonstrado alguma facilidade com números ou os outros não teriam feito dele o tesoureiro. Pedro insistia nos detalhes, sempre procurando desvendar exatamente aquilo que Jesus queria dizer. Além disso, os evangelhos registram que, quando Jesus operou o milagre da pesca, Pedro puxou 153 grandes peixes. Quem, a não ser um matemático, teria se importado em contar o monte de peixes que se remexiam?

Era, portanto, apropriado que o escrupuloso apóstolo Pedro procurasse uma fórmula matemática da graça. "Senhor, quantas vezes deverei perdoar a meu irmão quando ele pecar contra mim?", ele perguntou a Jesus. "Até sete vezes?"[7], quis saber. Pedro estava errado quanto à magnanimidade, pois os rabinos do seu tempo haviam sugerido o três como o número máximo de vezes que se devia esperar que alguém perdoasse.

"Eu lhe digo: não até sete vezes, mas até setenta vezes sete", respondeu Jesus imediatamente. Alguns manuscritos dizem "setenta e sete", mas não faz muita diferença se Jesus disse 77 ou 490: o perdão, conforme ele deu a entender, não é o tipo de coisa que se calcula em um ábaco.

A pergunta de Pedro resultou em outra das impressionantes histórias de Jesus. Dessa vez ele fala a respeito de um servo que havia, não se sabe como, acumulado uma dívida de muitos milhões de dólares. O fato de que nenhum servo poderia acumular uma dívida daquele tamanho enfatiza o que Jesus quer dizer: confiscar a família, os filhos e toda a propriedade do homem não faria nenhuma diferença no pagamento da dívida. Era imperdoável. Não obstante, o rei, tocado pela piedade, cancela a dívida e deixa o servo seguir livre.

Subitamente, a história inverte-se. O servo que acabara de ser perdoado agarra um colega que lhe deve dinheiro e começa a esganá-lo. "Pague-me o que me deve!",[8] ele exige, e joga o outro na prisão. Em resumo, o servo ganancioso é um *ingrato*.

O fato de Jesus ter pintado a parábola com traços tão exagerados deixa bem claro que o rei na história representa Deus. Isso mais do que tudo deveria determinar nossas atitudes para com os outros: uma conscientização humilde de que Deus já nos perdoou uma dívida do tamanho de uma montanha e que, ao lado dela, quaisquer erros pessoais contra nós equiparam-se a formiguinhas. Como poderíamos *não* perdoar uns aos outros à luz de tudo o que Deus nos perdoou?

C. S. Lewis expõe esse argumento da seguinte maneira: "Ser cristão significa perdoar o imperdoável, porque Deus perdoou o imperdoável em você".[9] O próprio Lewis penetrou nas profundezas do perdão de Deus em um momento de revelação ao repetir a frase do Credo dos Apóstolos: "Creio no perdão dos pecados", no dia de São Marcos. Seus pecados se foram, perdoados! "Essa verdade apareceu em minha mente em luz tão clara que percebi que nunca antes (e isso depois de muitas confissões e absolvições) acreditara nela de todo o coração."[10]

Quanto mais reflito sobre as parábolas de Jesus, mais tentado me sinto a reivindicar a palavra "atroz" para descrever a matemática do evangelho. Creio que Jesus nos ofereceu essas histórias a respeito da graça para nos convocar a sair completamente desse mundo toma lá dá cá da ausência de graça e entrar no reino da graça infinita de Deus. Como Miroslav Volf afirma: "A economia da graça não merecida tem primazia sobre a economia dos merecimentos morais".[11]

Desde o maternal somos ensinados a ter sucesso no mundo da ausência da graça. Deus ajuda quem cedo madruga. Sem dor não há ganho. Não existe nada de graça. Exija seus direitos. Pague e receba. Conheço bem essas regras porque vivo sob elas. Trabalho pelo que recebo; gosto de ganhar; insisto nos meus direitos. Quero que as pessoas recebam o que merecem — nem mais, nem menos.

Se prestar atenção, porém, ouço um sussurro forte vindo do evangelho que diz que não recebi o que mereço. Eu merecia castigo e obtive perdão. Merecia a ira e recebi o amor. Merecia a prisão do devedor e recebi, em vez disso, um crédito reabilitado. Merecia severas advertências e deveria me arrepender de joelhos, mas recebi um banquete — a festa de Babette — colocado diante de mim.

De certa maneira, a graça resolve um dilema de Deus. Não é preciso ler muito da Bíblia para detectar uma tensão subjacente em como Deus se sente a respeito da humanidade. De um lado, nos ama; do outro, nosso comportamento o aborrece. Ele anseia por ver nas pessoas algo de sua própria imagem refletida; quando muito, vê fragmentos esparsos dessa imagem. Mesmo assim, não pode — ou não vai — desistir.

Uma passagem de Isaías é frequentemente citada como prova da distância e do poder de Deus:

> Pois os meus pensamentos não são os pensamentos de vocês, nem os seus caminhos são os meus caminhos", declara o SENHOR. Assim como os céus são mais altos do que a terra, também os meus caminhos são mais altos do que os seus caminhos, e os meus pensamentos, mais altos do que os seus pensamentos.[12]

No contexto, entretanto, Deus está descrevendo sua ansiedade por perdoar. O mesmo Deus que criou céus e terra tem o poder de criar uma ponte sobre o abismo que o separa de suas criaturas. Ele trará reconciliação e perdoará, não importa quais obstáculos seus filhos perdidos coloquem no caminho. Como o profeta Miqueias diz: "Tu, que não permaneces irado para sempre, mas tens prazer em mostrar amor".[13]

Às vezes, as emoções conflitantes de Deus lutam entre si na mesma cena. No livro de Oseias, por exemplo, ele vacila entre as reminiscências ternas do seu povo e a solene ameaça de julgamento. "A espada reluzirá em suas cidades"[14], ele adverte em tom sinistro, e então, quase no meio da sentença, escapa um brado de amor:

> Como posso desistir de você, Efraim?
> Como posso entregá-lo nas mãos de outros, Israel?
> O meu coração está enternecido,
> despertou-se toda a minha compaixão.

"Não executarei a minha ira impetuosa", Deus conclui, afinal. "Pois sou Deus, não homem, o Santo no meio de vocês." Novamente Deus reserva para si o direito de alterar as regras da retribuição. Embora Israel tenha merecido totalmente sua repreensão, não receberá aquilo a que faz jus. *Eu sou Deus, não homem.*[...] *Não tenho o direito de fazer o que quero com o meu próprio dinheiro?* Deus irá a qualquer distância desproporcional para trazer sua família de volta.

Em uma parábola surpreendentemente dramatizada, Deus pede ao profeta Oseias que se case com uma mulher chamada Gômer para ilustrar seu amor por Israel. Gômer tem três filhos de Oseias, depois abandona a família para viver com outro homem. Durante algum tempo, ela trabalha como prostituta e é nesse período que Deus dá a surpreendente ordem a Oseias: "Vá, trate novamente com amor sua mulher, apesar de ela ser amada por outro e ser adúltera. Ame-a como o Senhor ama os israelitas, apesar de eles se voltarem para outros deuses. [...]"[15]

Em Oseias, o escândalo da graça torna-se real, um escândalo que fica conhecido na cidade. O que se passa na mente de um homem quando sua esposa o trata como Gômer tratou Oseias? Ele queria matá-la, ele queria perdoá-la. Ele queria divorciar-se, queria reconciliar-se. Ela o envergonhou, ela o desintegrou. De maneira absurda, contra todas as expectativas, o poder irresistível do amor venceu. Oseias, o marido enganado, motivo de piada na comunidade, acolheu a esposa de volta ao lar.

Gômer não recebeu imparcialidade, nem justiça; ela recebeu graça. Toda vez em que leio sua história — ou leio os discursos de Deus que começam com severidade e se dissolvem em lágrimas — fico maravilhado diante de Deus por se permitir suportar tanta humilhação apenas para voltar e receber mais.

"Como posso desistir de você, Efraim? Como posso entregá-lo nas mãos de outros, Israel?" Substitua o nome de Efraim e Israel pelo seu próprio nome. No coração do evangelho encontra-se um Deus que deliberadamente se submete ao poder selvagem e irresistível do amor.

Séculos depois, um apóstolo explicaria a reação de Deus em termos mais analíticos: "Mas onde aumentou o pecado, transbordou a graça".[16] Paulo sabia melhor do que ninguém que essa graça não é merecida, ela vem da iniciativa de Deus, não da nossa. Jogado ao chão no caminho para Damasco, ele nunca se recuperou do impacto da graça: a palavra sempre aparece o mais tardar na segunda frase de cada uma de suas cartas. Como Frederick Buechner diz: "A graça é o melhor que ele pode desejar-lhes porque a graça é o melhor que ele sempre recebeu".[17]

Paulo repetia sempre a mesma coisa, insistindo na graça porque sabia o que poderia acontecer se nós acreditássemos que merecemos o amor de Deus. Nos momentos de crise, quando falhássemos completamente com Deus, ou quando por qualquer motivo não nos sentíssemos amados, ficaríamos inseguros. Teríamos medo de que Deus pudesse deixar de nos amar quando descobrisse a verdade a nosso respeito. Paulo — "o pior dos pecadores", como ele mesmo se intitulou certa vez — sabia, sem sombra de dúvida, que Deus ama as pessoas pelo que ele é, não pelo que somos.

Consciente do aparente escândalo da graça, Paulo esforçou-se para explicar como Deus fez a paz com os seres humanos. A graça desconcerta-nos porque vai contra a intuição que todos têm de que, diante da injustiça, algum preço tem de ser pago. Um homicida não pode simplesmente ficar livre. Alguém que abusa de crianças não pode desvencilhar-se dizendo: "Eu fiquei com vontade de fazer isso". Antecipando-se a essas objeções, Paulo destacou que um preço foi pago — pelo próprio Deus. Ele desistiu do seu próprio Filho, Jesus Cristo, para não desistir da humanidade.

Como na festa de Babette, a graça não custa nada para os beneficiários, mas tudo para o doador. A graça de Deus não é uma exibição de sua "bondade", pois custou o exorbitante preço do Calvário. "Há apenas uma única lei real — a lei do Universo", disse Dorothy Sayers.[18] "Ela pode ser cumprida por meio do juízo ou por meio da graça, mas *tem* de ser cumprida de um jeito ou de outro." Aceitando o juízo em seu próprio corpo, Jesus cumpriu a lei, e Deus encontrou um meio de perdoar.

No filme *O último imperador* [*The Last Emperor*], a criança ungida como o último imperador da China vive uma vida mágica de luxo com mil eunucos à sua disposição para servi-la. "O que acontece quando você faz uma coisa errada?", pergunta o irmão. "Quando eu faço uma coisa errada, outra pessoa é castigada", o imperador-menino responde. Para demonstrar o que estava falando, ele quebra um jarro e um dos servos é espancado. Na teologia cristã, Jesus inverteu esse padrão antigo: quando os servos erraram, o Rei foi punido. A graça é gratuita apenas porque o próprio doador pagou o preço.

Quando o renomado teólogo Karl Barth visitou a Universidade de Chicago, estudantes e professores amontoaram-se ao seu redor. Em uma entrevista com a imprensa, alguém perguntou: "Dr. Barth, qual é a verdade mais profunda que o senhor aprendeu em seus estudos?". Sem hesitação, ele respondeu: "Jesus me ama, a Bíblia assim o diz" [trecho de uma cantiga infantil]. Concordo com Karl Barth. Por que, então, com tanta frequência eu procedo como se estivesse tentando merecer esse amor? Por que tenho tanto problema em aceitá-lo?

Quando o dr. Bob Smith[19] e Bill Wilson, fundadores dos Alcoólicos Anônimos, tiveram a ideia de criar o programa dos "doze passos", foram procurar Bill D., um conhecido advogado que falhara em oito diferentes programas de desintoxicação em seis meses. Amarrado a uma cama de hospital como castigo por ter atacado duas enfermeiras, Bill D. não teve outra escolha a não ser ouvir suas visitas, que lhe contaram as próprias histórias de alcoolismo e a recente esperança que tinham descoberto por meio da fé em uma força maior, o poder de Deus.

Assim que eles mencionaram o poder maior, Bill D. sacudiu tristemente a cabeça. "Não, não", ele disse. "É tarde demais para mim. Eu ainda creio em Deus, tudo bem, mas sei muito bem que Ele não crê mais em mim."

Bill D. expressou o que muitos de nós sentimos, às vezes. Desanimados por repetidos fracassos, desprovidos de esperança, atordoados por um enorme senso de indignidade, envolvemo-nos em uma concha que nos torna quase impermeáveis à graça. Como crianças adotivas que preferem muitas vezes retornar a famílias desintegradas, afastamo-nos teimosamente da graça.

Sei como reajo às cartas de rejeição dos editores das revistas e às cartas de crítica dos leitores. Sei até onde meu espírito se eleva quando recebo um cheque de direitos autorais, mais valioso do que eu esperava, e como ele se comprime quando o valor é pequeno. Sei que minha autoimagem no final do dia depende muito do tipo de mensagens que recebo das outras pessoas. Será que gostam de mim? Será que me amam? Espero as manifestações de meus amigos, de meus vizinhos, de minha família — como um homem faminto, aguardo respostas.

Ocasionalmente, muito ocasionalmente, percebo a verdade da graça. Há momentos em que estudo as parábolas e compreendo que elas estão falando a *meu* respeito. Eu sou a ovelha que o pastor foi procurar deixando o aprisco, o filho perdido por quem o pai perscruta o horizonte, o servo cuja dívida foi perdoada. Eu sou o amado de Deus.

Não faz muito tempo recebi pelo correio um cartão-postal de um amigo que continha apenas seis palavras: "Eu sou aquele a quem Jesus ama." Sorri quando olhei para o endereço do remetente, pois meu estranho amigo é especialista nesses dizeres piedosos. Quando lhe telefonei, entretanto, ele me disse que as palavras eram do escritor e orador Brennan Manning. Em um seminário, Manning referiu-se ao amigo mais íntimo de Jesus na Terra, o discípulo chamado João, identificado nos evangelhos como "o discípulo a quem Jesus amava". Manning disse: "Se perguntassem a João: 'Qual é a sua identidade principal na vida?', ele não responderia: 'Eu sou um discípulo, um apóstolo, um evangelista, o autor do quarto evangelho', mas sim: 'Eu sou aquele a quem Jesus ama'".

O que significaria, perguntei a mim mesmo, se eu também pudesse considerar fator principal na minha identidade ser "o discípulo a quem Jesus ama"? Como eu me veria diferente no final de um dia!

Os sociólogos têm uma teoria do ego de lente de aumento: você se torna o que a pessoa mais importante de sua vida (esposa, pai, chefe etc.) acha que você é. Como minha vida se modificaria se eu verdadeiramente acreditasse nas espantosas palavras da Bíblia a respeito do amor de Deus por mim, se eu olhasse no espelho e visse o que Deus vê?

Brennan Manning conta a história de um padre irlandês que, em uma viagem por uma paróquia rural, vê um velho camponês ajoelhado ao lado da estrada, orando. Impressionado, o padre diz ao homem: "Você deve ter muita intimidade com Deus". O camponês levanta os olhos, pensa um momento e então sorri: "Sim, ele gosta muito de mim".

Deus não é limitado ao tempo, dizem-nos os teólogos. Ele criou o tempo assim como um artista escolhe um meio de trabalho. Ele vê o futuro e o passado em uma espécie de eterno presente. Se essa teoria a respeito de Deus estiver certa, os teólogos ajudaram a explicar como Deus pode chamar de "amada" uma pessoa inconstante, volúvel e temperamental como eu. Quando Deus olha para o gráfico da minha vida, não vê grandes mudanças de direção para o bem ou para o mal, mas, antes, uma linha firme no bem: a bondade do Filho de Deus capturada em um momento do tempo e aplicada por toda a eternidade.

Como disse John Donne, o poeta do século 17:

> Pois no Livro da Vida, o nome de Maria Madalena foi tão logo registrado, por toda a sua incontinência, como o da Virgem bendita, por toda a sua integridade; e o nome de Paulo, que brandiu sua espada contra Cristo, como o de Pedro, que brandiu a sua em defesa dele; pois o Livro da Vida não foi escrito sucessivamente, palavra após palavra, linha após linha, mas foi entregue como um Livro, tudo junto.[20]

Cresci com a imagem de um Deus matemático que pesava meus atos bons e maus em um conjunto de balanças e sempre me considerava em falta. Não sei como me esqueci do Deus dos evangelhos, um Deus de misericórdia e generosidade que continua encontrando maneiras de despedaçar as leis implacáveis da ausência de graça. Ele rasga as tabuadas e apresenta a nova matemática da *graça,* a palavra mais surpreendente, mais assustadora, mais inesperada da nossa língua.

A graça surge de tantas formas diferentes que tenho dificuldade em defini-la. Entretanto, estou disposto a tentar. *Graça significa que não há nada que possamos fazer para que Deus nos ame mais* — nenhuma porção de calistênicos espirituais e renúncia, nenhuma quantidade de conhecimento recebido em seminários e faculdades de teologia, nenhuma quantidade de cruzadas em benefício de causas justas. *E a graça significa que não há nada que possamos fazer para Deus nos amar menos* — nenhuma quantidade de racismo ou orgulho, pornografia ou adultério, ou até mesmo homicídio. Graça significa que Deus já nos ama tanto quanto é possível um Deus infinito nos amar.

Há uma cura simples para pessoas que duvidam do amor de Deus e questionam a graça divina: ler a Bíblia e examinar o tipo de pessoa que ele ama. Jacó, que se atreveu a se envolver em uma luta física com Deus e mesmo depois de ser ferido nessa luta tornou-se o epônimo do povo de Deus, os "filhos de Israel". A Bíblia fala de um homicida e adúltero que ganhou reputação como o maior rei do Antigo Testamento, um "homem segundo o coração de Deus". Fala também de uma igreja comandada por um discípulo que praguejou e jurou que não conhecia Jesus. E de um missionário sendo recrutado das fileiras de torturadores de cristãos. Recebo correspondências e informativos da Anistia Internacional e, quando examino as fotos de homens e mulheres que foram espancados, pisoteados, espetados, cuspidos e eletrocutados, pergunto a mim mesmo: "Que espécie de ser humano poderia fazer isso a outro ser humano?". Então, leio o livro de Atos e encontro o tipo de pessoa que poderia fazer uma coisa dessas — agora um apóstolo da graça, um servo de Jesus Cristo, o maior missionário da história. Se Deus pode amar esse tipo de pessoa, talvez, apenas talvez, ele também possa amar alguém como eu.

Não posso moderar minha definição de graça porque a Bíblia me força a torná-la o mais abrangente possível. Deus é "o Deus de toda a graça",[21] nas palavras do apóstolo Pedro. E graça significa que não há nada que eu possa fazer para Deus me amar mais, e nada que eu possa fazer para Deus me amar menos. Significa que eu, até mesmo eu, que mereço o contrário, sou convidado a tomar meu lugar à mesa da família de Deus.

Por instinto, sinto que devo *fazer alguma coisa* para ser aceito. A graça soa como uma surpreendente nota de contradição, de liberação e, todos os dias, devo orar de novo para ter a capacidade de ouvir sua mensagem.

Eugene Peterson traça um contraste entre Agostinho e Pelágio, dois oponentes do ponto de vista teológico do século 4. Pelágio era educado, convincente e todos gostavam dele. Agostinho desperdiçou sua juventude vivendo na imoralidade, tinha um estranho relacionamento com a mãe e fez muitos inimigos. Mas Agostinho começou com a graça de Deus e acertou, enquanto Pelágio partiu dos esforços humanos e errou. Agostinho buscou Deus apaixonadamente; Pelágio trabalhou metodicamente para agradar a Deus. Peterson continua dizendo que os cristãos tendem a ser agostinianos na teoria e pelagianos na prática. Trabalham obsessivamente para agradar outras pessoas e até mesmo a Deus.

Todos os anos, na primavera, eu me torno vítima do que os noticiários esportivos diagnosticam como "loucura de março". Não consigo resistir à tentação de ligar a TV para assistir ao jogo final de basquete, no qual as duas únicas sobreviventes de um torneio de 64 equipes se encontram para a final do campeonato universitário. Esse importantíssimo jogo sempre parece terminar com um garoto de 18 anos de idade pronto para fazer um arremesso, com apenas um segundo para terminar o jogo.

Ele dribla nervosamente. Se perder essa jogada, sabe que será o bode expiatório do *campus*, o bode expiatório do seu Estado. Daqui a vinte anos estará se aconselhando para se libertar desse momento. Se fizer os dois pontos, será um herói. Sua foto estará estampada na primeira página dos jornais. Provavelmente poderá candidatar-se a governador.

Ele dribla novamente e a outra equipe pede tempo, para confundi-lo. Ele está na lateral, avaliando todo o seu futuro. Tudo depende dele. Seus colegas olham para ele, encorajando-o, mas não dizem nada.

Lembro-me de um ano em que deixei a sala para atender ao telefone exatamente na hora em que o garoto se preparava para arremessar a bola. Rugas de preocupação vincavam sua testa. Ele mordiscava o lábio inferior. Sua perna esquerda tremia na altura do joelho. Vinte mil torcedores gritavam e sacudiam bandeiras e lenços para distraí-lo.

O telefonema demorou mais do que eu esperava e, quando voltei, tive uma nova visão. O mesmo garoto, com o cabelo encharcado com Gatorade, estava cavalgando nos ombros dos colegas, cortando a rede de um cesto de basquete. Ele não tinha mais nenhuma preocupação no mundo. Seu sorriso enchia a tela toda.

Essas duas imagens congeladas — o mesmo garoto encolhendo-se na linha lateral e, depois, celebrando sobre os ombros dos amigos — vieram a simbolizar para mim a diferença entre a ausência de graça e a graça.

O mundo é governado pela ausência de graça. Tudo depende do que eu faço. Tenho de marcar os pontos.

O Reino de Jesus convoca-nos a trilhar outro caminho, um caminho que não depende de nossas realizações, mas, sim, da realização dele. Nós não temos de realizar, mas apenas seguir. Ele já ganhou para nós a preciosa vitória da aceitação de Deus.

Quando penso naquelas duas imagens, uma pergunta perturbadora penetra em minha mente: qual dessas duas cenas se assemelha mais a minha vida espiritual?

PARTE II
Rompendo o ciclo da ausência de graça

6
Ciclo ininterrupto: uma história

Daisy nasceu em 1898 em uma família de operários em Chicago. Era a oitava de dez filhos. O pai mal ganhava para alimentar todos e, depois que começou a beber, o dinheiro ficou ainda mais escasso. Daisy, aproximando-se do seu centésimo aniversário enquanto escrevo estas linhas, estremece quando fala a respeito daqueles dias. Seu pai era um "bêbado perverso", ela diz. Ela costumava encolher-se no canto, soluçando, quando ele chutava os irmãos menores no assoalho forrado com linóleo. Odiava-o de todo o coração.

Um dia o pai declarou que a esposa tinha de ir embora até o meio-dia. Os dez filhos reuniram-se ao redor da mãe, agarrando-se à saia dela e chorando. "Não, não vá!" O pai, porém, estava irredutível. Amparada pelos irmãos e irmãs, Daisy viu, pela janela da sacada, sua mãe caminhando, os ombros caídos, uma mala em cada mão, cada vez menor até que, finalmente, desapareceu de vista.

Algumas das crianças foram morar com a mãe tempos depois, enquanto outras ficaram com parentes. Coube a Daisy permanecer com o pai. Ela cresceu com um duro nó de amargura dentro dela, um tumor de ódio pelo que o pai fizera com a família. Todas as crianças deixaram de estudar logo cedo para trabalhar ou alistar-se no Exército e aos poucos foram se mudando para outras cidades. Casaram-se, constituíram família e tentaram deixar o passado para trás. O pai sumiu — ninguém sabia onde estava, mas ninguém também se importava com isso.

Muitos anos depois, para surpresa de todos, o pai apareceu. Havia saído da sarjeta, dizia ele. Bêbado e com frio, acabara em uma missão do Exército de Salvação. Para ganhar um vale-refeição, precisou primeiro assistir a um culto. Quando o pregador perguntou se alguém desejava aceitar Jesus, ele achou simplesmente que seria educado da sua parte reunir-se lá na frente com alguns dos outros bêbados. Ficou ainda mais surpreso quando a "oração do pecador" realmente funcionou. Os demônios dentro dele aquietaram-se. Tornou-se sóbrio. Começou a estudar a Bíblia e a orar. Pela primeira vez na vida sentiu-se amado e aceito. Sentiu-se limpo.

E, agora, disse aos filhos, estava à procura deles, um a um, para lhes pedir perdão. Não podia justificar nada do que ocorrera. Não podia mais consertar nada. Mas sentia muito, mais do que eles possivelmente imaginavam.

Os filhos, agora de meia-idade e com suas próprias famílias, primeiro se mostraram céticos. Alguns duvidaram de sua sinceridade, esperando que voltasse à bebida a qualquer momento. Outros desconfiaram de que logo ele lhes pediria dinheiro. Nada disso aconteceu e, com o tempo, o pai reconquistou todos — exceto Daisy.

Há muito tempo, Daisy jurou que nunca mais falaria com o pai — "aquele homem", era assim que ela o chamava —, nunca mais. O reaparecimento dele abalou-a profundamente e antigas lembranças das cenas de embriaguez voltavam quando ela se deitava para dormir. "Ele não pode apagar tudo aquilo apenas dizendo: 'Sinto muito'", Daisy insistia. Queria ficar bem longe dele.

O pai podia ter deixado de beber, mas o álcool prejudicara seu fígado sem chance de recuperação. Ele ficou muito doente e, nos últimos cinco anos de vida, viveu com uma das filhas, irmã de Daisy. Eles moravam, na verdade, oito casas abaixo na rua em que Daisy morava, no mesmo quarteirão. Cumprindo seu juramento, ela nunca visitou o pai moribundo, embora passasse na frente da casa sempre que ia fazer compras ou pegar o ônibus.

Daisy permitiu que seus filhos visitassem o avô. Perto do fim, o pai viu uma garotinha aproximando-se de sua porta e entrando no quarto. "Ó, Daisy, Daisy, você veio finalmente me ver", ele chorou, abraçando a menina. Os adultos no quarto não tiveram coragem de dizer-lhe que a menina não era Daisy, mas, sim, a filha dela, Margaret. Para ele foi graça alucinante.

Durante toda a vida Daisy tomou a decisão de não ser como o pai e de fato nunca tocou em uma gota de álcool. Mas governava sua família com uma forma mais amena da tirania na qual havia sido criada. Ficava deitada em um sofá com uma compressa de gelo na cabeça gritando para as crianças: "Calem a boca!". "Por que tive vocês, crianças estúpidas?" "Vocês arruinaram minha vida!" O país mergulhou na Grande Depressão e cada filho era mais uma boca para alimentar. Ela tinha seis ao todo e os criava na casa de dois cômodos na qual mora até hoje. Em um local tão apertado, eles estavam sempre no meio do caminho. Algumas noites ela batia neles apenas para deixar claro: sabia que tinham feito alguma coisa errada mesmo que não tivesse visto.

Dura como aço, Daisy nunca pedia desculpas e nunca perdoava. Sua filha Margaret lembra que, quando criança, vinha chorando pedir desculpas por alguma coisa que tinha feito. Daisy respondia com um ditado materno: "Você não pode estar arrependida! Se realmente estivesse arrependida, antes de mais nada, não teria feito o que fez".

Ouvi muitas dessas histórias sobre ausência de graça contadas por Margaret, que eu conheço bem. Durante toda a vida, ela tomou a decisão de ser diferente da mãe. Mas a vida de Margaret teve as suas próprias tragédias, algumas grandes, outras pequenas; quando seus quatro filhos entraram na adolescência, sentiu que perdia o controle sobre eles. Ela também tinha vontade de ficar no sofá com uma compressa de gelo gritando: "Calem a boca!". Ela também queria bater neles apenas para manter a disciplina ou talvez para aliviar um pouco a tensão que crescia em seu interior.

Seu filho Michael, que completou 16 anos em 1960, era aquele que a irritava de maneira especial. Ele gostava de *rock*, usava óculos estranhos e cabelos compridos. Margaret expulsou-o de casa quando o pegou fumando maconha e ele foi morar em uma comunidade *hippie*. Ela continuou ameaçando-o e repreendendo-o. Levou-o a um juiz. Excluiu-o de seu testamento. Tentou tudo o que podia imaginar, mas nada fazia efeito sobre Michael. As palavras lançadas contra ele eram vencidas, inúteis, até que finalmente, um dia, em um acesso de raiva, ela disse: "Não quero vê-lo nunca mais em minha vida". Isso aconteceu há vinte e seis anos, e ela não o viu mais desde então.

Michael também é meu amigo íntimo. Diversas vezes, durante esses vinte e seis anos, tenho tentado promover algum tipo de reconciliação entre os dois, e sempre enfrento novamente o terrível poder da ausência de graça. Quando perguntei a Margaret se ela se arrependia de alguma coisa dita ao filho, se gostaria de retirar alguma coisa, ela me olhou em um instante de raiva feroz como se eu fosse o próprio Michael. "Não sei por que Deus não o levou há muito tempo, antes de ele fazer todas as coisas que fez!", disse, com um olhar feroz e amedrontador.

Sua fúria não disfarçada deixou-me desarmado. Fiquei olhando para ela por um minuto: as mãos crispadas, o rosto vermelho, repuxando os pequeninos músculos ao redor dos olhos. "Você quer dizer que gostaria de ver o seu próprio filho morto?", perguntei-lhe afinal. Ela não respondeu.

Michael emergiu da safra da década de 1960 com a mente obscurecida pelo LSD. Mudou-se para o Havaí, viveu com uma mulher, deixou-a, conheceu outra e depois se casou. "Sue é tudo de que eu precisava", ele me disse quando o visitei uma vez. "Com essa, eu vou ficar."

Mas não ficou. Lembro-me de uma conversa telefônica com Michael, interrompida por um recurso tecnológico irritante chamado "espera". Houve um *bip* na linha e Michael disse: "Com licença", e então me deixou segurando um receptor silencioso por pelo menos quatro minutos. Desculpou-se quando voltou. Estava perturbado.

— Era Sue — disse. — Estamos acertando algumas das últimas questões financeiras do divórcio.

— Não sabia que você ainda tinha contato com ela — comentei, tentando conversar.

— Eu não tenho! — ele retrucou, utilizando quase o mesmo tom de voz que eu ouvira de sua mãe, Margaret. — Espero nunca mais vê-la em minha vida!

Ficamos em silêncio por um longo tempo. Estávamos conversando a respeito de Margaret e, embora eu não dissesse nada, pareceu que Michael reconhecera em sua própria voz o mesmo tom de voz da mãe, que era na verdade o tom de voz da mãe dela, Daisy, traçando todo o caminho de volta ao que ocorrera em Chicago havia quase um século.

Como se fosse um defeito espiritual codificado no DNA da família, a ausência da graça prosseguira em uma cadeia ininterrupta.

A ausência da graça opera calma e letalmente, como um gás venenoso e imperceptível. Um pai morre sem perdão. A mãe que carregou um filho dentro do próprio corpo não fala com ele durante metade da vida. A toxina insinua-se, de geração em geração.

Margaret é uma cristã piedosa que estuda a Bíblia todos os dias. Uma vez eu lhe falei a respeito da parábola do filho perdido. "O que você acha dessa história?", perguntei. "Você percebe a mensagem de perdão contida ali?"

Obviamente, ela pensara no assunto, pois sem hesitação respondeu que a parábola aparece em Lucas 15 como a terceira em uma série de três: a ovelha perdida, a moeda perdida e o filho perdido.[1] Disse que a parábola demonstrava como os seres humanos diferem de objetos inanimados (moedas) e de animais (ovelhas). "As pessoas têm livre-arbítrio", comentou. "Precisam ser moralmente responsáveis. Esse rapaz precisou voltar humilde. Ele teve de arrepender-se. Foi isso que Jesus quis demonstrar."

Não, Margaret, não foi isso que Jesus quis demonstrar. Todas essas histórias enfatizam a alegria de quem *achou*. É verdade que o perdido voltou para casa de livre e espontânea vontade, mas o ponto central da história é o amor surpreendente do pai: "Estando ainda longe, seu pai o viu e, cheio de compaixão, correu para seu filho, e o abraçou e beijou". Quando o filho tenta explicar-se, o pai interrompe seu discurso preparado a fim de ordenar a celebração.

Um missionário no Líbano[2] leu uma vez essa parábola a um grupo de habitantes de uma vila que vivia em uma cultura muito parecida com a que Jesus descreveu e que nunca ouvira falar a respeito da história. "O que vocês perceberam?", ele perguntou.

Dois detalhes da história chamaram a atenção dos habitantes da vila. Primeiro: reclamando sua herança antes da hora, o filho estava dizendo ao pai "Eu gostaria que você estivesse morto!" Os aldeões não podiam imaginar um patriarca aceitando tal insulto ou concordando com a exigência do filho. Segundo: notaram que o pai *correu* para receber o filho por tanto tempo perdido. No Oriente Médio, um homem de posição caminha lentamente e com dignidade; ele nunca corre. Na história de Jesus o pai correu, e o público de Jesus, sem dúvida, ficou sem fôlego com esse detalhe.

A graça não é justa — o que é uma das coisas mais difíceis de aceitar nela. É irracional esperar que uma mulher perdoe as coisas terríveis que seu pai lhe fez apenas porque ele se desculpa muitos anos depois. E é totalmente injusto pedir que a mãe ignore as muitas ofensas que seu filho adolescente lhe fez. A graça, entretanto, não tem a ver com justiça.

O que é verdade nas famílias é verdade também a respeito das tribos, raças e nações.

7
Um ato nada natural

*Aquele que não pode perdoar destrói a ponte sobre a qual
ele mesmo tem de passar.*

George Herbert

Acabei de contar a história de uma família que viveu um século sob a ausência da graça. Na História do mundo, casos semelhantes ultrapassam séculos, com consequências ainda piores. Se você perguntar a um adolescente lançador de bombas na Irlanda do Norte, a um soldado com um facão em Ruanda ou a um franco-atirador na antiga Iugoslávia por que estão matando, talvez nem saibam direito o motivo. A Irlanda ainda está procurando vingar-se das atrocidades cometidas por Oliver Cromwell no século 17; Ruanda e Burundi, com suas guerras tribais, continuam cultivando inimizades que remontam a períodos imemoráveis; a Iugoslávia ainda se vinga das lembranças da Segunda Guerra Mundial e tenta evitar uma repetição do que aconteceu há seis séculos.

A ausência da graça opera como um pano de fundo estático ao longo da vida das famílias, das nações e das instituições. Ela é, infelizmente, nosso estado humano natural.

Uma vez compartilhei de uma refeição com dois cientistas que tinham acabado de participar de um projeto chamado "Biosfera", construído em Tucson, no Arizona, em que deveriam ficar confinados em uma redoma de vidro. Quatro homens e quatro mulheres ofereceram-se para tomar parte nessa experiência de dois anos de isolamento. Todos eram cientistas perfeitos, todos estavam preparados e tinham passado por testes psicológicos.

Todos tinham entrado no projeto completamente informados a respeito dos rigores que enfrentariam enquanto estivessem excluídos do mundo exterior. Os cientistas contaram-me que logo nos primeiros meses os oito "bionautas" haviam se separado em dois grupos de quatro e, durante os meses finais da experiência, esses dois grupos recusaram-se a conversar um com o outro. Oito pessoas viveram em uma bolha cortada ao meio por uma parede invisível de ausência de graça.

Frank Reed, um cidadão americano que ficou preso como refém no Líbano, revelou, quando solto, que não falara com um de seus companheiros reféns durante diversos meses em virtude de uma pequena discussão. O detalhe é que, a maior parte do tempo, os dois estiveram acorrentados um ao outro.

A ausência de graça provoca rompimentos entre mãe e filha, pai e filho, irmão e irmã, entre cientistas, prisioneiros, tribos e raças. Quando abandonadas, as rupturas ampliam-se e, para os abismos resultantes da ausência da graça, há apenas um remédio: a frágil ponte de corda do perdão.

No calor de uma discussão, minha esposa surgiu com uma formulação teológica exata. Estávamos discutindo minhas falhas de uma maneira mais ou menos espiritual, quando ela disse: "Acho espantoso que eu tenha perdoado você por algumas de suas atitudes covardes!"

Uma vez que estou escrevendo a respeito do perdão, não do pecado, vou omitir os detalhes dessas atitudes covardes. Na verdade, o que me abalou em seu comentário foi sua visão exata da natureza do perdão. Não é um doce ideal platônico para ser espalhado pelo mundo como um desodorizador de ar. O perdão é dolorosamente difícil e, muito tempo depois de você perdoar, a ferida — minhas atitudes covardes — continua na lembrança. O perdão é um ato nada natural. E minha esposa estava protestando contra sua óbvia injustiça.

Uma história do Gênesis capta muito desse mesmo sentimento. Quando eu era criança e ouvia a história na escola dominical, não conseguia entender as voltas e os desvios da reconciliação de José com seus irmãos. Em um momento José agia com rudeza, jogando os irmãos na prisão; a seguir parecia estar tomado pela tristeza, saindo da sala e debulhando-se em lágrimas como um bêbado. Ele foi ardiloso com os irmãos, escondendo o dinheiro em seus sacos de mantimentos, mantendo um deles como refém, acusando outro de roubar seu copo de prata. Durante meses, talvez anos, essas intrigas prolongaram-se até que, finalmente, José não aguentou mais. Convocou os irmãos e dramaticamente os perdoou.

Agora vejo essa história como uma descrição realista do ato nada natural do perdão. Os irmãos que José lutou para perdoar foram exatamente os mesmos que o haviam maltratado, que armaram planos para matá-lo, que o venderam como escravo. Por causa deles ele passara os melhores anos de sua juventude apodrecendo em uma prisão egípcia. Mesmo tendo triunfado na adversidade e mesmo desejando de todo o coração perdoar aqueles irmãos, não conseguia fazer isso. A ferida ainda doía muito.

Vejo o texto de Gênesis 42-45 como uma maneira de José dizer: "Acho espantoso que eu lhes perdoe pelas vis atitudes que vocês tiveram!" Quando a graça finalmente irrompeu sobre José, os sons de sua tristeza e do seu amor ecoaram no palácio. *Que gemidos são esses? O ministro do rei está doente?* Não, a saúde de José vai bem. Era o som de um homem perdoando.

Por trás de cada ato de perdão jaz uma ferida de traição, e a dor de ser traído não se desvanece facilmente. Leon Tolstoi achou que iniciaria bem seu casamento permitindo que a noiva adolescente lesse seus diários, que registravam com sensacionais detalhes todas as suas peripécias sexuais. Ele não queria guardar segredos para Sonya, queria iniciar um casamento sem segredos do passado, perdoado. Em vez disso, sua confissão plantou as sementes de um casamento que seria sustentado com vides de ódio, não de amor.[1]

"Quando ele me beija, estou sempre pensando: 'Não sou a primeira mulher que ele amou' ", escreveu Sonya Tolstoi em seu próprio diário. Alguns impulsos adolescentes do marido ela conseguia perdoar, mas não o caso com Axinya, uma camponesa que continuou trabalhando na propriedade de Tolstoi.

"Um dia desses eu me mato por ciúmes", Sonya escrevera depois de ver o filho de 3 anos de idade da camponesa, a cópia exata de seu marido. "Se eu pudesse matá-lo [Tolstoi] e criar uma pessoa nova exatamente como ele é agora, eu o faria com prazer."

Outra anotação no diário data de 14 de janeiro de 1909: "Ele gosta daquela prostituta camponesa com corpo roliço de fêmea e pernas queimadas de sol; ela o atrai tão poderosamente agora como fazia durante todos aqueles anos passados...". Sonya escreveu essas palavras quando Axinya era uma velha enrugada de 80 anos! Durante meio século, o ciúme e a falta de perdão deixaram-na cega, destruindo, no decorrer do tempo, todo o amor que sentia pelo marido.

Contra um poder tão maligno, que chances tem a reação cristã? O perdão é um ato nada natural — Sonya Tolstoi, José e minha esposa expressaram essa verdade como por instinto.

> Todos nós já sabemos
> O que todo escolar aprende:
> Quem é alvo do mal,
> Com mal vai revidar.

W. H. Auden,[2] que escreveu essas linhas, entendeu que a lei da natureza não admite perdão. Os esquilos perdoam os gatos que correm atrás deles subindo pelas árvores? Os golfinhos perdoam os tubarões por comerem seus companheiros? O mundo aqui fora é regido pelo "matar ou morrer", não pelo "perdoar uns aos outros". Quanto à espécie humana, nossas maiores instituições — financeiras, políticas e até mesmo as esportivas — funcionam com base no mesmo princípio inexorável. Um treinador nunca anuncia: "Vocês estão realmente acabados, mas em razão de seu bom comportamento, digo que vão ganhar". Ou que nação reage a seus beligerantes vizinhos admitindo: "Vocês estão certos, nós violamos suas fronteiras. Por favor, perdoem-nos"?

O próprio sabor do perdão parece, de alguma forma, errado. Mesmo quando cometemos um erro, queremos retomar a simpatia da parte magoada. Preferimos rastejar de joelhos, macular, fazer penitência, matar um cordeiro — e a religião, com frequência, obriga-nos a isso. Quando o Imperador Henrique IV do Sacro Império Romano decidiu buscar o perdão do papa Gregório VII em 1077, permaneceu descalço por três dias na neve do lado de fora do aposento papal na Itália. É provável que Henrique tenha voltado para casa satisfeito, usando as cicatrizes provocadas pelo congelamento como estigma do perdão. "Apesar de já termos ouvido uma centena de sermões a respeito do perdão, não perdoamos facilmente, nem somos facilmente perdoados. Descobrimos que o perdão é sempre mais difícil do que os sermões o fazem parecer", escreve Elizabeth O'Connor.[3] Acalentamos feridas, percorremos longas distâncias para racionalizar nosso comportamento, perpetuamos nossas brigas familiares, punimos a nós mesmos e aos outros — e fazemos tudo isso para fugir desse ato antinatural.

Em uma visita a Bath, na Inglaterra, vi uma reação muito normal à ofensa. Nas ruínas romanas que ali se encontram, os arqueólogos descobriram várias "maldições" escritas em latim, gravadas sobre placas de estanho ou de bronze. Séculos atrás, usuários dos banhos romanos atiraram essas orações como uma oferta aos deuses do banho, mais ou menos como jogar as modernas moedas nas fontes do desejo. Uma delas pedia ajuda a uma deusa para uma vingança de sangue contra alguém que lhe havia roubado seis moedas. Outra dizia: "Docimedes perdeu duas luvas. Ele pede que a pessoa que as roubou perca o juízo e os olhos no templo que frequenta".

Enquanto olhava para as inscrições em latim e lia suas traduções, ocorreu-me o pensamento de que as orações faziam sentido. Por que não empregar o poder divino para nos ajudar na justiça humana aqui na Terra? Muitos dos salmos expressam o mesmo sentimento, implorando a Deus que nos vingue de alguma maldade. "Senhor, se não podes tornar-me magra, então faze os meus amigos ficarem gordos", a humorista Erma Bombeck certa vez orou. O que seria mais humano?

Em vez disso, Jesus, de uma maneira inversa excepcional, instrui-nos a orar: "Perdoa as nossas dívidas, assim como perdoamos aos nossos devedores".[4] No centro da Oração do Pai-Nosso, que Jesus nos ensinou, esconde-se, furtivo, o ato sobrenatural do perdão. Os banhistas romanos insistiam com os seus deuses para estimularem a justiça humana; Jesus vinculou o perdão divino à nossa disposição em perdoar atos de injustiça.

Charles Williams disse o seguinte a respeito da Oração do Pai-Nosso: "Nenhuma expressão em inglês carrega maior possibilidade de terror do que as palavras 'assim como' nessa oração".[5] O que torna o "assim como" tão aterrorizante? O fato de Jesus simplesmente vincular nossa absolvição pelo Pai a nosso perdão contínuo de outros seres humanos. A observação seguinte de Jesus não poderia ser mais explícita: "Mas se não perdoarem uns aos outros, o Pai celestial não lhes perdoará as ofensas".[6]

Uma coisa é ser apanhado pelo ciclo da ausência de graça com um cônjuge ou sócio; outra, totalmente diferente, é ser apanhado nesse ciclo com o Deus todo-poderoso. Mas a Oração do Pai-Nosso une as duas coisas: quando nos permitimos relaxar, romper o ciclo, recomeçar, Deus permite a si mesmo relaxar, romper o ciclo e recomeçar.

John Dryden escreveu a respeito dos efeitos solenes dessa verdade. "Mais difamações foram escritas contra mim do que contra qualquer homem ainda vivo", ele protestou. E preparou-se para atacar seus inimigos. Mas "esta consideração frequentemente me faz tremer quando estou fazendo a oração do Pai-Nosso; pois a simples condição do perdão que rogamos é o perdão aos outros das ofensas que fizeram contra nós; por isso evitei, muitas vezes, cometer essa falta, mesmo quando fui notoriamente provocado".[7]

Dryden estava certo em tremer. Em um mundo governado pelas leis da ausência da graça, Jesus requer — ou melhor, exige — uma reação de perdão. Tão urgente é a necessidade do perdão que ele tem precedência sobre os deveres "religiosos":

> Portanto, se você estiver apresentando sua
> oferta diante do altar e ali se lembrar de que
> seu irmão tem algo contra você,
> deixe sua oferta ali, diante do altar, e vá
> primeiro reconciliar-se com seu irmão; depois
> volte e apresente sua oferta.[8]

Jesus concluiu sua parábola a respeito do servo que não perdoou com uma cena do senhor mandando o servo para a prisão para ser torturado. "Assim também lhes fará meu Pai celestial, se cada um de vocês não perdoar de coração a seu irmão", disse Jesus.[9] Eu queria muito, mas muito mesmo, que essas palavras não se encontrassem na Bíblia, mas elas estão lá, enunciadas pelos lábios do próprio Cristo. Deus garantiu-nos uma terrível influência: negando o perdão aos outros, estamos, de fato, determinando que eles são indignos do perdão de Deus e, da mesma forma, nós. De algum modo misterioso, o perdão divino depende de nós.

Shakespeare colocou o perdão em O *mercador de Veneza*[a] [*Merchant of Venice*] da seguinte maneira: "Como esperas tu misericórdia, não concedendo nenhuma?".

---

[a] Várias publicações em português: Ediouro, 2003; Nova Fronteira, 2000; Lacerda, 2000; Dimensão, 2000; Nova Fronteira, 2000 [N. do R.].

Tony Campolo, às vezes, pergunta aos estudantes das universidades seculares o que eles sabem a respeito de Jesus. Conseguiriam se lembrar de alguma coisa que Jesus dissera? Em um claro consenso, respondem: "Amai os seus inimigos".[b] Mais do que qualquer outro ensinamento de Cristo, esse se destaca para o não cristão. Tal atitude não é natural, talvez seja absolutamente suicida. Já é difícil perdoar nossos irmãos, como José fez, quanto mais os inimigos! A gangue de bandidos da outra rua? Os terroristas? Os traficantes que envenenam nossa nação?

Muitos especialistas em ética preferem concordar com o filósofo Immanuel Kant, o qual argumentou que uma pessoa deve ser perdoada somente quando merece. Contudo o próprio termo *perdoar* contém a palavra "doar" (exatamente como a palavra *pardon*, que contém o termo *donum* e que significa "doação"). Assim como a graça, o perdão também traz em si a enlouquecedora qualidade de ser não merecido, sem mérito, injusto.

Por que Deus exigiria de nós um ato nada natural e que desafia cada instinto primitivo? O que torna o perdão tão importante para que seja o ponto central de nossa fé? Por minha própria experiência como alguém frequentemente perdoado, e às vezes misericordioso, posso sugerir diversos motivos. O primeiro é teológico. Os outros, mais pragmáticos, deixarei para o próximo capítulo.

Teologicamente, os evangelhos dão-nos uma resposta direta quanto à questão sobre por que Deus nos pede para perdoar: simplesmente porque é assim que Deus age. Ao nos dar a ordem "Amem os seus inimigos", Jesus incluiu nessa ordenança um fundamento lógico: "... para que vocês venham a ser filhos de seu Pai que está nos céus. Porque ele faz raiar o seu sol sobre maus e bons e derrama chuva sobre justos e injustos".[1]

Qualquer um, disse Jesus, pode amar os amigos e a família: "Até os publicanos fazem isso!". Filhos e filhas do Pai são chamados para obedecer a uma lei mais elevada a fim de que se pareçam com o Pai misericordioso.

---

[b] L. Gregory Jones observa: "Um chamado como esse — para amar os inimigos — é assustador em seu franco reconhecimento de que os cristãos fiéis terão inimigos. Embora Cristo decisivamente derrotasse o pecado e o mal mediante sua morte na cruz e sua ressurreição, a influência do pecado e do mal ainda não acabou completamente. Portanto, pelo menos em um sentido, ainda vivemos *neste* lado da plenitude da Páscoa"[10] [N. do A.].

Somos chamados para ser semelhantes a Deus, para carregarmos a semelhança da família divina.

Lutando contra a ordem de "amar os inimigos" enquanto estava sendo perseguido na Alemanha nazista, Dietrich Bonhoeffer finalmente concluiu que essa é a própria qualidade "peculiar [...] extraordinária, fora do comum" que diferencia um cristão das outras pessoas. Mesmo quando trabalhava para solapar o regime, ele obedecia à ordem de Jesus para "orar por aqueles que o perseguem". Bonhoeffer escreveu:

> Por meio da oração vamos até o nosso inimigo, ficamos do seu lado e intercedemos a Deus por ele. Jesus não prometeu que quando abençoarmos os nossos inimigos e lhes fizermos o bem eles não abusarão de nós nem nos perseguirão. Certamente o farão. Mas nem isso pode nos ferir ou vencer, quando oramos por eles. [...] Estamos fazendo vicariamente o que eles não podem fazer por si mesmos.[12]

Por que Bonhoeffer lutava para amar seus inimigos e orar por seus perseguidores? Ele tinha apenas uma resposta: "Deus ama seus inimigos — essa é a glória do seu amor, como cada discípulo de Jesus sabe". Se Deus perdoou nossas dívidas, como não fazer o mesmo?

Mais uma vez, a parábola do servo que não perdoou me vem à mente. O servo tinha todo direito de sentir falta do pouco dinheiro que seu companheiro lhe devia. Pelas leis da justiça romana, ele tinha o direito de jogar o companheiro na prisão. Jesus não argumentou a respeito da perda pessoal do servo, mas, antes, destacou a perda do senhor (Deus) que já havia perdoado o servo em muitos milhões de dólares. Apenas a experiência de sermos perdoados capacita-nos a perdoar os outros.

Tive um amigo, já falecido, que trabalhou na Universidade de Wheaton por muitos anos, durante os quais ouviu milhares de mensagens devocionais. Muitas dessas mensagens perderam-se no esquecimento. Outras, porém, se destacaram. Particularmente, ele gostava de recontar a história de Sam Moffat, um professor do Seminário de Princeton, que serviu como missionário na China. Moffat contou aos estudantes de Wheaton uma história comovente sobre sua fuga dos perseguidores comunistas. Eles tomaram sua casa e todas as suas posses, queimaram as instalações missionárias e mataram alguns dos seus amigos mais próximos. A própria família de Moffat escapou por pouco. Quando ele saiu da China, levou consigo um profundo ressentimento contra os discípulos do presidente Mao, um ressentimento que se disseminou como metástase dentro dele.

Finalmente, ele disse aos estudantes de Wheaton que enfrentara uma singular crise de fé. "Percebi", confessou Moffat, "que se não perdoasse os comunistas, não teria mais nenhuma mensagem para pregar".

O evangelho da graça começa e termina com o perdão. E as pessoas escrevem canções com títulos como *Preciosa a graça de Jesus* apenas por um motivo: a graça é a única força do Universo suficientemente poderosa para romper as correntes que escravizam gerações. Só a graça desfaz a ausência de graça.

Participei de uma reunião, em um fim de semana, com dez judeus, dez cristãos e dez muçulmanos. O organizador do encontro era o escritor e psiquiatra M. Scott Peck. Ele esperava que a reunião pudesse acabar em uma espécie de comunidade ou, pelo menos, que desse início à reconciliação, nem que fosse em uma escala menor, entre os participantes. Não funcionou. Agressões físicas quase irromperam entre aquelas pessoas educadas e sofisticadas. Os judeus falavam de todas as coisas horríveis que lhes foram feitas pelos cristãos. Os muçulmanos falavam de todas as coisas horríveis que lhes foram feitas pelos judeus. Nós, cristãos, tentávamos falar de nossos próprios problemas, mas eles empalideciam em contraste com o Holocausto e as dificuldades dos refugiados palestinos; por isso ficamos meio que de lado, ouvindo os outros dois grupos falando das injustiças da História.

Em determinado momento, uma mulher judia bem articulada, que participara ativamente em tentativas anteriores no sentido de reconciliação com os árabes, voltou-se para os cristãos e disse: "Creio que nós, judeus, temos muito a aprender com vocês, cristãos, a respeito do perdão. Não vejo outro caminho para solucionar alguns dos conflitos. Mas ainda acho muito injusto perdoar injustiças. Fico presa entre o perdão e a justiça".

Lembrei-me desse fim de semana quando li as palavras do alemão Helmut Thielicke, que viveu os horrores do nazismo:

> Essa questão de perdoar não é de maneira nenhuma uma coisa simples. [...] Dizemos: "Muito bem, se o outro se arrepender e pedir meu perdão, eu

perdoarei, eu desistirei". Fazemos do perdão uma lei de reciprocidade. E isso não funciona nunca. Porque ambos dizemos a nós mesmos: "O outro tem de tomar a iniciativa". Daí, fico observando como um gavião para ver se o outro vai sinalizar-me com os olhos ou se posso detectar alguma pequena indicação nas entrelinhas que demonstre que está arrependido. Estou sempre pronto a perdoar... mas nunca perdoo. Sou justo demais.[13]

O único remédio, Thielicke concluiu, era a percepção de que Deus perdoara seus pecados e lhe dera outra oportunidade — a lição da parábola do servo que não perdoou. Quebrar o ciclo da ausência de graça significa *tomar a iniciativa*. Em vez de esperar que o seu próximo desse o primeiro passo, Thielicke teve de fazer isso, desafiando a lei natural da retribuição e da justiça. Ele o fez apenas quando percebeu que a iniciativa de Deus estava na essência do evangelho que ele estivera pregando, mas não praticando.

No centro das parábolas de Jesus a respeito da graça encontra-se um Deus que toma a iniciativa em nossa direção: um pai que sofre por amor, que corre para se encontrar com o filho perdido, um senhor que cancela uma dívida grande demais para o servo reembolsar, um empregador que paga aos trabalhadores da décima primeira hora o mesmo que pagou ao grupo da primeira hora, um anfitrião que sai pelas estradas e caminhos à procura de convidados que não merecem o banquete.

Deus despedaçou a inexorável lei do pecado e da retribuição invadindo a Terra com seu amor. Ao observar o pior que tínhamos para oferecer, enviou--nos Jesus, seu próprio Filho. E, mediante a crucificação de Cristo, fez então desse ato cruel o remédio para a condição humana. O Calvário desfez o impedimento entre a justiça e o perdão. Aceitando sobre seu inocente ser todas as severas exigências da justiça, Jesus quebrou para sempre a corrente da ausência de graça.

Assim como Helmut Thielicke, muito frequentemente me sinto impulsionado a querer pagar na mesma moeda, o que impede a ação do perdão. *Por que eu teria de dar o primeiro passo? Fui ofendido.* Por isso não me mexo e, por causa dessa minha posição, aparecem fissuras nos meus relacionamentos que, pouco a pouco, se alargam. Com o tempo, essas fissuras transformam-se em um abismo que parece impossível de transpor. Fico triste, mas raramente aceito a culpa. Pelo contrário, justifico-me e destaco os pequenos gestos que fiz para a reconciliação. Mantenho uma contabilidade mental das minhas tentativas para me defender se for acusado daquela brecha. Fujo do risco da graça para a segurança da ausência de graça.

Henri Nouwen, que define o perdão como "amor praticado entre pessoas que amam defeituosamente", descreve como o processo do perdão funciona:

> Digo com frequência: "Eu perdoo você". Mas, mesmo quando digo essas palavras, meu coração continua zangado ou ressentido. Ainda quero ouvir a história que me diz que, afinal de contas, eu estava certo; ainda quero ouvir pedidos de desculpas e justificativas; ainda quero ter a satisfação de receber algum louvor em troca — pelo menos o louvor de ser tão misericordioso!
>
> O perdão de Deus, contudo, é incondicional; provém de um coração que não exige nada para si mesmo, um coração que está completamente desprovido de interesses próprios. É o perdão divino que tenho de praticar em minha vida diária. Ele me convida a continuar passando por cima de todos os meus argumentos que dizem que o perdão é loucura, doentio e impraticável. Ele me desafia a passar por cima de toda a minha necessidade de gratidão e elogios. Finalmente, exige de mim que eu passe por cima daquela parte ferida do meu coração, que se sente machucada e maltratada e que deseja ficar no controle e colocar algumas condições entre mim e a pessoa a quem devo perdoar.[14]

Um dia descobri estas advertências do apóstolo Paulo entre muitas outras em Romanos 12: odeiem o que é mal, alegrem-se, tenham uma mesma atitude, não sejam sábios aos seus próprios olhos — e a lista prossegue. Então aparece o seguinte versículo: "Amados, nunca procurem vingar-se, mas deixem com Deus a ira, pois está escrito: 'Minha é a vingança; eu retribuirei' ".[15] Finalmente, entendi: em última análise, o perdão é um ato de fé. Perdoando outra pessoa, estou confiando que Deus é um juiz melhor do que eu. Perdoando, abandono meus próprios direitos de me vingar e deixo toda a questão da justiça nas mãos divinas. Deixo nas mãos de Deus a balança que deve pesar a justiça e a misericórdia.

Quando José, finalmente, chegou a ponto de perdoar seus irmãos, a dor não desapareceu, mas o fardo de ser o juiz se desfez. Embora o mal não desapareça quando perdoo, ele perde seu poder sobre mim e é assumido por Deus, que sabe muito bem o que fazer. Tal decisão envolve risco, naturalmente: o risco de Deus não lidar com a pessoa como eu gostaria (o profeta Jonas, por exemplo, ressentiu-se porque Deus foi mais misericordioso do que os ninivitas mereciam).

Nunca achei que o perdão fosse fácil e raramente o considero completamente satisfatório. As injustiças importunas continuam, e as feridas ainda doem. Tenho de me aproximar de Deus repetidas vezes, entregando a Ele os resíduos do que pensava ter lhe entregado há muito tempo. Procedo dessa forma porque os evangelhos tornam clara a conexão: Deus perdoa minhas dívidas como eu perdôo meus devedores. O inverso também é verdadeiro: apenas vivendo na correnteza da graça de Deus encontrarei forças para reagir aos outros com graça.

Um cessar-fogo entre os seres humanos depende de um cessar-fogo com Deus.

8
Por que perdoar?

Nos desertos do coração deixe a cura jorrar.
A força dessa prisão ensina o liberto a louvar.

W. H. AUDEN

Participei de uma discussão animada a respeito do perdão na semana em que Jeffrey Dahmer faleceu na prisão. Dahmer, assassino em série, violentara e depois assassinara dezessete rapazes, canibalizando-os e guardando partes dos corpos na geladeira. Sua prisão abalou o departamento de polícia de Milwaukee, quando se tornou público que os policiais haviam ignorado as súplicas desesperadas de um adolescente vietnamita que tentara fugir, nu e sangrando, do apartamento de Dahmer. Esse garoto também veio a ser vítima dele, um dos onze corpos achados em seu apartamento.

Em novembro de 1994, Dahmer foi assassinado, tendo sido espancado até a morte com um cabo de vassoura por um colega da prisão. O noticiário da televisão naquele dia incluiu entrevistas com os entristecidos parentes das vítimas de Dahmer, muitos dos quais disseram que lastimavam o assassinato de Dahmer apenas porque dera fim à sua vida cedo demais. Ele tinha de sofrer, sendo forçado a viver mais tempo e a pensar nas coisas horríveis que fizera.

Uma rede de televisão apresentou um programa gravado algumas semanas antes da morte dele. O entrevistador lhe perguntou como pudera fazer aquelas coisas pelas quais fora condenado. Dahmer disse que naquela ocasião não acreditava em Deus, e por isso não se sentia culpado de nada. Começara cometendo pequenos crimes, experimentando pequenos atos de crueldade, e então continuou cada vez mais. Nada o impedia.

Dahmer, depois, falou a respeito de sua recente conversão religiosa. Ele fora batizado na prisão e passava o tempo lendo material religioso fornecido por um pastor da cidade. A cena seguinte mostrou uma entrevista com o capelão da prisão, que afirmava que Dahmer havia realmente se arrependido e era um de seus mais fiéis discípulos.

A discussão em meu pequeno grupo tendia a dividir-se entre aqueles que haviam apenas assistido aos telejornais a respeito da morte de Dahmer e aqueles que haviam também assistido à entrevista com Dahmer. O primeiro grupo via Dahmer como um monstro e repudiava sem restrições quaisquer notícias a respeito de uma conversão na prisão. As fisionomias angustiadas dos parentes impressionaram-nos profundamente. Uma pessoa comentou: "Crimes como esses não podem ser perdoados nunca. Ele não podia estar sendo sincero".

Aqueles que assistiram à entrevista com Dahmer não tinham tanta certeza. Eles concordavam que seus crimes foram hediondos demais. Mas ele parecia contrito, até mesmo humilde. A conversa retomou a questão: "Alguém pode ficar de fora do perdão?". Ninguém naquela tarde saiu sentindo-se inteiramente satisfeito com as respostas.

O escândalo do perdão confronta qualquer pessoa que concorde com um cessar-fogo moral apenas porque alguém diz: "Sinto muito". Quando me sinto ofendido, posso imaginar uma centena de motivos contra o perdão. *Ele precisa aprender a lição. Não quero incentivar o comportamento irresponsável. Vou deixá-la em banho-maria por um tempo; vai lhe fazer bem. Ela precisa aprender que suas atitudes têm consequências. Fui ofendido — não preciso dar o primeiro passo. Como posso perdoar se ele nem mesmo está arrependido?* Controlo meus argumentos até que aconteça alguma coisa que derrube minha resistência. Quando, finalmente, amoleço a ponto de conceder o perdão, isso parece uma capitulação, um salto da lógica fria para um sentimento piegas.

Por que, afinal, tive essa atitude? Já mencionei um fator que me motiva como cristão: na qualidade de filho do Pai, recebo ordens de perdoar. Mas os cristãos não têm o monopólio do perdão. Por que alguns de nós, cristãos e não cristãos igualmente, escolhemos essa atitude nada natural? Posso identificar pelo menos três motivos pragmáticos e, quanto mais penso nesses motivos para o perdão, mais reconheço neles uma lógica que parece fundamental e não apenas "difícil".

Primeiro, o perdão é a única alternativa que pode deter o ciclo da culpa e da dor, interrompendo a prisão da ausência da graça. No Novo Testamento, a palavra grega mais comum utilizada para o perdão significa, literalmente, soltar, jogar para longe, libertar-se.

Prontamente admito que o perdão é injusto. O hinduísmo, com sua doutrina do carma, mostra um senso muito mais gratificante de justiça. Os mestres hindus calcularam com precisão matemática quanto tempo leva para que seja feita justiça a uma pessoa: a fim de equilibrar o castigo por todos os meus erros nesta vida e nas vidas futuras, 6,8 milhões encarnações seriam suficientes.

O casamento dá um vislumbre do processo de funcionamento do carma. Duas pessoas obstinadas vivem juntas, exasperam-se mutuamente e perpetuam a luta pelo poder por meio de um cabo de guerra emocional.

— Não consigo acreditar que você esqueceu o aniversário da sua própria mãe — diz alguém.

— Espere um pouco: você não ficou encarregada de me lembrar?

— Não tente passar a culpa para mim. Ela é sua mãe.

— Sim, mas eu lhe pedi na semana passada que me lembrasse. Por que não me lembrou?

— Você está louco! Ela é sua mãe. Você não é capaz de lembrar o aniversário da sua própria mãe?

— Por que eu deveria? É obrigação sua me lembrar.

O diálogo vazio prossegue por, digamos, 6,8 milhões ciclos até que, finalmente, um dos cônjuges diz: — Chega! Vou romper esse ciclo. E a única maneira de fazê-lo é por meio do perdão: *Sinto muito. Você me perdoa?*

A palavra *ressentimento* expressa o que acontece se o ciclo continua ininterrupto. Ela significa, literalmente, "sentir de novo": o ressentimento remete ao passado, liberando-o muitas e muitas vezes, arrancando cada nova casca, de modo que a ferida nunca sara. Esse padrão, sem dúvida, teve início com o primeiro casal na Terra. "Pense em todas as discussões que Adão e Eva devem ter tido no decorrer de seus 900 anos", escreveu Martinho Lutero.[1] "Eva diria: 'Você comeu a maçã', e Adão replicaria: 'Foi você que a deu para mim'."

Dois romances escritos por autores premiados com o Nobel exemplificam o padrão em um cenário moderno. Em O *amor nos tempos do cólera*, Gabriel

García Márquez retrata um casamento que se desintegra por causa de um sabonete. Era obrigação da mulher manter a casa em ordem, incluindo a responsabilidade da provisão de toalhas, papel higiênico e sabonete no banheiro. Um dia ela se esquece de colocar o sabonete, um esquecimento que o marido classificou exageradamente: "Estive tomando banho por quase uma semana sem sabonete", o que ela negou com vigor. Embora fosse verdade que realmente tinha esquecido, o orgulho estava em jogo e ela não voltaria atrás. Durante os sete meses seguintes eles dormiram em quartos separados e comeram em silêncio.

"Mesmo depois que ficaram idosos e serenos", escreve Márquez, "tinham muito cuidado ao tocar no assunto, pois as feridas mal cicatrizadas poderiam começar a sangrar de novo como se tivessem sido infligidas ontem".[2] Como pode um sabonete acabar com um casamento? Porque nenhum dos parceiros foi capaz de dizer: "Chega. Isso não pode continuar. Sinto muito. Perdoe-me".

The Knot of Vipers [O ninho de vespas], de François Mauriac,[3] conta a história semelhante de um velho homem que passa as últimas décadas — décadas! — de seu casamento dormindo no corredor. Uma brecha abrira-se trinta anos antes porque o marido não havia demonstrado bastante preocupação quando a filha de 5 anos de idade ficou doente. Agora, nem o marido nem a mulher queriam dar o primeiro passo. Todas as noites ele espera que ela se aproxime, mas ela não aparece. Todas as noites ela fica acordada esperando que ele se aproxime, e ele não aparece. Nenhum dos dois irá interromper o ciclo que começou vários anos antes. Nenhum deles vai perdoar.

Em suas memórias sobre uma família realmente desestruturada, *The Liar's Club* [O clube dos mentirosos], Mary Karr[4] conta a história de um tio que morava no Texas que continuou casado, mas não falava com a esposa havia quarenta anos, desde uma briga por causa do quanto ela gastava com açúcar. Um dia ele pegou uma serra e dividiu a casa exatamente ao meio. Pregou tábuas nos lados cortados pela serra e empurrou uma das metades para trás de um bosque de pinheiros que ficava no mesmo terreno. Os dois, marido e mulher, viveram o resto de seus dias em casas separadas.

O perdão oferece uma saída. Ele não resolve todas as questões da culpa e da justiça — com frequência, claramente foge dessas questões — mas permite um relacionamento renovado, que recomeça. Desse modo, conforme disse

Soljenitsyn, nós somos diferentes de todos os animais. Não é a nossa capacidade de pensar, mas a nossa capacidade de arrependimento e de perdão que nos torna diferentes. Apenas seres humanos podem realizar esse ato antinatural, que transcende a implacável lei da natureza.

Se não transcendemos a natureza, continuamos amarrados a pessoas que não podemos perdoar, presos em suas garras apertadas. Esse princípio aplica-se até mesmo quando uma das partes é totalmente inocente e a outra, totalmente culpada, pois a parte inocente vai carregar a ferida até que consiga encontrar um caminho para obter alívio. E o perdão é o único caminho. Oscar Hijuelos escreveu um romance comovente, *Mr. Ives' Christmas* [O natal do sr. Ives], a respeito de um homem que é sufocado pela amargura até que, de alguma forma, descobre que pode perdoar o criminoso latino que assassinou seu filho. Embora o próprio Ives não fizesse nada de errado, durante décadas o assassino o manteve como prisioneiro emocional.

Às vezes, divago e imagino um mundo sem perdão. O que aconteceria se cada filho alimentasse ressentimentos contra os pais e cada família passasse as inimizades para as futuras gerações? Mencionei uma família — Daisy, Margaret e Michael — e o vírus da ausência de graça que afligiu a todos. Conheço, respeito e desfruto da amizade de cada membro dessa família, separadamente. Mas, embora partilhem de quase o mesmo código genético, hoje não conseguem ficar sentados juntos na mesma sala. Todos eles têm protestado em favor de sua inocência — mas os inocentes também sofrem os resultados da ausência da graça. "Não quero vê-lo nunca mais enquanto viver!", Margaret gritou para o filho. Ela foi atendida, e agora sofre por causa disso todos os dias. Posso ver o sofrimento em seus olhos apertados e na tensão do seu maxilar todas as vezes em que pronuncio o nome "Michael".

Deixo que minha imaginação avance mais, para um mundo no qual cada ex-colônia abriga ressentimentos contra seu ex-governo imperial, cada raça odeia as outras raças e cada tribo luta contra suas rivais como se todos os agravos da história se acumulassem por trás de cada contato entre nações, raças e tribos. Fico deprimido quando imagino essas cenas porque elas parecem muito próximas da história que existe hoje. Como disse Hannah Arendt, filósofa judia, o único remédio para a inevitabilidade da história é o perdão; caso contrário, continuaremos presos na "embaraçosa situação da irreversibilidade".

Não perdoar aprisiona-me ao passado e exclui todo potencial de mudança. Assim, transfiro o controle ao outro, meu inimigo, e condeno-me a sofrer as consequências do erro. Uma vez ouvi um rabino imigrante fazer uma declaração espantosa. "Antes de vir para a América, precisei perdoar Adolf Hitler", ele disse. "Eu não queria trazer Hitler dentro de mim para meu novo país."

Perdoamos não apenas para cumprir alguma lei mais elevada de moralidade; fazemos isso por nós mesmos. Como Lewis Smedes destaca: "A primeira e geralmente a única pessoa a ser curada pelo perdão é a pessoa que perdoa. [...] Quando perdoamos, libertamos um prisioneiro e então descobrimos que o prisioneiro libertado era nós mesmos".[5]

Para o José da Bíblia, que nutria um ressentimento justificado contra os irmãos, o perdão apresentou-se na forma de lágrimas e gemidos. Estes, como um trabalho de parto, foram arautos da libertação e, por meio deles, José finalmente obteve a liberdade. Ele chamou seu filho de Manassés, que significa "aquele que induz a ser perdoado".

A única coisa mais difícil do que o perdão é não perdoar.

O segundo grande poder do perdão é que ele pode aliviar a força opressora da culpa sobre aquele que comete atos muito condenáveis.

A culpa faz sua obra corrosiva mesmo quando é conscientemente reprimida. Em 1993, um membro da Ku Klux Klan chamado Henry Alexander fez uma confissão à esposa. Em 1957, ele e diversos outros membros da organização arrancaram um motorista negro da cabine de seu caminhão, levaram-no para uma ponte deserta acima de um caudaloso rio e o fizeram pular dali, gritando, para que morresse. Alexander foi acusado pelo crime em 1976 — levou quase vinte anos para ser julgado —, alegou inocência e foi absolvido por um júri de brancos. Durante trinta e seis anos ele insistiu em sua inocência, até 1993, quando confessou a verdade à esposa. "Não sei o que Deus planejou para mim. Nem mesmo sei como orar por mim mesmo", ele lhe disse. Alguns dias depois, morreu.

A esposa de Alexander escreveu uma carta pedindo perdão à viúva do homem negro, uma carta que foi depois publicada no jornal *The New York Times*. "Henry viveu uma mentira durante toda a sua vida, e me fez vivê-la também", ela escreveu. Todos aqueles anos ela havia acreditado na inocência do marido.

Ele não demonstrara nenhum sinal exterior de remorso até os últimos dias de sua vida, tarde demais para tentar uma retratação pública. Mas não conseguiu levar o terrível segredo da culpa para a sepultura. Depois de trinta e seis anos de veementes negativas, ainda precisava da libertação que apenas o perdão poderia conceder.

Outro membro da Ku Klux Klan, o Grande Dragão Larry Trapp, de Lincoln, no Nebraska, suscitou manchetes em todos os jornais quando, em 1992, renunciou a seu ódio, rasgou suas bandeiras nazistas e destruiu muitas caixas de literatura cujo tema era o ódio. Como Kathryn Watterson relata no livro *Not by the Sword* [Não pela espada],[6] Trapp fora vencido pelo amor misericordioso de um cantor judeu e sua família. Embora Trapp lhes enviasse panfletos vis zombando dos judeus e negando o Holocausto, embora fizesse ameaças violentas telefonando para sua casa, embora escolhesse a sinagoga deles para explodir, a família do cantor sistematicamente reagia com compaixão e interesse. Diabético desde a infância, Trapp viu-se confinado a uma cadeira de rodas e percebeu que estava perdendo rapidamente a visão; a família do cantor convidou-o para que fosse morar com eles, para cuidar dele. "Eles me mostraram um amor tão singular que eu não pude deixar de amá-los em retribuição", Trapp disse mais tarde. Ele passou seus últimos meses de vida buscando o perdão dos grupos judeus, da Associação Nacional para o Avanço das Pessoas de Cor (em inglês, NAACP) e de muitos indivíduos a quem odiara.

Nos últimos anos, plateias de todo o mundo assistiram ao drama do perdão apresentado no palco na versão musical de *Os miseráveis* [*Les Misérables*]. O musical segue sua fonte original: o romance de Victor Hugo que conta a história de Jean Valjean, prisioneiro francês perseguido e, finalmente, transformado pelo perdão.[7]

Condenado a dezenove anos de trabalhos forçados pelo crime de roubar pão, Jean Valjean gradualmente se endureceu até se transformar em um rude prisioneiro. Ninguém podia vencê-lo em uma briga. Ninguém podia ir contra a sua vontade. Finalmente, Valjean obteve sua liberdade, mas naquele tempo os condenados tinham de carregar cartões de identificação e nenhum dono de pousada permitiria que um criminoso perigoso pernoitasse ali. Durante quatro dias ele vagou pelas estradas do lugarejo, procurando abrigo contra as intempéries, até que, finalmente, um bondoso bispo teve misericórdia dele.

Naquela noite, Jean Valjean ficou em silêncio, deitado em uma cama extremamente confortável, até que o bispo e sua irmã caíram no sono. Levantou-se da cama, esvaziou os armários em que a família guardava a prata e saiu silenciosamente na noite.

Na manhã seguinte, três policiais bateram à porta do bispo, com Valjean a reboque. Eles haviam apanhado o condenado fugindo com a prata furtada e estavam prontos a colocar o canalha na prisão pelo resto de sua vida.

O bispo reagiu de um jeito que ninguém, em especial Jean Valjean, esperava.

— Então você está aí! — ele gritou para Valjean. — Que bom vê-lo novamente! Você esqueceu que lhe dei também os castiçais? São de prata como os outros objetos e valem uns duzentos francos. Esqueceu de levá-los?

Jean Valjean arregalou os olhos. Olhava para o velho homem com uma expressão que palavras não poderiam traduzir. Valjean não era ladrão, o bispo garantiu aos policiais. — Eu lhe dei a prata de presente — confirmou.

Quando os policiais se afastaram, o bispo entregou os castiçais ao hóspede, agora trêmulo e sem fala. "Não se esqueça, jamais se esqueça", disse o bispo, "de que você me prometeu que usaria o dinheiro para se tornar um homem honesto."

O poder da atitude do bispo, desafiando todo instinto humano de vingança, transformou a vida de Jean Valjean para sempre. Um encontro direto com o perdão — especialmente porque nunca se arrependera — derreteu o granito das defesas de sua alma. Ele manteve os castiçais como lembrança preciosa da graça e dedicou-se daquele momento em diante a ajudar outras pessoas em suas necessidades.

O romance de Victor Hugo é, de fato, uma parábola de dois gumes a respeito do perdão. Um detetive chamado Javert, que não conhece outra lei além da justiça, persegue Jean Valjean sem misericórdia nas duas décadas seguintes. Assim como Valjean é transformado pelo perdão, o detetive é consumido pela sede de vingança. Quando Valjean salva a vida de Javert — a presa demonstrando graça para com seu perseguidor —, o detetive sente que seu mundo em preto e branco começara a se desintegrar. Incapaz de conviver com a graça que vai contra todo o seu instinto, não encontrando em si mesmo o perdão correspondente, Javert pula de uma ponte e afoga-se no rio Sena.

O perdão magnânimo, tal como foi oferecido a Valjean pelo bispo, possibilita a transformação da parte culpada. Lewis Smedes detalha esse processo de "cirurgia espiritual":

> Ao perdoar alguém, você remove o erro da pessoa que o cometeu; liberta-a do ato ruim que cometera. Você a regenera. Em um momento a identifica radicalmente como a pessoa que cometera injustiça. No outro, você muda sua identidade. As lembranças a respeito dela também mudam.
>
> Você não pensa nela agora como alguém que o feriu, mas, sim, como alguém que precisa de você. Já não é mais aquela pessoa com quem se indispôs, mas, antes, aquela que pertence a você. A princípio você a considerava uma pessoa com poderes malignos, mas agora a vê como fraca em suas necessidades. Você recriou o passado de alguém o regenerando de um erro que tornara esse passado doloroso.[8]

Smedes acrescenta muitas advertências. Perdão não é o mesmo que indulto, ele avisa: pode-se perdoar uma pessoa que errou contra você e, ainda assim, insistir em um castigo justo para o erro. Mas, se conseguir se obrigar a perdoar, você liberará o poder de cura tanto em si mesmo como na pessoa que o ofendeu.

Um amigo meu que trabalha com os problemas da cidade questiona se o perdão daqueles que não se arrependem faz sentido. Esse homem vê diariamente os resultados do mal no abuso de crianças, nas drogas, na violência e na prostituição. "Se eu sei que uma coisa é errada e 'perdoo' sem discriminar o erro, o que estou fazendo?", ele pergunta. "Eu acabo intensificando ainda mais o erro, não a cura."

Meu amigo me contou histórias de pessoas com as quais trabalha, e eu concordo que algumas delas estariam além do alcance do perdão. Mas não posso esquecer a cena emocionante do bispo perdoando Jean Valjean, que não admitiu o erro. O perdão tem seu próprio poder extraordinário que vai além da lei e da justiça. Antes de ler *Os miseráveis,* li *O Conde de Monte Cristo,*[a]

---

[a] Várias publicações em português: Melhoramentos, 2006; Rideel, 2005; Juruá, 2005; Scipione, 2002; Ediouro, 2000 [N. do R.].

romance de Alexandre Dumas, compatriota de Hugo, que conta a história da estranha vingança de um homem injustiçado contra os quatro homens que tramaram contra ele. O romance de Dumas agradou ao meu senso de justiça; o de Hugo despertou em mim o senso da graça.

A justiça tem uma espécie racional e correta de poder. O poder da graça é diferente: não é temporal — é transformador, sobrenatural. Reginald Denny, o motorista de caminhão assaltado durante os tumultos no centro-sul de Los Angeles, demonstrou esse poder da graça. Toda a nação assistiu ao vídeo gravado por um helicóptero em que dois homens quebraram a janela do seu caminhão com um tijolo, arrancaram-no da cabine, espancaram-no com uma garrafa quebrada e o chutaram até que um lado do seu rosto ficou deformado. No tribunal, seus atormentadores mostraram-se beligerantes e nada arrependidos, inflexíveis. Com a mídia mundial acompanhando o caso, Reginald Denny, com o rosto ainda inchado e desfigurado, agindo contra os protestos de seus advogados, aproximou-se das mães dos dois acusados, abraçou-as e disse que os perdoava. As mães abraçaram Denny e uma delas declarou: "Eu amo você".

Não sei que efeito essa cena causou nos rudes acusados algemados ali perto, mas sei que o perdão, e apenas o perdão, pode iniciar o degelo na parte culpada. E também sei o efeito sobre mim quando um colega de trabalho, ou minha esposa, me procura espontaneamente e me oferece perdão por alguma coisa errada que eu sou orgulhoso e teimoso demais para confessar.

O perdão — não merecido, não adquirido — pode cortar as cordas e soltar o fardo opressivo da culpa. O Novo Testamento mostra Jesus ressurreto levando Pedro pela mão através de um ritual triplo de perdão. Pedro não precisava andar pela vida culpado, de olhos baixos como quem traiu o Filho de Deus. Definitivamente não. Sobre pecadores transformados assim, Cristo edificou sua igreja.

O perdão quebra o ciclo da culpa e desata a força opressora do pecado. Realiza as duas coisas por meio de uma notável ligação, colocando quem perdoa do mesmo lado de quem cometeu o erro. Por meio disso, percebemos que não somos tão diferentes do culpado como gostaríamos de pensar. "Eu também sou diferente do que eu mesma me imagino. Saber disso é perdoar", disse Simone Weil.[9]

No início deste capítulo, mencionei um pequeno grupo de debates a respeito do perdão relacionado com o caso de Jeffrey Dahmer. Como acontece com muitas discussões desse tipo, ela passou das ilustrações pessoais para o abstrato e o teórico. Discutimos horrorizados outros crimes, a Bósnia e o Holocausto. Quase por acidente, a palavra "divórcio" surgiu e, para surpresa nossa, Rebecca falou.

Rebecca é uma mulher tranquila e nas semanas em que nos reunimos ela raramente abriu a boca. Ao mencionar o divórcio, entretanto, começou a contar sua própria história. Casara-se com um pastor conhecido como líder de retiros. Contudo, tornou-se evidente que o marido tinha um lado tenebroso. Ele apreciava pornografia e, em suas viagens para outras cidades, visitava prostitutas. Às vezes, pedia perdão à esposa; às vezes, não. Depois de algum tempo, ele a deixou por outra mulher — Julianne.

Ela nos contou o quanto era dolorosa para ela, esposa de um pastor, a humilhação que sofrera. Alguns membros da igreja que respeitavam o marido trataram-na como se o desvio sexual que ele tinha fosse culpa dela. Sentindo-se arrasada, viu-se afastada do contato humano, incapaz de confiar em outras pessoas. Nunca poderia esquecer o marido, pois tinham filhos, e ela era obrigada a manter contatos frequentes com ele a fim de combinar as visitas às crianças.

Rebecca teve a sensação de que, se não perdoasse o ex-marido, um forte sentimento de vingança passaria para os filhos. Durante meses ela orou. No princípio, suas orações pareciam tão vingativas quanto alguns salmos: pedia a Deus que desse ao ex-marido "o que ele merecia". Finalmente, chegou a ponto de deixar que Deus determinasse, não ela, "o que ele merecia".

Uma noite Rebecca telefonou para o ex-marido e disse, com voz trêmula e forçada: "Quero que saiba que eu o perdoo pelo que me fez. E perdoo Julianne também". Ele riu da argumentação dela, não querendo admitir que fizera alguma coisa errada. Apesar da rejeição, a conversa ajudou Rebecca a superar seus sentimentos de amargura.

Alguns anos depois, ela recebeu um telefonema histérico de Julianne, a mulher que lhe "roubara" o marido. Estivera assistindo a uma conferência de pastores com ele em Minneapolis e ele saíra do hotel para dar uma volta. Passaram-se algumas horas e, então, Julianne recebeu um telefonema da polícia contando que o marido fora preso com uma prostituta.

Falando ao telefone com Rebecca, Julianne soluçava:

> "Eu nunca acreditei em você", ela disse. "Eu insistia comigo mesma que, mesmo se o que você dizia fosse verdade, ele havia mudado. E agora acontece isto. Estou me sentindo tão envergonhada, ferida e culpada! Não tenho ninguém no mundo que possa me compreender. Então, me lembrei da noite em que você disse que nos perdoava. Pensei que talvez você pudesse compreender o que estou passando. Sei que é algo terrível para lhe pedir, mas eu poderia conversar com você?"

De alguma maneira Rebecca encontrou coragem para convidar Julianne para conversar naquela mesma noite. Elas ficaram sentadas na sala de estar, choraram juntas, partilharam histórias de traição e, no final, oraram juntas. Julianne agora aponta para aquela noite como o momento em que se tornou cristã.

O grupo ficou em silêncio enquanto Rebecca contava sua história. Ela estava descrevendo o perdão não de forma abstrata, mas em um cenário quase incompreensível de elos humanos: a mulher que seduzira o marido e a esposa abandonada ajoelhadas lado a lado em uma sala de estar, orando.

> "Durante muito tempo, eu me sentia tola por ter perdoado o meu marido", Rebecca nos dizia. "Mas, naquela noite, percebi qual era o fruto do perdão. Julianne estava certa. Eu poderia compreender o que ela estava passando. E, por eu ter estado lá também, podia ficar do lado dela, em vez de ser sua inimiga. Nós duas fomos traídas pelo mesmo homem. Agora eu podia lhe ensinar a vencer o ódio, a vingança e a culpa que ela estava sentindo."

Em *The Art of Forgiving* [A arte de perdoar], Lewis Smedes faz a surpreendente observação de que a Bíblia descreve Deus passando por estágios progressivos quando perdoa, assim como nós, os seres humanos. Primeiro, Deus redescobre a humanidade da pessoa que pecou contra Ele, removendo a barreira criada pelo pecado. Segundo, Deus descarta seu direito de vingança, preferindo, em lugar disso, assumir o preço em seu próprio corpo. Por fim, Deus examina de novo seus sentimentos para conosco, descobrindo um jeito de "justificar-nos" para que, ao olhar para nós, veja seus próprios filhos adotivos com a sua imagem divina restaurada.

Ocorreu-me, enquanto pensava nas considerações de Smedes, que o milagre cheio de graça do perdão de Deus tornou-se possível por causa da união que ocorreu quando ele veio ao mundo em Cristo. De certa maneira, Deus tinha de vir fazer as pazes com as criaturas que desejava amar — mas como? Experimentalmente, ele não sabia o que era ser tentado pelo pecado, ter um dia difícil. Na Terra, vivendo entre nós, aprendeu isso. Ele se colocou do nosso lado.

O livro de Hebreus torna explícito este mistério da encarnação: "Pois não temos um sumo sacerdote que não possa compadecer-se das nossas fraquezas, mas sim alguém que, como nós, passou por todo tipo de tentação, porém, sem pecado".[10] A segunda carta de Paulo aos coríntios vai ainda mais longe: "Deus tornou pecado por nós aquele que não tinha pecado, para que nele nos tornássemos justiça de Deus".[11] Não podemos ser mais explícitos. Deus fez a ponte sobre o abismo; ele passou totalmente para o nosso lado. E, por causa disso, o autor de Hebreus afirma, Jesus pode defender-nos diante do Pai. Ele esteve lá. Ele compreende.

Pela narrativa dos evangelhos, parece que o perdão também não foi fácil para Deus. "Se for possível, afasta de mim este cálice",[12] Jesus orou, contemplando o preço que deveria pagar em nosso favor, e o suor pingou dele em gotas de sangue. Não havia outro meio. Por fim, em uma de suas últimas declarações antes de morrer, ele disse: "Perdoa-lhes"[13] — a todos eles, aos soldados romanos, aos líderes religiosos, aos discípulos que fugiram nas trevas, a você, a mim —, "perdoa-lhes, pois não sabem o que estão fazendo". Apenas tornando-se um ser humano o Filho de Deus poderia realmente dizer: "Não sabem o que estão fazendo". Tendo morado entre nós, ele agora compreendia!

9
Acerto de contas

No pesadelo da escuridão, ouve-se, na Europa, o ladrar de um cão e as nações aguardam inflamadas, cada uma com seu ódio, isoladas.

W. H. Auden

No meio da guerra na antiga Iugoslávia, peguei um livro que lera havia vários anos: *The Sunflower* [O girassol], de Simon Wiesenthal.[1] Ele narra um pequeno incidente ocorrido durante a mais bem-sucedida campanha de "purificação étnica" do século passado, um incidente que explica bem o que impeliu Wiesenthal a se tornar o principal caçador de nazistas e uma incansável voz pública contra os crimes do ódio.[a] O livro tem como enfoque o perdão e eu o busquei para ter uma visão do que o perdão poderia fazer em termos globais — no atoleiro moral, digamos, do que foi antes a Iugoslávia.

Em 1944, Wiesenthal era um jovem polonês prisioneiro dos nazistas. Ele tinha presenciado, indefeso, quando os soldados assassinaram sua avó na escadaria de sua casa e quando forçaram sua mãe a entrar em um vagão de carga abarrotado de mulheres judias idosas. Somados, oitenta e nove de seus parentes judeus morreriam nas mãos dos nazistas. O próprio Wiesenthal tentou cometer suicídio quando foi capturado pela primeira vez.

---

[a] O arquiteto austríaco Simon Wiesenthal, considerado a "consciência do Holocausto" pelo empenho de toda sua vida em perseguir os criminosos do nazismo, morreu no dia 20 de novembro de 1995, aos 96 anos de idade, após conseguir a prisão e o julgamento de mais de 1,1 mil assassinos nazistas [N. do R.].

Em um luminoso e ensolarado dia, quando o destacamento da prisão para onde Wiesenthal fora levado estava limpando o lixo de um hospital para feridos alemães, uma enfermeira se aproximou dele. "Você é judeu?", ela perguntou, hesitante, e depois fez um sinal para que a acompanhasse. Apreensivo, Wiesenthal seguiu-a por uma escadaria acima e depois por um corredor até que chegaram a um quarto escuro, cheio de mofo, no qual um soldado solitário jazia. Faixas de gaze branca envolviam o rosto do homem, com aberturas para a boca, o nariz e as orelhas.

A enfermeira desapareceu, fechando a porta atrás de si a fim de deixar o jovem prisioneiro sozinho com a espectral figura. O homem ferido era um oficial da SS, e ele mandara chamar Wiesenthal para uma confissão de leito de morte. "Meu nome é Karl", disse uma voz rouca que vinha de algum lugar de dentro das ataduras. "Preciso lhe contar sobre esta coisa horrível — contar a você porque você é judeu."

Karl começou sua história lembrando sua criação católica e a fé da infância, que havia perdido na juventude hitlerista. Mais tarde, oferecera-se como voluntário para a SS e serviria com distinção, retornando havia pouco tempo, muito ferido, da frente de batalha russa.

Por três vezes, enquanto Karl tentava contar sua história, Wiesenthal afastou-se para sair. Todas as vezes o oficial estendeu a mão branca, quase sem sangue, para agarrar o braço dele. Implorou-lhe que ouvisse o que acabara de vivenciar na Ucrânia.

Na cidade de Dnyepropetrovsk, abandonada pelos russos em retirada, a unidade de Karl chocou-se com um campo minado que matou trinta dos seus soldados. Em um ato de vingança, os SS reuniram trezentos judeus, amontoaram todos em uma casa de três andares, espalharam ali gasolina e lançaram granadas. Karl e seus homens fizeram um círculo ao redor da casa, com as armas engatilhadas prontas para atirar contra qualquer um que tentasse escapar.

"Os gritos que vinham da casa eram horríveis", ele disse, revivendo a cena. "Vi um homem com uma criancinha nos braços. Suas roupas estavam em chamas. Ao lado havia uma mulher, sem dúvida a mãe da criança. Com a mão livre, o homem cobria os olhos da criança, depois ele pulou para a rua.

Segundos depois a mãe o seguiu. Então, das outras janelas caíram corpos em chamas. Nós atiramos... Oh, Deus!"

O tempo todo Simon Wiesenthal ficou em silêncio, deixando o soldado alemão falar. Karl continuou descrevendo outras atrocidades, mas voltava sempre à cena do menino de cabelos negros e olhos escuros, caindo de um edifício, alvo dos tiros dos oficiais da SS. "Estou abandonado aqui com minha culpa", ele concluiu finalmente:

> Nas últimas horas de minha vida você está comigo. Eu não sei quem você é, apenas sei que é judeu e isso basta.
>
> Eu sei que o que lhe contei é terrível. Nas longas noites enquanto aguardo a morte, repetidas vezes tenho desejado conversar a respeito disso com um judeu e pedir perdão a ele. Apenas não sabia se havia ainda judeus com vida... Sei que o que estou pedindo é quase impossível para você, mas sem a sua resposta não posso morrer em paz.

Simon Wiesenthal, um arquiteto de vinte e poucos anos, agora um prisioneiro em um surrado uniforme com a estrela de davi amarela, sentiu o imenso fardo esmagador de sua raça sobre si. Olhou pela janela, para o pátio banhado de sol. Olhou para o homem sem olhos e enfaixado que jazia na cama. Olhou para uma mosca verde zumbindo sobre o corpo do homem moribundo, atraída pelo cheiro.

"Finalmente, tomei uma decisão", Wiesenthal escreve, "e sem dizer uma palavra, deixei o recinto."

The Sunflower tira o perdão da teoria e lança-o no meio da história viva. Resolvi reler o livro porque o dilema que Wiesenthal enfrentou encontrava muitos paralelos com os dilemas morais que causaram violentas separações no mundo como na Iugoslávia, em Ruanda e no Oriente Médio.

A primeira parte do livro de Wiesenthal conta a história que acabei de resumir. A outra metade registra as reações diante dessa história de astros como Abraham Heschel, Martin Marty, Cynthia Ozick, Gabriel Marcel, Jacques Maritain, Herbert Marcuse e Primo Levi. No final, Wiesenthal voltou-se para eles pedindo suas opiniões para saber se agira corretamente.

O oficial da SS, Karl, morreu logo, sem o perdão de um judeu, mas Simon Wiesenthal viveu até ser libertado de um campo de extermínio pelas tropas americanas. A cena no hospital perseguiu-o como um fantasma. Depois da guerra, ele visitou a mãe do oficial em Stuttgart, esperando de alguma forma exorcizar da memória aquele dia. Em vez disso, a visita apenas tornou o oficial mais humano, pois a mãe falou com ternura da juventude piedosa do filho. Wiesenthal não teve coragem de lhe contar como ele terminara os seus dias.

No decorrer dos anos, ele perguntou a muitos rabinos e sacerdotes o que deveria ter feito. Finalmente, mais de vinte anos depois da guerra, escreveu a história e enviou-a às mais esclarecidas mentes éticas que conhecia: judeus e não judeus, católicos, protestantes e pessoas sem religião. "O que você teria feito em meu lugar?", perguntava.

Dos trinta e dois homens e mulheres que responderam, apenas seis disseram que Wiesenthal errara em não perdoar o alemão. Dois cristãos apontavam para o contínuo desconforto de Wiesenthal como remorsos que só poderiam ser superados com o perdão. Um deles, um negro que servira na Resistência Francesa, disse: "Consigo entender sua recusa em perdoar. Está totalmente de acordo com o espírito da Bíblia, com o espírito da antiga lei. Mas há uma nova lei, a de Cristo, expressa nos Evangelhos. Como cristão, acho que você deveria ter perdoado".

Outros ficaram em cima do muro, mas a maioria dos consultados concordou com Simon Wiesenthal que ele fizera o que era certo. Que autoridade moral ou legal ele tinha para perdoar crimes cometidos contra outras pessoas?, perguntavam. Um escritor citou o poeta Dryden: "O perdão pertence aos injuriados".

Alguns poucos judeus disseram que a enormidade dos crimes nazistas excedia toda possibilidade de perdão. Herbert Gold, um escritor e professor americano, declarou: "A culpa desse horror jaz tão profundamente sobre os alemães dessa época que nenhuma reação pessoal diante dela é injustificável". Outro disse: "Os milhões de pessoas inocentes que foram torturadas e assassinadas teriam de ser restituídas à vida para que eu pudesse perdoar". A romancista Cynthia Ozick foi veemente: "Que o homem da SS morra sem absolvição. Que ele vá para o inferno". Um escritor cristão confessou: "Acho que o teria estrangulado em sua cama".

Alguns poucos questionaram toda a noção de perdão. Uma professora desprezou o perdão como um ato de prazer sensual, o tipo de coisa que os amantes fazem depois de uma briga antes de voltar para a cama. Não tem cabimento, ela disse, em um mundo de genocídio e holocausto. Perdoe, e tudo poderá ser facilmente repetido.

Quando li *The Sunflower* pela primeira vez, fui tomado de surpresa pela quase unanimidade das respostas. Esperava que os teólogos cristãos falassem mais sobre misericórdia. Mas, desta vez, quando reli as eloquentes respostas à pergunta de Wiesenthal, fui atingido pela lógica terrível, cristalina, da falta de perdão. Em um mundo de atrocidades indescritíveis, o perdão realmente parece injusto, desonesto e irracional. Indivíduos e famílias precisam aprender a perdoar, sim, mas como aplicar esses princípios elevados a um caso como o da Alemanha nazista? Como o filósofo Herbert Marcuse disse: "Não se pode, e não se deve, andar alegremente por aí matando e torturando e, então, quando chega a hora, simplesmente pedir e receber perdão".

É esperar demais que os elevados ideais éticos do evangelho — em cujo âmago o perdão se encontra — sejam transportados para o mundo brutal da política e da diplomacia internacional? Neste mundo, que chance tem uma coisa tão etérea como o perdão? Essas perguntas atormentavam-me enquanto relia a história de Wiesenthal e ouvia as incessantes más notícias da antiga Iugoslávia.

Meus amigos judeus têm falado com admiração da ênfase cristã sobre o perdão. Eu o tenho apresentado como nossa arma mais poderosa para desarmar o contra-ataque da ausência da graça. Mesmo assim, como o grande mestre judeu Joseph Klausner destacou no início do século passado, a grande insistência dos cristãos nesses ideais deixa-nos vulnerável à crítica devastadora. "A religião representa o que há de mais elevado em termos de ética e ideal", escreve Klausner, "enquanto a vida política e social representa o outro extremo da barbaridade e do paganismo".²

Klausner afirma que os fracassos da história cristã comprovam sua opinião de que Jesus ensinou uma ética impraticável que não funcionará em um mundo real. Ele menciona a Inquisição espanhola, que "não devia ser incompatível com o cristianismo". Um crítico contemporâneo poderia acrescentar a essa lista a Iugoslávia, Ruanda e até mesmo a Alemanha nazista, pois todos esses três conflitos ocorreram em nações consideradas cristãs.

Será que a ênfase cristã sobre o amor, a graça e o perdão tem alguma relevância fora das discussões familiares ou dos grupos de encontro nas igrejas? Em um mundo no qual a força significa poder, um ideal elevado como o perdão pode parecer etéreo como vapor. Stalin compreendeu esse princípio muito bem quando zombou da autoridade moral da igreja: "Quantas divisões de soldados tem o papa?".

Para ser honesto, eu não sei como reagiria no lugar de Simon Wiesenthal. Poderíamos ou deveríamos perdoar crimes dos quais não fomos vítimas? Karl, o oficial da SS, arrependeu-se, amenizando sua situação. Mas o que dizer dos rostos de pedra, quase sorrindo com desdém, nos julgamentos de Nuremberg e Stuttgart? Martin Marty, um dos cristãos citados no livro de Wiesenthal, escreveu as seguintes linhas, com as quais sou tentado a concordar:

> "Posso responder apenas com o silêncio. Os que não são judeus, e talvez especialmente os cristãos, não deveriam dar conselhos aos seus herdeiros a respeito da experiência do Holocausto durante os próximos 2 mil anos. E, então, não teremos nada a dizer."

Ainda assim, tenho de admitir, enquanto leio as eloquentes vozes que dão apoio à falta do perdão, que não posso ficar sem imaginar o que é mais difícil: o perdão ou a falta dele. Herbert Gold julgou que "nenhuma reação pessoal para com ela (a culpa alemã) é injustificável". Ah, sim! O que dizer de uma execução vingativa de todos os alemães sobreviventes — isso seria justificável?

O argumento mais forte em favor da graça é o seu oposto — um mundo desprovido de graça. O mais forte argumento para o perdão é a alternativa um permanente estado de falta de perdão. Concordo que o Holocausto cria condições especiais. Que dizer de outros exemplos mais contemporâneos? Na década de 1990, cerca de dois milhões de refugiados hutus ficaram sentados sem fazer nada nos campos de refugiados nas fronteiras de Ruanda, recusando todas os pedidos para que voltassem para casa. Seus líderes, com o uso de chifres de boi, advertiam-nos de que não confiassem nas promessas dos tutsis de que "tudo estava perdoado". "Eles vão matá-los", diziam os líderes hutus. "Eles vão procurar vingar os 500 mil tutsis que assassinamos."

Também na década de 1990, soldados americanos ajudaram a manter unidas as quatro nações separadas que se formaram ao longo das fronteiras de uma Iugoslávia dilacerada pela guerra. Como muitos americanos, acho desconcertante, impronunciável e perverso tudo o que se refere à região dos Bálcãs. Mas, depois de reler *The Sunflower*, comecei a ver os Bálcãs simplesmente como o cenário do último estágio de um recorrente motivo da história. Onde reina a falta de perdão, como o ensaísta Lance Morrow destacou, uma lei newtoniana entra em jogo: para cada atrocidade tem de haver uma atrocidade igual e oposta.

Os sérvios, naturalmente, são os bodes expiatórios de todos para o que aconteceu na Iugoslávia. (Observe a linguagem utilizada para descrevê-los na supostamente objetiva seção de notícias da revista *Time*: "O que aconteceu na Bósnia é simplesmente sordidez e barbarismo — o trabalho sujo de mentirosos e cínicos manipulando preconceitos tribais, usando propaganda de antigas atrocidades e inimizades feudais para atingir o resultado da política suja da 'purificação étnica'".) Apanhados na justa — e totalmente apropriada — revolta contra as atrocidades sérvias, o mundo ignorava um fato: os sérvios estavam simplesmente acompanhando a terrível lógica da falta de perdão.

A Alemanha nazista — o mesmo regime que eliminou 89 membros da família de Simon Wiesenthal e que provocou palavras tão ásperas de pessoas refinadas como Cynthia Ozick e Herbert Marcuse — incluía os sérvios em sua campanha de "purificação étnica" durante a Segunda Guerra Mundial. É verdade que na década de 1990 os sérvios mataram dezenas de milhares — mas, durante a ocupação nazista no território dos Bálcãs em 1940, alemães e croatas mataram centenas de milhares de sérvios, ciganos e judeus. A memória histórica continua: na recente guerra, alemães neonazistas alistaram-se para lutar ao lado dos croatas, e unidades do exército croata atrevidamente desfraldaram bandeiras com suásticas e o antigo símbolo fascista croata.

"Nunca mais", foi o grito unânime dos sobreviventes do Holocausto. E foi também o que inspirou os sérvios a desafiar as Nações Unidas e quase o mundo inteiro. Nunca mais permitirão que os croatas dominem o território habitado pelos sérvios. Nunca mais aceitarão os muçulmanos também: a última guerra que tiveram contra eles acabou em cinco séculos de domínio turco (em perspectiva histórica, um período duas vezes mais longo do que a existência dos Estados Unidos).

Na lógica da falta de perdão, não bater nos inimigos seria trair os ancestrais e os sacrifícios que fizeram. Existe, porém, uma falha maior na lei da vingança: ela nunca estabelece o final do jogo. Os turcos vingaram-se em 1389, na Batalha de Kosovo; os croatas, na década de 1940; agora é a nossa vez, dizem os sérvios. Mas um dia, como os sérvios certamente sabem, os descendentes das vítimas que hoje foram violentadas e mutiladas vão se levantar para buscar a vingança dos vingadores. A porta da armadilha foi aberta e morcegos selvagens voejam ao redor.

Nas palavras de Lewis Smedes:

> A vingança é uma paixão de acerto de contas. É um desejo ardente de devolver tanto sofrimento quanto o que alguém lhe infligiu.[...] O problema da vingança é que ela nunca alcança o que deseja; nunca chegará ao empate. A justiça nunca acontece. A reação em cadeia iniciada por cada ato de vingança sempre segue seu curso desimpedida. Ela aprisiona ambos, o injuriado e o injuriador, a uma escada rolante de sofrimento. Ambos são impedidos de prosseguir na escada quando se exige paridade, e a escada não para nunca, nunca deixa ninguém descer.[3]

O perdão pode ser injusto — e ele é, por definição —, mas pelo menos fornece um meio de interromper a dedicação cega da retribuição. Hoje, quando escrevo, a violência está irrompendo ou ardendo lentamente bem debaixo da superfície entre China e Taiwan, Índia e Paquistão, Rússia e Chechênia, Grã-Bretanha e Irlanda e, especialmente, entre judeus e árabes no Oriente Médio. Cada uma dessas disputas remonta a décadas, a séculos, ou, como no caso dos judeus e árabes, a milênios. Cada lado luta para vencer uma injustiça do passado, para consertar um erro percebido.

O teólogo Romano Guardini oferece o seguinte diagnóstico dessa falha fatal na busca pela vingança: "Enquanto você estiver emaranhado no erro e na vingança, golpe e contragolpe, agressão e defesa, você será constantemente atraído para um novo erro.[...] Apenas o perdão nos liberta da injustiça dos outros".[4] Se todos seguissem o princípio "olho por olho" da justiça, observou Gandhi, no final todo o mundo estaria cego.

Temos muitas demonstrações vivas da lei da falta de perdão. Nas tragédias históricas de Shakespeare e Sófocles, corpos espalham-se desordenadamente pelo palco. Macbeth, Ricardo III, Tito Andrônico e Electra devem matar e matar e matar até que obtenham sua vingança, passando então a viver com medo de que alguns inimigos tenham sobrevivido e procurem a "contra-vingança".

A trilogia *O poderoso chefão* [*Godfather*], de Francis Ford Coppola, e *Os imperdoáveis* [*The Unforgiven*], de Clint Eastwood, exemplificam a mesma lei. Vemos a lei da falta de perdão agindo nos terroristas do IRA que explodem pessoas que faziam compras na cidade de Londres, em parte por causa das atrocidades ali cometidas em 1649 — que, por sua vez, foram ordenadas por Oliver Cromwell para vingar um massacre ocorrido em 1641. Vemos esses mesmos acontecimentos no Sri Lanka, na Argélia, no Sudão e nas repúblicas em guerra na antiga União Soviética.

"Simplesmente reconheçam seus crimes contra nós", dizem os armênios aos turcos, "e nós vamos parar de explodir aviões e assassinar seus diplomatas." A Turquia, inflexível, recusa-se. Em determinado ponto da crise dos reféns no Irã, o governo iraniano anunciou que soltaria todos os reféns ilesos se o presidente dos Estados Unidos se desculpasse por ter apoiado no passado o regime opressor do Xá. Jimmy Carter, um cristão regenerado que compreendia o perdão e ganhou merecida reputação como pacificador, negou-se. Sem pedidos de desculpas, ele disse: "Nossa honra nacional estava em jogo".

"Descobri que uma palavra gentil com uma arma consegue mais do que apenas uma palavra gentil", dizia John Dillinger. Sua observação ajuda a explicar por que os países pobres hoje gastam mais da metade de suas receitas anuais em armas. Em um mundo decaído, a força opera.

Helmut Thielicke[5] recorda-se de seu primeiro estudo bíblico depois de se tornar pastor na igreja alemã estatal. Determinado a confiar nas palavras de Jesus de que "todo o poder me foi dado no céu e na terra", tentou convencer-se de que até mesmo Adolf Hitler, então no poder, era um mero fantoche pendurado por cordas nas mãos de um Deus soberano. O grupo reunido para estudar a Bíblia consistia em duas senhoras idosas e um organista ainda mais velho, meio paralítico. Nesse momento, lá fora, nas ruas, marchavam os batalhões reluzentes da Juventude Hitlerista. "O Reino dos céus é como um grão de mostarda...", Thielicke precisava lembrar.

Essa imagem — um punhado de santos orando a portas fechadas, enquanto lá fora legiões poderosas marcham com passos de ganso — com frequência indica como eu me sinto. As armas da fé parecem virtualmente sem poder de combate contra as forças da ausência de graça. Alguém pode lutar contra ogivas nucleares com apenas um estilingue?

A História, porém, mostra que a graça tem seu próprio poder. Grandes líderes — Lincoln, Gandhi, King, Rabin e Sadat me vêm à mente, todos eles tendo pago o preço máximo por desafiar a lei da ausência da graça — podem ajudar a criar um clima nacional que conduza à reconciliação. Como seria diferente a história moderna se Sadat e não Saddam governasse o Iraque. Ou se um Lincoln surgisse das ruínas da Iugoslávia.

A política lida com coisas exteriores: fronteiras, riquezas, crimes. O perdão autêntico lida com o mal existente no coração da pessoa, uma coisa para a qual a política não tem cura. O mal virulento (racismo, ódio étnico etc.) espalha-se pela sociedade como uma doença no ar; um acesso de tosse infecta todos os passageiros de um ônibus. A cura, como uma vacina, tem de ser aplicada a cada pessoa por vez. Quando momentos de graça ocorrem, o mundo tem de fazer uma pausa, ficar em silêncio e reconhecer que realmente o perdão oferece uma espécie de cura.

Em 1987, uma bomba do IRA explodiu em uma pequena cidade a oeste de Belfast, no meio de um grupo de protestantes reunido para homenagear os mortos no Dia dos Veteranos. Onze pessoas morreram e 63 ficaram feridas. O que fez esse ato de terrorismo destacar-se de muitos outros foi a reação de um dos feridos, Gordon Wilson, um devoto metodista que emigrara para o norte vindo da República Irlandesa para trabalhar como negociante de tecidos. A bomba sepultou Wilson e sua filha de 20 anos de idade sob quase dois metros de concreto e tijolos. "Papai, eu te amo muito", foram as últimas palavras de Marie, agarrada à mão do pai enquanto aguardavam quem os salvasse. Ela teve sérios ferimentos na coluna e no cérebro, morrendo algumas horas depois no hospital.

Um jornal mais tarde proclamou: "Ninguém lembra o que os políticos tiveram a dizer naquela ocasião. Ninguém que ouvira Gordon Wilson esquecerá um dia o que ele disse. [...] Sua graça subiu acima das miseráveis justificativas dos terroristas". Falando em seu leito hospitalar, Wilson disse:

"Perdi minha filha, mas não tenho ressentimentos. Palavras amargas não vão trazer Marie Wilson de volta à vida. Vou orar, hoje à noite e todas as noites, para que Deus lhes perdoe".[6]

As últimas palavras de sua filha foram palavras de amor, e Gordon Wilson decidiu que viveria sua vida naquele nível de amor. "O mundo chorou", disse um repórter, "quando, naquela semana, Wilson concedeu uma entrevista semelhante para a rádio BBC".

Depois de receber alta no hospital, Gordon Wilson liderou uma cruzada para a reconciliação entre protestantes e católicos. Os extremistas protestantes que planejavam vingar a explosão decidiram, por causa da publicidade em torno de Wilson, que esse comportamento seria politicamente prejudicial. Wilson escreveu um livro a respeito de sua filha, falou contra a violência e repetiu constantemente o refrão: "O amor é o fundamento." Ele se encontrou com integrantes do IRA, perdoou-lhes pessoalmente pelo que haviam feito e pediu-lhes que depusessem as armas. "Sei que vocês perderam entes queridos, exatamente como eu", disse. "Com certeza, basta! Sangue demais já foi derramado."

A República Irlandesa finalmente transformou Wilson em um membro do Senado. Quando ele morreu, em 1995, a República Irlandesa, a Irlanda do Norte e toda a Grã-Bretanha homenagearam esse cidadão cristão comum que ganhou fama por seu espírito de graça e de perdão extraordinário. Seu espírito denunciou, pelo contraste, os violentos atos de retaliação, e sua vida de pacificador simbolizou o anseio pela paz dentro de muitas outras pessoas que nunca aparecerão nas manchetes dos jornais.

> "Abençoar as pessoas que oprimiram nosso espírito, que nos feriram emocionalmente ou de outras maneiras nos aleijaram é a obra mais extraordinária que qualquer um de nós poderia fazer", escreveu Elizabeth O'Connor.[7]

Em 1983, outro drama de perdão pessoal despertou a atenção irrequieta do mundo. O papa João Paulo II foi à prisão Rebibbia de Roma para visitar Ali Agca, um assassino de aluguel que tentou matá-lo e quase conseguiu. "Eu lhe perdoo", disse o papa.

A revista *Time*, impressionada com o acontecimento, dedicou uma reportagem de capa ao pontífice, na qual Lance Morrow escreveu:

> "João Paulo quis, entre outras coisas, demonstrar como as dimensões particular e pública da atividade humana podem amalgamar-se em ação moral. [...] João Paulo quis proclamar que grandes questões são determinadas, ou pelo menos denunciadas, pelos impulsos elementares do coração humano: ódio ou amor."[8]

Morrow continuou, citando um jornal de Milão: "Não haverá como evitar guerras, fome, miséria, discriminação racial, negação de direitos humanos nem mesmo mísseis se nossos corações não forem transformados". E acrescentou:

> "A cena em Rebibbia teve um esplendor simbólico. Ela brilhou em solitário contraste com o que o mundo tem testemunhado ultimamente no noticiário. Durante algum tempo, suspeitou-se que a trajetória da história era descendente, que o mundo se movia da desordem para uma desordem maior, para as trevas — ou, pior ainda, para a explosão global terminal. O simbolismo do quadro de Rebibbia é exatamente a mensagem cristã de que as pessoas podem ser redimidas, que elas estão subindo na direção da luz."

A atitude de João Paulo brilhou mais intensamente por causa de seu cenário obscuro: uma cela nua de concreto, o perfeito pano de fundo para a melancólica lei da falta de perdão. Assassinos devem ficar presos e ser executados, e não perdoados. Mas, por um momento, a mensagem do perdão irradiou através das paredes da prisão, mostrando ao mundo um caminho de transformação e não de vingança.

O papa, naturalmente, estava seguindo o exemplo daquele que não sobreviveu ao atentado contra sua vida. Os tribunais irregulares da Judeia encontraram um jeito de aplicar uma sentença de pena capital sobre o único homem perfeito que já viveu na Terra. Da cruz, Jesus pronunciou sua própria contrassentença, dando um golpe eterno na lei da falta de perdão. Notavelmente, ele perdoou aqueles que não se arrependeram: "[Eles] não sabem o que estão fazendo".[9]

Soldados romanos, Pilatos, Herodes e membros do Sinédrio estavam "apenas executando seu dever" — a débil desculpa mais tarde utilizada para explicar Auschwitz, My Lai e o Gulag —, mas Jesus acabou com esse verniz institucional e falou ao coração humano. Eles precisavam de perdão, mais do que qualquer outra coisa. Sabemos, aqueles de nós que creem na expiação, que Jesus tinha mais em mente do que os seus executores quando enunciou aquelas palavras finais. Ele pensava em nós. Na cruz, e apenas na cruz, ele acabou com a lei das consequências eternas.

Teria o perdão alguma importância em um lugar como a Iugoslávia, onde tanta maldade ocorreu? Sim, ou as pessoas ali não terão esperança de conviver umas com as outras. Como tantas crianças que sofreram abuso aprenderam: sem o perdão não podemos nos libertar das garras do passado. O mesmo princípio aplica-se às nações.

Tenho um amigo cujo casamento enfrentou momentos de crise. Uma noite George passou dos limites. Bateu na mesa e pisou forte no chão. "Eu te odeio!", gritou para a esposa. "Não aguento mais! Basta! Não vou continuar! Não vou permitir! Não! Não! Não!"

Vários meses depois, meu amigo acordou no meio da noite e ouviu estranhos sons vindos do quarto no qual o filho de 2 anos dormia. Atravessou pesadamente o corredor, parou por um momento do lado de fora da porta do quarto do filho e calafrios passaram pelo seu corpo. Mal conseguia respirar. Bem baixinho, a criança de 2 anos de idade estava repetindo palavra por palavra, com a inflexão exata, a briga entre seus pais. "Eu te odeio... Eu não aguento mais... Não! Não! Não!"

George entendeu que de maneira horrível ele havia transmitido seu sofrimento, sua raiva e sua falta de perdão para a geração seguinte. Não foi também o que aconteceu por toda a Iugoslávia na época da guerra?

Dissociado do perdão, o monstruoso passado pode despertar a qualquer momento do período de hibernação para devorar o presente. E também o futuro.

10
O arsenal da graça

Apenas uma pequena fissura... mas fissuras fazem túneis desabar.

ALEXANDER SOLJENITSYN

Walter Wink relata a história de dois pacifistas que visitaram um grupo de cristãos poloneses dez anos após o fim da Segunda Guerra Mundial. "Vocês não gostariam de se encontrar com os cristãos da Alemanha Ocidental?", os pacifistas perguntaram. "Eles querem pedir perdão pelo que a Alemanha fez à Polônia durante a guerra e iniciar, dessa forma, um novo relacionamento."

No início houve silêncio. Então um polonês falou: "O que vocês estão pedindo é impossível. Cada pedra de Varsóvia está encharcada de sangue polonês! Não podemos perdoar!".

Contudo, antes do grupo partir, recitaram juntos a Oração do Pai-Nosso. Quando chegaram às palavras "Perdoa as nossas dívidas, assim como perdoamos...", todos pararam de orar. A tensão aumentou no recinto. O polonês que falara com tanta veemência disse: "Tenho de dizer sim a vocês. Não posso mais fazer a Oração do Pai-Nosso, não posso mais me chamar de cristão se recusar o perdão. Humanamente falando, não posso, mas Deus nos fortalecerá!". Dezoito meses depois, os cristãos poloneses e alemães ocidentais reuniram-se em Viena, estabelecendo laços de amizade que continuam até o dia de hoje.[1]

O livro *The Wages of Guilt* [O salário da culpa],[2] lançado em 1994, explora as diferenças de atitude quanto ao reconhecimento da culpa na guerra por parte da Alemanha e do Japão. Os sobreviventes alemães, como aqueles que pediram perdão aos poloneses, tendem a aceitar a responsabilidade pelos crimes cometidos durante a guerra. Por exemplo, quando o prefeito de Berlim, Willy Brandt, visitou Varsóvia em 1970, caiu de joelhos diante do memorial das vítimas do gueto de Varsóvia. "Esse gesto... não foi planejado", escreveu. "Oprimido pelas lembranças da história recente da Alemanha, simplesmente fiz o que as pessoas fazem quando as palavras não são suficientes."

De maneira diferente, o Japão tem relutado em reconhecer qualquer culpa pelo seu papel na guerra. O imperador Hirohito anunciou a derrota do Japão com a clássica exposição atenuante: "A situação da guerra enveredou por um caminho não necessariamente vantajoso para o Japão", e as declarações do pós-guerra foram calculadas exatamente da mesma maneira. O governo japonês negou-se a comparecer às comemorações do quinquagésimo aniversário de Pearl Harbor porque os Estados Unidos fizeram o convite condicionado a um pedido de perdão. "O mundo inteiro é responsável pela guerra", insistiu o secretário do governo. Até 1995, na realidade, o Japão não usou a palavra "desculpas" com relação a seus atos.

Hoje, as crianças alemãs aprendem na escola os detalhes a respeito do Holocausto e outros crimes nazistas. Os estudantes japoneses aprendem a respeito das bombas atômicas lançadas sobre eles, mas não sobre o massacre de Nanquim, o tratamento brutal dado aos prisioneiros de guerra e a vivissecção dos prisioneiros americanos, ou ainda sobre as "escravas sexuais" estrangeiras recrutadas para servir os soldados japoneses. Como resultado, o ressentimento ainda é muito forte em países como a China, a Coreia e as Filipinas.

O contraste não precisa ser levado tão longe porque ambos, Japão e Alemanha, receberam a aceitação das nações do mundo, um sinal do "perdão" internacional por sua agressão. Mas a Alemanha tem sido bem recebida como parceira integral na nova Europa, lado a lado com suas antigas vítimas, enquanto o Japão continua negociando acordos com seus antigos inimigos ainda cautelosos. A demora do país em pedir perdão retardou o processo de aceitação plena.

Em 1990, o mundo assistiu a um drama de perdão encenado no palco da política mundial. Depois que a Alemanha Oriental escolheu um parlamento em suas primeiras eleições, os representantes resolveram assumir as rédeas do governo. O bloco comunista mudava diariamente, a Alemanha Ocidental propunha um passo radical de reunificação e o novo parlamento tinha muitas questões de estado importantes a considerar. Como seu primeiro ato oficial, entretanto, eles decidiram votar sobre a seguinte declaração extraordinária, esboçada em linguagem teológica e não política:

> Nós, os primeiros parlamentares livremente eleitos da República Democrática Alemã... para o bem dos cidadãos desta nação, admitimos a responsabilidade pela humilhação, pela expulsão e pelo assassinato de homens, mulheres e crianças judias. Sentimos tristeza e vergonha e reconhecemos o fardo da história germânica.[...] Sofrimento imensurável foi infligido aos povos do mundo durante a era do socialismo nacional.[...] Pedimos a todos os judeus do mundo que nos perdoem. Pedimos ao povo de Israel que nos perdoe pela hipocrisia e hostilidade da política oficial da Alemanha Oriental para com Israel, e pela perseguição e humilhação dos cidadãos judeus em nosso país também depois de 1945.[3]

O parlamento da Alemanha Oriental aprovou essa declaração por unanimidade. Os membros ficaram de pé durante uma longa ovação e em seguida fizeram um minuto de silêncio em memória dos judeus mortos no Holocausto.

O que esse ato do parlamento alcançou com semelhante atitude? Certamente não trouxe os judeus assassinados de volta à vida, nem desfez os monstruosos atos do nazismo — mas ajudou a afrouxar a força opressora da culpa que estrangulou os alemães orientais por quase meio século — cinco décadas nas quais seu governo negou firmemente qualquer necessidade de perdão.

Do seu lado, a Alemanha Ocidental já se arrependeu oficialmente pelas abominações. Além disso, a Alemanha Ocidental pagou 60 bilhões de dólares de reparação aos judeus. O simples fato de que existe um relacionamento entre a Alemanha e Israel é uma demonstração espantosa de perdão entre nações. A graça tem poder próprio, mesmo na política internacional.

O mundo presenciou outros dramas públicos de perdão encenados em nações antes controladas pelo comunismo.

Em 1983, antes da Cortina de Ferro se levantar e durante o período da lei marcial, o papa João Paulo II visitou a Polônia, onde realizou uma imensa missa ao ar livre. Multidões organizadas em grupos pelos seus párocos marcharam pela Ponte Poniatowski e dirigiram-se ao estádio. Bem antes da ponte, o cortejo deveria passar diante do prédio do Comitê Central do Partido Comunista e, de hora em hora, os pelotões da marcha cantavam em uníssono: "Nós perdoamos, nós perdoamos!", ao passar pelo edifício. Alguns gritavam as palavras com toda sinceridade. Outros, quase com desprezo, como se dissessem: "Vocês não são nada, nós nem mesmo odiamos vocês".

Alguns anos depois, Jerzy Popieluszko, um padre de 35 anos de idade, cujos sermões eletrificaram a Polônia, foi encontrado boiando no rio Vístula com os olhos furados e as unhas arrancadas. Novamente os católicos saíram às ruas marchando com bandeiras que diziam: "Nós perdoamos. Nós perdoamos". Popieluszko pregara a mesma mensagem, domingo após domingo, às multidões que enchiam a praça diante de sua igreja: "Defendam a verdade. Vençam o mal com o bem". Após sua morte, os fiéis continuaram lhe obedecendo e, no final, foi exatamente esse espírito de graça dominante que provocou o colapso do regime.[a]

Por toda a Europa Oriental, a luta pelo perdão ainda está em andamento. Um pastor na Rússia deveria perdoar os oficiais da KGB que o prenderam e arrasaram sua igreja? Os romenos deveriam perdoar os médicos e as enfermeiras que acorrentaram órfãos doentes às suas camas? Os cidadãos da Alemanha Oriental deveriam perdoar os delatores — incluindo professores de seminário, pastores e cônjuges traidores — que os espionaram? Quando a ativista dos direitos humanos Vera Wollenberger soube que fora seu marido quem a denunciara para a polícia secreta, o que resultou em sua prisão e seu exílio, ela correu para o banheiro e vomitou. "Eu não gostaria que ninguém experimentasse o inferno pelo qual passei", conta.

Paul Tillich certa vez definiu o perdão como relembrar o passado para que ele pudesse ser esquecido — um princípio que se aplica tanto às nações como também aos indivíduos. Embora o perdão nunca seja fácil e possa ser postergado por gerações, o que mais quebraria as correntes que aprisionam as pessoas em seu passado histórico?

---

[a] O filme *To Kill a Priest* [*Complô contra a liberdade*], de 1988, dirigido por Agnieszka Holland, é baseado na vida do padre Popieluszko [N. do R.].

Nunca esquecerei de uma cena que testemunhei na União Soviética em outubro de 1991. Contei a história em um livro publicado logo após a visita, mas vale a pena recontá-la. Na ocasião, o império soviético estava desmoronando. Mikhail Gorbachev estava pendurado em seu cargo por um fio e Boris Yeltsin consolidava seu poder dia após dia. Acompanhei uma delegação de cristãos que se encontrou com líderes russos em resposta ao pedido deles para ajudá-los a "restaurar a moralidade" no país.

Embora Gorbachev e todos os oficiais do governo que visitamos nos recebessem calorosamente, os veteranos de nosso grupo nos advertiram que aguardássemos por um tratamento diferente na noite em que visitássemos o quartel-general da KGB. Uma estátua do seu fundador, Feliks Dzerzhinsky, podia ter sido derrubada do pedestal pela multidão do lado de fora do edifício, mas sua memória vivia ali dentro. Um grande quadro do renomado líder ainda pendia de uma parede na sala de reuniões. Agentes, com os rostos tão inexpressivos e impassíveis quanto os de seus estereótipos cinematográficos, permaneceram de pé à porta do auditório forrado de painéis de madeira enquanto o general Nikolai Stolyarov, o vice-presidente da KGB, se apresentava à nossa delegação. Ficamos preparados.

"Encontrar com os senhores aqui esta noite", começou o general Stolyarov, "é uma mudança no enredo que não poderia ter sido concebida pelo mais louco escritor de ficção." Ele tinha razão. Em seguida, deixou-nos perplexos dizendo: "Nós aqui na URSS entendemos que, com muita frequência, fomos negligentes em aceitar os seguidores da fé cristã. Contudo, questões políticas não podem ser decididas até que haja sincero arrependimento, um retorno do povo à fé. Essa é a cruz que tenho de carregar. No estudo do ateísmo científico, há a ideia de que a religião divide o povo. Agora vemos o oposto: só o amor a Deus pode unir".

Nossas cabeças giravam, atordoadas. Onde ele havia aprendido a frase "carregar uma cruz"? E a outra palavra — *arrependimento*? Será que o tradutor havia entendido corretamente? Lancei um olhar para Peter e Anita Deyneka, banidos da Rússia havia treze anos por causa de sua obra cristã, agora mastigando biscoitos no quartel-general da KGB.

Joel Nederhood, um homem gentil e educado que comandava programas de rádio e televisão para a Igreja Cristã Reformada, quis fazer uma pergunta a Stolyarov.

"General, muitos de nós lemos o relatório de Soljenitsyn a respeito do Gulag. Alguns de nós até mesmo perdemos membros da família ali." O atrevimento colocou alguns dos seus colegas em guarda e a tensão na sala aumentou sensivelmente. "Seus agentes, naturalmente, são responsáveis pela fiscalização das prisões, incluindo a daquela localizada no porão deste edifício. Como o senhor responde a esse passado?"

Stolyarov respondeu cautelosamente: "Eu falei de arrependimento. Esse é um passo essencial. Vocês provavelmente conhecem o filme de Abuladze com esse título. Não pode haver *perestroika* sem arrependimento. Chegou o momento de nos arrependermos do passado. Nós transgredimos os Dez Mandamentos e por isso estamos pagando."

Eu assistira ao filme *Arrependimento sem perdão* [*Repentance*], de Tengiz Abuladze, e a alusão de Stolyarov foi assombrosa. O filme detalha falsas denúncias, prisões forçadas, igrejas incendiadas — os próprios atos que conferiram à KGB sua reputação de crueldade, em especial contra a religião. Na época de Stalin, cerca de 42 mil sacerdotes perderam a vida, e o número total de sacerdotes diminuiu de 380 mil para 172. Cerca de mil mosteiros, 60 seminários e 98% das igrejas ortodoxas foram fechados.

Arrependimento sem perdão descreve as atrocidades do ponto de vista de uma cidade provinciana. Na cena mais pungente do filme, mulheres da vila rebuscam a lama de um depósito de madeiras inspecionando um carregamento de toras que acabara de descer o rio. Procuram mensagens dos maridos que cortaram esses troncos em um acampamento de prisioneiros. Uma mulher encontra as iniciais gravadas na casca e, chorando, acaricia ternamente o grande tronco, seu único elo com um marido que ela não pode acariciar. O filme termina com uma camponesa pedindo o endereço de uma igreja. Informada de que está na rua errada, ela responde: "Para que serve uma rua se não leva a uma igreja?".

Abruptamente, a reunião adquiriu um tom mais pessoal quando Alex Leonovich se levantou para falar. Ele estivera sentado na ponta da mesa traduzindo para Stolyarov. Nativo da Bielo-Rússia, escapara do reinado do terror de Stalin e emigrara para os Estados Unidos. Durante quarenta e seis anos, transmitira programas de rádio cristãos, às vezes com interferências, para sua terra natal. Conhecia pessoalmente muitos dos cristãos torturados e perseguidos por sua fé. Para ele, traduzir essa mensagem de reconciliação de um alto oficial da KGB era assustador e quase incompreensível.

Alex, um homem corpulento e indulgente, representa a velha guarda de guerreiros que oraram por mais de meio século para que houvesse mudanças na União Soviética — essas mesmas mudanças que estávamos aparentemente testemunhando. Ele falou lentamente e com voz baixa ao general Stolyarov.

"General, muitos membros de minha família sofreram por causa desta organização", disse Alex. "Eu mesmo tive de sair do país que amava. Meu tio, que me era muito caro, foi levado para um campo de trabalhos forçados na Sibéria e nunca mais voltou. General, o senhor diz que se arrepende. Cristo nos ensinou sobre como responder. Em nome de minha família, em nome do meu tio que morreu no Gulag, eu o perdoo."

Em seguida, Alex Leonovich, evangelista cristão, estendeu os braços para o general Nikolai Stolyarov, vice-presidente da KGB, e deu-lhe um abraço de urso russo. Enquanto se abraçavam, Stolyarov sussurrou alguma coisa para Alex, e só mais tarde ficamos sabendo o que ele dissera. "Apenas duas vezes em minha vida eu chorei. Uma vez foi quando minha mãe morreu. A outra ocorre nesta noite."

"Sinto-me como Moisés", disse Alex no ônibus de volta para casa naquela noite. "Vi a terra prometida. Estou preparado para a glória."

O fotógrafo russo que nos acompanhava teve uma visão menos otimista. "Tudo não passou de encenação", ele disse. "Eles usaram máscaras diante de vocês. Não consigo acreditar." Mas ele também vacilou, desculpando-se pouco depois: "Talvez eu esteja errado. Não sei mais em que acreditar".

Nas próximas décadas — e talvez séculos — a extinta União Soviética enfrentará questões relacionadas ao perdão. O Afeganistão, a Chechênia, a Armênia, a Ucrânia, a Letônia, a Lituânia, a Estônia — cada um desses países nutre ressentimentos contra o império que os dominava. Cada um deles questionará as motivações, assim como o fotógrafo que nos acompanhou ao quartel-general da KGB. Por bons motivos, os russos não confiam uns nos outros ou no seu governo. O passado deve ser lembrado antes de ser superado.

Mesmo assim, superar a história é possível, ainda que lenta e imperfeitamente. Os grilhões devidos à ausência da graça podem realmente ser rompidos com uma fissura. Nós, nos Estados Unidos, experimentamos a reconciliação em escala nacional: arqui-inimigos na Segunda Guerra Mundial, a Alemanha e o Japão, são agora nossos dois aliados mais leais. Ainda mais significativamente — e de relevância mais direta para lugares como a extinta União Soviética e a Iugoslávia — lutamos em uma sangrenta Guerra Civil que lançou família contra família e a nação contra si mesma.

Fui criado em Atlanta, na Geórgia, onde as atitudes para com o general Sherman, que mandou incendiar a cidade, dão uma ideia de como os muçulmanos da Bósnia devem ter se sentido a respeito dos vizinhos sérvios. Foi Sherman, afinal, que introduziu a tática da "terra arrasada" da guerra moderna, uma política que seria aperfeiçoada nos Bálcãs. De alguma forma, nossa nação sobreviveu unida. Os sulistas ainda debatem os méritos da bandeira dos Confederados e a canção *Dixie*, mas não tenho ouvido muita discussão a respeito da secessão ultimamente, ou sobre atos que dividiriam a nação em enclaves étnicos. Ao contrário. Dois dos nossos recentes presidentes vieram do Arkansas e da Geórgia.

Depois da Guerra Civil, políticos e conselheiros insistiram para que Abraham Lincoln punisse o Sul severamente, por todo o derramamento de sangue provocado. "Não destruo meus inimigos quando os transformo em meus amigos?", respondeu o presidente, que preferiu estabelecer um plano magnânimo de reconstrução. O espírito de Lincoln orientou a nação mesmo depois de sua morte; talvez esse seja o motivo central pelo qual os Estados "Unidos" permaneceram assim.

Ainda mais impressionantes são os passos dados para a reconciliação entre as raças negra e branca, considerando-se que esta última costumava *possuir* a outra. Os efeitos duradouros do racismo provam que são necessários muitos anos e muito trabalho árduo para desfazer a injustiça. Ainda assim, cada passo que os afro-americanos dão em direção à participação como cidadãos implica um movimento na direção do perdão. Nem todos os negros perdoam, nem todos os brancos se arrependem; o racismo divide a nação profundamente. Mas compare nossa situação com o que aconteceu, digamos, na antiga Iugoslávia. Não tenho visto nenhuma metralhadora bloqueando as estradas para Atlanta ou granadas da artilharia caindo em Birmingham.

Cresci racista. Lembro-me bem quando o Sul praticava uma forma perfeitamente legal de *apartheid*. As lojas na cidade de Atlanta tinham três banheiros: um para os homens brancos, outro para as mulheres brancas e um terceiro para os negros. Os postos de gasolina tinham dois bebedouros, um para os brancos e outro para os negros. Os motéis e restaurantes serviam apenas aos clientes brancos e, quando o Ato dos Direitos Civis tornou essa discriminação ilegal, muitos proprietários fecharam seus estabelecimentos.[b]

Lester Maddox, mais tarde eleito governador da Geórgia, foi um dos donos de restaurante que protestaram. Depois de fechar suas distribuidoras de frango frito, ele abriu um memorial para a morte da liberdade, apresentando uma cópia da "Declaração dos Direitos" repousando em um caixão coberto com manto negro. Para se sustentar, vendia porretes e cabos de machadinhas em três diferentes tamanhos — "Papai", "Mamãe" e "Júnior", réplicas dos porretes utilizados para bater nos negros que faziam passeatas pelos direitos civis. Comprei um desses cabos de machados com o dinheiro que ganhei entregando jornais. Lester Maddox, às vezes, vinha à minha igreja (sua irmã era membro) e foi lá que fiquei conhecendo um fundamento teológico distorcido para o meu racismo.

Por volta de 1960, a diretoria diaconal da igreja mobilizou esquadrões de vigilância e, aos domingos, eles se revezavam patrulhando as entradas para que nenhum negro viesse nos "perturbar" juntando-se a nós. Ainda tenho um dos cartões que os diáconos imprimiram para entregar a cada participante dos direitos civis que aparecesse:

> Crendo que as motivações do seu grupo são dissimuladas e contrárias aos ensinamentos da Palavra de Deus, *não podemos oferecer-lhe as boas-vindas e,* respeitosamente, pedimos que deixe o recinto. As Escrituras NÃO ensinam "a fraternidade dos homens e a paternidade de Deus". Ele é o Criador de todos, mas Pai apenas daqueles que foram regenerados.
>
> Se qualquer um de vocês está aqui com o sincero desejo de conhecer Jesus Cristo como Salvador e Senhor, estaremos dispostos a falar individualmente a respeito da Palavra de Deus.
>
> — Declaração unânime do pastor e diáconos, agosto de 1960.

---

[b] Visitei o Museu do Holocausto em Washington D.C. e fiquei profundamente comovido com a descrição das atrocidades cometidas pelos nazistas contra os judeus. O que mais me chocou, entretanto, foi uma seção que demonstrava de que maneira as antigas leis de discriminação contra os judeus — as lojas "só para judeus", os bancos dos parques, banheiros e bebedouros — tinham explicitamente como modelo as leis de segregação existentes nos Estados Unidos [N. do A.].

Quando o Congresso assinou o Ato dos Direitos Civis, nossa igreja criou uma escola particular como abrigo para os brancos, expressamente proibida para todos os estudantes negros. Alguns poucos membros "liberais" deixaram a igreja em protesto quando o jardim de infância não aceitou a filha de um professor negro do seminário, mas a maioria de nós aprovou a decisão. Um ano depois, a junta da igreja rejeitou um estudante do Instituto Bíblico Carver como membro (seu nome era Tony Evans e ele se tornou um notável pastor e orador da atualidade).

Costumávamos chamar Martin Luther King Jr. de "Martin Lúcifer Negro". Dizíamos que King era um comunista de carteirinha, um agente marxista disfarçado de ministro. Só muito tempo depois fui capaz de apreciar a força moral do homem que, talvez mais do que qualquer outra pessoa, evitou uma guerra racial no Sul.

Meus colegas brancos na escola e na igreja aplaudiam os confrontos televisionados de King com os delegados sulistas, os cães da polícia e a cavalaria. Não sabíamos que, ao fazê-lo, estávamos agindo diretamente a favor da estratégia de King. Ele deliberadamente procurava indivíduos como o secretário de segurança pública Bull Connor e submetia-se ao confronto, aceitando espancamentos, prisões e outras brutalidades por acreditar que uma nação complacente apoiaria sua causa apenas quando visse o mal do racismo manifesto em seu extremismo mais cruel. "O cristianismo", ele costumava dizer, "sempre insistiu em que a cruz que carregamos precede a coroa que usamos."

King registrou sua luta com o perdão na obra "Carta da Prisão de Birmingham". Fora da prisão, pastores sulistas denunciavam-no como comunista; multidões gritavam "enforquem o negro!" e policiais tentavam acertar os cassetetes contra seus partidários desarmados. King conta que precisou jejuar por diversos dias para obter a disciplina espiritual necessária para perdoar seus inimigos.

Forçando o mal a aparecer em público, King tentava alcançar um reservatório nacional de coragem moral, um conceito que meus amigos e eu não estávamos capacitados para compreender. Muitos historiadores apontam um acontecimento como o momento único no qual o movimento obteve finalmente um volume embaraçoso de apoio para a causa dos direitos civis. Ocorreu em Selma, no Alabama, quando o delegado Jim Clark liberou seus policiais contra os ativistas negros desarmados.

O regimento da cavalaria incitava seus cavalos sobre a multidão da passeata adentro, manejando seus cassetetes, quebrando cabeças e derrubando corpos ao chão. Enquanto os brancos nas laterais berravam e aplaudiam, os policiais lançavam gás sobre os participantes histéricos da passeata. Muitos americanos tiveram a primeira visão da cena quando a televisão interrompeu o filme dominical *Julgamento em Nuremberg* [*Judgment at Nuremberg*] para apresentar o noticiário. O que o público viu transmitido ao vivo de Alabama tinha uma semelhança horrível com aquilo a que estavam assistindo no filme a respeito da Alemanha nazista. Oito dias depois, o presidente Lyndon Johnson submeteu à votação do Congresso dos Estados Unidos o Ato dos Direitos de 1965.

King desenvolvera uma estratégia sofisticada de guerra com graça, sem pólvora. Nunca se recusou a encontrar-se com seus adversários. Opunha-se à política, mas não às personalidades. E o mais importante: atacava a violência com a não violência; o ódio, com o amor. "Não vamos procurar satisfazer nossa sede de liberdade bebendo do cálice da amargura e do ódio", ele exortava seus discípulos. "Não podemos permitir que nossos protestos criativos degenerem em violência física. Todas as vezes — e a cada vez — precisamos alcançar as alturas majestosas de confrontar a força física com a força da alma." Andrew Young, companheiro de King, lembra-se daqueles dias turbulentos como um período no qual eles procuravam salvar "os corpos dos homens negros e as almas dos homens brancos". Seu verdadeiro alvo, dizia King, não era derrotar o homem branco, mas "despertar um sentimento de vergonha dentro do opressor e desafiar seu falso senso de superioridade.[...] O fim é a reconciliação; o fim é a redenção; o fim é a criação da comunidade bem-amada". E foi o que Martin Luther King Jr. finalmente conseguiu, até mesmo em racistas intransigentes como eu. O poder da graça desarmou minha própria maldade teimosa.

Hoje, quando olho para trás, para minha infância, sinto vergonha, remorso e também arrependimento. Levou anos para que Deus quebrasse minha armadura de racismo excêntrico — fico imaginando se alguns de nós não dão vazão às suas formas mais sutis — e agora vejo esse pecado como um dos mais malignos, com talvez o maior impacto social. Atualmente, ouço muitas conversas a respeito da classe inferior e da crise na América urbana. Os especialistas culpam as drogas, o declínio dos valores, a pobreza e a derrocada do núcleo familiar. Fico me perguntando se todos esses problemas não seriam consequências de uma causa mais profunda e subjacente: nosso pecado de racismo com séculos de idade.

Apesar do efeito colateral moral e social do racismo, de alguma forma a nação permaneceu unida, e as pessoas de todas as cores finalmente se juntaram ao processo democrático, até mesmo no Sul. Já há alguns anos, Atlanta vem elegendo prefeitos afro-americanos. E, em 1976, os americanos viram a cena extraordinária de George Wallace surgir diante da liderança negra do Alabama para se desculpar pelo seu comportamento no passado em relação aos negros, um pedido que ele repetiu na televisão.

A atitude de Wallace — ele precisava dos votos dos negros em uma disputa apertada para governador — foi mais fácil de entender do que a reação. Os líderes negros aceitaram seu pedido de desculpas e os cidadãos negros lhe perdoaram, votando nele maciçamente. Quando Wallace foi à Igreja Batista em Montgomery, onde King lançara o movimento dos direitos civis, para pedir desculpas, entre os líderes que vieram até ele oferecer perdão estavam Coretta Scott King, Jesse Jackson e o irmão de Medgar Evers, que fora assassinado.

Até a igreja de minha infância aprendeu a arrepender-se. Quando a vizinhança mudou, a frequência à igreja começou a diminuir. Assisti a um culto ali há alguns anos e fiquei assustado por encontrar apenas algumas centenas de frequentadores espalhados no grande santuário que, na minha infância, costumava ficar abarrotado com 1,5 mil pessoas. A igreja parecia amaldiçoada, arruinada. Ela experimentara novos pastores e novos programas, mas nada funcionava. Embora os líderes buscassem a participação dos afro-americanos, poucos na vizinhança aceitavam o convite.

Por fim, o pastor, colega de infância, fez algo incomum ao programar um culto de arrependimento. Antes do culto, ele escreveu a Tony Evans e ao professor do seminário pedindo perdão. Depois, pública e dolorosamente, na presença de líderes afro-americanos, confessou o pecado do racismo praticado pela igreja no passado. Confessou — e recebeu o perdão por parte deles.

Embora parecesse que um fardo fora retirado da congregação depois do culto, isso não foi suficiente para salvar a igreja. Alguns anos depois, a congregação branca mudou-se para as áreas nobres da cidade, e hoje uma congregação afro-americana, The Wings of Faith, lota o edifício e faz balançar suas janelas novamente.

Elton Trueblood[4] observa que a imagem utilizada por Jesus para descrever o destino da igreja — "as portas do inferno não prevalecerão contra ela" — é uma metáfora de ataque, não de defesa. Os cristãos estão bombardeando as portas e vão prevalecer. Não importa o que a igreja pareça em determinados pontos da História, as portas que se protegem dos poderes do mal não vão resistir contra um assalto da graça.

Os jornais preferem concentrar-se em guerras violentas: bombardeios em Israel e Londres, esquadrões da morte na América Latina, terrorismo na Índia, no Sri Lanka e na Argélia. Produzem imagens sombrias de rostos sangrentos e membros amputados que temos de enfrentar neste que é o mais violento século de todos. E ainda assim ninguém pode negar o poder da graça.

Quem poderia se esquecer das imagens das Filipinas, quando pessoas comuns se ajoelharam diante de tanques de cinquenta toneladas e eles tiveram de desviar subitamente, como se colidissem com um escudo invisível de oração? As Filipinas são o único país de maioria cristã na Ásia e foi ali que as armas da graça venceram as da tirania. Quando Benigno Aquino desceu do avião em Manila, um pouco antes de ser assassinado, tinha nas mãos um discurso com a seguinte citação de Gandhi: "O sacrifício espontâneo dos inocentes é a resposta mais poderosa para a tirania insolente que já foi concebida por Deus ou pelo homem". Aquino nunca teve oportunidade de fazer esse discurso, mas sua vida, e a de sua esposa, comprovaram aquelas palavras proféticas. O regime de Marcos sofreu um golpe fatal.

A Guerra Fria, diz o ex-senador Sam Nunn, não acabou "em um inferno nuclear, mas em um reluzir de velas nas igrejas da Europa Oriental". As procissões de velas na Alemanha Oriental não apareceram nos noticiários noturnos, mas ajudaram a transformar a face do Globo. Primeiro algumas centenas, depois milhares, depois trinta mil, cinquenta mil e, finalmente, quinhentas mil pessoas — quase toda a população da cidade — saíram em Leipzig para vigílias à luz de velas. Depois de uma reunião de oração na Igreja de São Nicolau, os pacíficos manifestantes marcharam pelas ruas escuras, cantando hinos. A polícia e os soldados com todas as suas armas pareciam impotentes contra essa força. Finalmente, na noite em que semelhante marcha em Berlim Oriental atraiu um milhão de manifestantes, o odiado Muro de Berlim desmoronou sem que um tiro fosse disparado.

Uma imensa bandeira apareceu em uma rua de Leipzig: *Wir danken Dir, Kirch* [Agradecemos a você, igreja].

Como uma rajada de ar puro desfazendo nuvens estagnadas de poluição, a pacífica revolução espalhou-se por todo o Globo. Apenas em 1989, dez nações — Polônia, Alemanha Oriental, Hungria, Tchecoslováquia, Bulgária, Romênia, Albânia, Iugoslávia, Mongólia e União Soviética —, compreendendo meio bilhão de pessoas, experimentaram revoluções não violentas. Em muitos desses países, a minoria cristã desempenhou um papel crucial. A pergunta zombeteira de Stalin ("Quantas divisões de soldados tem o papa?") recebeu resposta.

Então, em 1994, deu-se a mais surpreendente revolução de todas — surpreendente porque quase todos esperavam derramamento de sangue. A África do Sul, entretanto, também foi o centro materno do protesto pacífico, pois foi onde Mohandas Gandhi, estudando Tolstoi e o Sermão do Monte, desenvolveu sua estratégia de não violência (que Martin Luther King Jr. mais tarde adotara). Com muitas oportunidades para praticar, os sul-africanos aperfeiçoaram o uso das armas da graça. Walter Wink[5] conta o caso de uma mulher negra que caminhava pela rua com os filhos quando um homem branco cuspiu em seu rosto. Ela parou e disse: "Obrigada! Agora cuspa nas crianças". Estupefato, o homem não foi capaz de reagir.

Em uma aldeia, mulheres negras sul-africanas subitamente se viram rodeadas por soldados com suas máquinas de terraplanagem. Os soldados anunciaram, por meio de um alto-falante, que os habitantes tinham dois minutos para sair antes que a vila fosse arrasada. As mulheres não tinham armas, e os homens da vila estavam fora trabalhando. Conhecendo a formação puritana dos *afrikaners* da Igreja Holandesa Reformada da zona rural, as mulheres negras colocaram-se na frente das máquinas e tiraram toda a roupa. Os policiais fugiram e a vila continua de pé até o hoje.

As notícias nos jornais raramente mencionam o proeminente papel que a fé cristã desempenhou na revolução pacífica ocorrida na África do Sul. Depois que um grupo de mediadores, liderado por Henry Kissinger, perdeu todas as esperanças no sentido de convencer o Partido Libertador Inkatha a participar das eleições, um diplomata cristão do Quênia passou a encontrar-se secretamente com todos os diretores, orando com eles e assim os ajudando a mudar de ideia (uma bússola misteriosamente defeituosa no avião atrasou o voo, possibilitando o encontro crucial).

Nelson Mandela rompeu as correntes da ausência de graça quando emergiu de sua prisão de vinte e seis anos com uma mensagem de perdão e reconciliação, e não de vingança. O próprio F. W. De Klerk, eleito pelas menores e mais rígidas igrejas calvinistas sul-africanas, sentiu o que mais tarde descreveu como "um forte senso de chamado". Disse à sua congregação que Deus o chamava para salvar todo o povo da África do Sul, mesmo sabendo que isso significaria rejeição por parte de seu próprio povo.

Líderes negros insistiram em que De Klerk pedisse desculpas pelo *apartheid* racial. Ele se esquivou, porque seu pai estivera envolvido na implantação do sistema. Mas o bispo Desmond Tutu acreditava ser essencial que o processo da reconciliação na África do Sul começasse com perdão, e ele não cederia. De acordo com Tutu: "Podemos ensinar uma lição ao mundo, ao povo da Bósnia, de Ruanda e do Burundi: estamos prontos a perdoar".[6] Finalmente, De Klerk pediu perdão.

Agora que a maioria negra tem o poder político, eles estão formalmente considerando questões que exigem perdão. O ministro da justiça parece muito teológico quando formula um plano de ação. Ninguém pode perdoar no lugar das vítimas, ele diz; elas próprias precisam conceder o perdão. E ninguém pode perdoar sem que isso seja totalmente divulgado; o que aconteceu e quem fez o quê precisa ser primeiramente revelado. Além disso, aqueles que cometeram as atrocidades devem concordar em pedir perdão antes que este seja concedido. Passo a passo, os sul-africanos estão se lembrando do seu passado a fim de esquecê-lo.

O perdão não é fácil nem bem definido, como os sul-africanos descobriram. O papa perdoou quem tentou assassiná-lo, mas não pôde pedir que o libertassem da prisão. Pode-se perdoar os alemães, impondo, contudo, restrições aos seus exércitos; perdoa-se um estuprador de crianças, mantendo-o, no entanto, afastado de suas vítimas; perdoa-se o racismo, mas reforçam-se as leis para evitar que seja praticado novamente.

As nações que buscam pelo perdão, em toda a sua complexidade, podem pelo menos evitar as horríveis consequências da alternativa — falta de perdão. Em vez de cenas de massacre e guerra civil, o mundo alegrou-se ao ver os negros sul-africanos em longas filas que, em alguns casos, se estendiam por mais de um quilômetro e meio, dançando de júbilo por ter sua primeira oportunidade de votar.

Considerando que o perdão contraria a natureza humana, ele deve ser ensinado e praticado, como se pratica qualquer arte difícil. "O perdão não é simplesmente um ato ocasional: é uma atitude permanente", disse Martin Luther King.[7] Que presente maior os cristãos poderiam oferecer ao mundo do que a formação de uma cultura que preserva a graça e o perdão?

Os beneditinos, por exemplo, têm um comovente culto de perdão e reconciliação. Depois de transmitirem as instruções da Bíblia, os líderes pedem a cada pessoa presente que identifique questões que exigem perdão. Os participantes mergulham então as mãos em uma grande vasilha de cristal com água, "segurando" o ressentimento nas mãos em concha. Enquanto oram por graça para perdoar, gradualmente suas mãos se abrem para simbolicamente "liberar" o ressentimento. "Encenar uma cerimônia como essa com todo o corpo", diz Bruce Demarest, um participante, "tem mais poder transformador do que simplesmente enunciar as palavras 'eu perdôo' ". Que impacto seria se negros e brancos na África do Sul — ou nos Estados Unidos — mergulhassem as mãos repetidas vezes em uma vasilha comum de perdão!

Em seu livro *The Prisoner and the Bomb* [O prisioneiro e a bomba], Laurens van der Post narra a miséria de suas experiências no tempo da guerra em um campo de concentração japonês para prisioneiros na ilha de Java.[c] Nesse lugar tão pouco propício ele concluiu:

> A única esperança para o futuro está em uma abrangente atitude de perdão por parte das pessoas que foram nossas inimigas. O perdão, conforme minha experiência na prisão ensinou, não era um mero sentimentalismo religioso; era uma lei fundamental do espírito humano, como a lei da gravidade. Se alguém transgride a lei da gravidade, quebra o pescoço; se alguém transgride a lei do perdão, inflige um ferimento mortal ao espírito e torna-se novamente um membro deste grupo de detentos da causa e da qual a vida tem lutado para escapar tão dolorosamente e há tanto tempo.[8]

---

[c] O filme *Furyo, em nome da honra* (1983) baseia-se nesse livro [N. do R.].

Parte III
Cheiro de escândalo

11
Um lar para bastardos: uma história

Will Campbell foi criado em uma pequena fazenda no Mississippi. Gostava de ler e nunca se encaixou no ambiente rural no qual vivia. Estudou muito e, finalmente, conseguiu entrar na Yale Divinity School. Depois da formatura, voltou para o Sul para pregar e foi nomeado *director of religious life* (responsável pela programação da vida religiosa dentro do *campus*) da Universidade do Mississippi. Isso ocorreu no início da década de 1960, quando os cidadãos participavam de manifestações contra os ativistas dos direitos civis. Os estudantes e os administradores perceberam a visão liberal de Campbell com relação ao tema "integração", e sua tarefa na escola foi abruptamente interrompida.

Campbell logo se viu em meio ao fogo da batalha, liderando campanhas de registro de eleitores e supervisionando os jovens idealistas do Norte que migravam para o Sul, para se juntar à cruzada dos direitos civis. Entre eles havia um estudante da Harvard Divinity School chamado Jonathan Daniels, que aceitara o convite do dr. King para dar apoio em Selma. A maior parte dos voluntários voltou para casa depois da grande marcha, mas Jonathan Daniels ficou; ele e Will Campbell tornaram-se amigos.

A teologia de Campbell estava sendo colocada à prova naqueles dias. Grande parte da oposição ao seu trabalho vinha de "bons cristãos" que se recusavam a deixar que pessoas de outras raças entrassem em suas igrejas. Esses "bons cristãos" ofendiam-se com qualquer um que se envolvesse com as leis que favoreciam os brancos. Campbell encontrava aliados mais facilmente entre agnósticos, socialistas e alguns devotos do Norte.

"Em dez palavras ou menos, qual é a mensagem cristã?", um agnóstico o desafiou. O interlocutor era P. D. East, editor de jornal renegado que considerava os cristãos inimigos e não podia entender o obstinado compromisso de Will com a fé religiosa.

> Estávamos indo para algum lugar ou voltando quando ele disse: "Vamos ver: dez palavras". Eu respondi: "Nós todos somos bastardos, mas Deus nos ama mesmo assim". East não comentou o que achara do resumo; depois de contar o número de palavras nos dedos, limitou-se a dizer: "Eu lhe dei um limite de dez palavras. Se tentar de novo, ficará com duas palavras sobrando". Não tentei de novo, mas ele, com frequência, me lembrava do que havia dito naquele dia.

A definição atormentou P. D. East; Campbell não sabia, mas ele era realmente filho ilegítimo e fora chamado de "bastardo" durante toda a vida. Campbell escolhera a palavra não apenas para causar impacto, mas também para ser teologicamente exato: espiritualmente, nós somos filhos ilegítimos, convidados, a despeito disso, a nos juntar à família de Deus. Quanto mais Campbell pensava a respeito de sua definição improvisada do evangelho, mais gostava dela.

East, porém, submeteu essa definição a uma dura prova, no dia mais tenebroso da vida de Campbell, quando um delegado do Alabama chamado Thomas Coleman matou o amigo de 26 anos de Campbell. Jonathan Daniels foi preso por fazer piquetes diante de lojas de brancos. Ao ser solto, ele se aproximou de um armazém para dar um telefonema e arranjar uma carona quando Coleman apareceu com uma arma e a esvaziou em seu abdome. Os projéteis atingiram uma outra pessoa, um adolescente negro, nas costas, ferindo-o gravemente.

O livro de Campbell, *Brother to a Dragonfly* [Irmão de uma libélula], registra a conversa com East naquela noite, que resultou no que Campbell lembra como "a lição teologicamente mais iluminadora que já tive em toda a minha vida". P. D. East permaneceu na ofensiva até nesse momento de tristeza:

> "Sim, irmão. Vamos ver se sua definição de fé resiste ao teste." Eu telefonara para o Departamento de Justiça, para a União Americana pela Liberdade Civil e para um advogado amigo em Nashville. Falei a respeito da morte de meu amigo como sendo uma caricatura da justiça, como um fracasso

completo da lei e da ordem, como uma violação das leis federal e estadual. Usei palavras como caipirão, branco miserável, *kluxer*, ignorante e muitas outras. Eu estudara sociologia, psicologia e ética social e estava falando e pensando naqueles termos. Também havia estudado a teologia do Novo Testamento.

P. D. aproximou-se de mim como um tigre. "Venha cá, irmão. Vamos falar a respeito da sua definição." Em determinado momento, Joe [o irmão de Will] voltou-se para ele e disse: "Calma, P. D. Você não percebe quando uma pessoa está nervosa?". Mas P. D. afastou-o com um aceno, amando-me demais para me deixar sozinho.[1]

"Jonathan era um bastardo?", foi a primeira pergunta que P. D. fez. Campbell, por sua vez, respondeu que, embora fosse um dos indivíduos mais gentis que conhecera, a verdade é que todos são pecadores. Naqueles termos, sim, ele era um "bastardo".

"Muito bem. Thomas Coleman é um bastardo?" Essa pergunta Campbell achou muito mais fácil de responder. É claro que o assassino era um bastardo.

Então P. D. puxou sua cadeira para aproximar-se mais, colocou a mão ossuda sobre o joelho de Campbell e olhou diretamente em seus olhos vermelhos. "Qual desses dois bastardos você acha que Deus ama mais?" A pergunta atingiu o alvo, como uma flecha no coração.

> Subitamente tudo ficou claro. Tudo. Foi uma revelação. A intensidade da luz maltada ao nosso redor parecia iluminar e intensificar tudo. Atravessei a sala e abri as venezianas, olhando diretamente para a rua iluminada. E comecei a soluçar. Mas o choro era intercalado com risos. Foi uma experiência estranha. Lembro-me de tentar separar a tristeza da alegria. Aquilo pelo qual eu chorava daquilo pelo qual eu estava rindo. Então, isso também ficou claro.
>
> Eu estava rindo de mim mesmo, dos vinte anos de ministério que se tinham transformado, sem que eu percebesse, em um ministério de sofisticação liberal.[...]
>
> Concordei que a imagem de um homem indo a uma loja, onde seres humanos desarmados estivessem bebendo soda limonada e comendo pastéis, e que descarregasse uma arma sobre um deles, despedaçando seus pulmões, seu coração e suas entranhas, e ainda, ao voltar-se para um outro, rasgasse

sua carne e seus ossos com uma rajada de chumbo, e mesmo depois disso Deus não o punisse, sim, aquilo ia além da minha compreensão. Mas se esse não fosse exatamente o caso, então, não existe evangelho, não existem boas-novas. Caso isso não seja verdade, temos apenas más notícias, ficamos apenas com a lei.

O que Will Campbell aprendeu naquela noite foi uma nova visão da graça. A livre oferta de graça estende-se não apenas para os desamparados, mas também para aqueles que, de fato, são dignos do *oposto*. Isso serve tanto para os membros da Ku Klux Klan como para os defensores dos direitos civis, tanto para P. D. East como para Will Campbell, tanto para Thomas Coleman como para Jonathan Daniels.

Essa mensagem incorporou-se tão profundamente dentro de Will Campbell que ele passou por uma espécie de terremoto de graça. Pediu demissão do posto no Conselho Nacional das Igrejas e tornou-se o que ele chama, deturpadamente, de "apóstolo dos *caipiras*". Comprou uma fazenda no Tennessee e, hoje, passa o tempo tanto entre os homens da Ku Klux Klan e os racistas como entre as minorias raciais e os brancos liberais. Percebeu que muitas pessoas se ofereciam como voluntárias para ajudar as minorias; mas não conhecia ninguém que ministrasse aos Thomas Coleman do mundo.

Gosto da história de Will Campbell por causa da minha educação em Atlanta, entre pessoas que usavam o racismo como emblema de honra. Resumindo, gosto de sua história porque durante algum tempo eu me parecia mais com Thomas Coleman do que com Jonathan Daniels. Nunca matei ninguém, mas com certeza odiava. Eu ri quando a KKK queimou uma cruz na frente da primeira família negra que se aventurou a morar em nosso bairro. E quando pessoas do Norte como Jonathan Daniels eram mortas, meus amigos e eu dávamos de ombros e dizíamos: "Bem feito, vieram aqui para perturbar".

Quando chegou o momento em que me vi como realmente era, um racista digno de piedade, um hipócrita que me escondia no evangelho enquanto vivia o antievangelho, quando chegou esse momento, agarrei-me como um homem que se afogava à promessa de graça para pessoas que mereciam o oposto. Gente como eu.

A ausência de graça às vezes revida, levando-me a crer que o meu ego erudito é moralmente superior aos *caipiras* e racistas que ainda não viram a luz. Mas conheço a verdade: "Cristo morreu em nosso favor *quando ainda éramos pecadores*".[2] Sei que enfrentei cara a cara o amor de Deus no meu pior estado, não no melhor, e que a maravilhosa graça salvou um miserável como eu.

12
Esquisitices, não

> *E aqui no pó e na sujeira, oh!, aqui os lírios do Seu amor aparecem.*
>
> GEORGE HERBERT

Apenas uma vez me atrevi a pregar um sermão para crianças. Naquele domingo de manhã, levei comigo um saco de supermercado bastante suspeito e cheiroso e, durante o culto da manhã, convidei todas as crianças da igreja a se juntarem a mim na plataforma, onde, aos poucos, revelei o conteúdo do saco.

Primeiro retirei diversos pacotes de torresmo (naquele tempo o petisco predileto do presidente George Bush) para comermos. Depois, uma cobra de brinquedo e uma grande mosca de borracha, provocando gritos no meu jovem auditório. Em seguida, conchas. Por fim, para grande deleite das crianças, tirei cautelosamente de dentro do saco uma lagosta viva. Larry, o apelido que demos à lagosta, respondia mexendo as garras de maneira muito ameaçadora.

O zelador da igreja trabalhou até mais tarde naquele dia, e eu também, pois, depois que as crianças desceram, assumi a tarefa de explicar aos pais por que Deus no passado condenara todos aqueles alimentos. As leis levíticas do Antigo Testamento proibiam especificamente cada iguaria que havíamos comido, e os judeus ortodoxos não tocariam em nenhum conteúdo de meu saco de compras. "O que Deus tem contra as lagostas?", foi o título que dei ao tema do meu sermão.

Abrimos a Bíblia juntos em uma fascinante passagem do Novo Testamento — a narrativa da visão do apóstolo Pedro no terraço de uma casa.

Tendo subido ao terraço para orar sozinho, Pedro começou a sentir fome. Sua mente vagava, e ele entrou em êxtase. Depois disso, teve uma visão espantosa. Um grande lençol desceu do céu, cheio de animais "impuros" — mamíferos, répteis e aves. O texto de Atos 10 não é muito específico, mas podemos encontrar uma boa dica das espécies desses animais em Levítico 11: porcos, camelos, coelhos, abutres, corvos, mochos, corujas, cegonhas, morcegos, formigas, besouros, ursos, lagartos, camaleões, doninhas, ratos, cobras.

Simão, isso é imundo! Nem toque nisso. Vá lavar as mãos agora mesmo!, sem dúvida ele deve ter ouvido sua mãe gritar. Por quê? *Porque nós somos diferentes, por isso. Nós não comemos porcos. Eles são sujos, impuros. Deus nos disse para nem mesmo tocá-los.* Para Pedro, como para qualquer judeu na Palestina, esses alimentos eram mais do que repugnantes — eles constituíam tabu, eram abomináveis. "Por isso, não poderão comer sua carne",[1] Deus dissera.

Se, no decorrer de um dia, Pedro por acaso tocasse na carcaça de um inseto, deveria tomar banho e lavar as roupas, permanecendo impuro até a noite, desqualificado para visitar o templo em tal estado. E se acontecesse, digamos, de uma lagartixa ou uma aranha cair do teto sobre uma panela de barro, ele teria de jogar fora o que houvesse na panela e quebrá-la.

Agora esses itens proibidos estavam descendo em um lençol, com uma voz celestial ordenando: "Levante-se, Pedro; mate e coma".

Pedro fez com que Deus se lembrasse de suas próprias regras: "De modo nenhum, Senhor!", ele protestou. "Jamais comi algo impuro ou imundo."

A voz respondeu: "Não chame impuro ao que Deus purificou". Essa mesma cena se repetiu por duas vezes mais até que Pedro, abalado em seu coração, desceu as escadas e deu de cara com o próximo susto do dia: um grupo de gentios "impuros" que desejava juntar-se ao grupo de discípulos de Jesus.

Os cristãos que hoje comem carne de porco, mariscos, ostras e lagostas não compreendem facilmente o impacto dessa cena ocorrida em um telhado há tantos anos. Para sentirmos a intensidade disso, o paralelo mais próximo que posso imaginar seria se, no meio de uma convenção batista do sul, no estádio do Texas, um bar totalmente equipado descesse de maneira sobrenatural no meio do campo e uma voz trovejante vinda do céu insistisse com os abstêmios: "Bebam!, Bebam!" .

Posso imaginar a reação: "Claro que não, Senhor! Somos batistas. Nunca tocamos nessas coisas". Esse era o tipo de convicção que Pedro tinha contra alimentos impuros.

O incidente em Atos 10 pode ter expandido a dieta da igreja primitiva, mas não forneceu a resposta para minha pergunta original: "O que Deus tem contra as lagostas?". Para isso tenho de voltar ao livro de Levítico, onde Deus explica a proibição: "Pois eu sou o SENHOR, o Deus de vocês; consagrem-se e sejam santos, porque eu sou santo".[2] A rápida explicação de Deus dá lugar a muitas interpretações, e os mestres há muito debatem os motivos por trás do motivo.

Alguns têm destacado os benefícios para a saúde contidos nas leis levíticas. A proibição da carne de porco afastou a ameaça da triquinose. Além disso, a proibição com relação aos mariscos protegia os israelitas dos vírus que, às vezes, se encontram nas ostras e nos mexilhões. Outros observam que muitos dos animais proibidos são necrófagos, ou seja, alimentam-se de carniça. Outros, ainda, observam que as leis específicas parecem dirigidas contra os costumes dos vizinhos pagãos dos israelitas. Por exemplo, a proibição de cozinhar uma cabra no leite de sua mãe parece ter sido feita para evitar que os israelitas imitassem um ritual de magia dos cananeus.

Todas essas explicações fazem sentido e podem realmente lançar luz sobre a lógica existente por trás da curiosa lista de Deus. Alguns animais, entretanto, não podem ser explicados. Por que lagostas? E o que dizer dos coelhos, que não provocam riscos à saúde e comem capim, não carniça? E por que camelos e jumentos, animais onipresentes no trabalho no Oriente Médio, faziam parte da lista? Claramente há uma arbitrariedade nessas leis.[a]

O que Deus tem contra as lagostas? O escritor judeu Herman Wouk[3] diz que "apropriado" é a melhor palavra equivalente à palavra hebraica *kosher*, que

---

[a] Naturalmente, os hábitos alimentares de todas as sociedades são arbitrários, e cada cultura faz uma diferenciação entre animal "puro" e "impuro". Os franceses comem cavalos, os chineses comem cachorros e macacos, os italianos comem rouxinóis, os neozelandeses comem cangurus, os africanos comem insetos e os canibais comem gente. Consideramos muitos desses costumes ofensivos porque nossa sociedade tem sua própria lista de alimentos aceitáveis. Para os vegetarianos, a lista é bem mais simples [N. do A.].

orienta os costumes dos judeus até hoje. O Levítico considera alguns animais "apropriados", ou qualificados, e outros inadequados. A antropóloga Mary Douglas[4] vai mais longe, observando que, em cada caso, Deus proíbe animais que apresentam uma anomalia. Uma vez que peixes devem ter barbatanas e escamas, moluscos e enguias não se qualificam. As aves devem voar; assim, as emas e os avestruzes não se qualificam. Animais terrestres devem andar com quatro patas e não rastejar como a cobra. Gado doméstico, ovelhas e cabras ruminam e têm cascos fendidos; portanto, todos os mamíferos comestíveis deveriam ser assim. O rabino Jacob Neusner faz eco ao argumento de Douglas: "Se tivesse de dizer em poucas palavras o que torna uma coisa impura, diria que é alguma coisa que, por um motivo ou outro, seja anormal"[5].

Depois de estudar as diversas teorias, cheguei a um princípio abrangente que, creio eu, expressa a essência das leis do Antigo Testamento a respeito da impureza: esquisitice, não. A dieta dos israelitas excluía com rigor qualquer anormalidade ou animais "esquisitos", e o mesmo princípio também se aplicava aos animais "puros" utilizados no culto. Nenhum devoto podia trazer um cordeiro aleijado ou defeituoso para o templo, pois Deus queria animais sem mácula. De Caim em diante, as pessoas tinham de obedecer às instruções exatas de Deus ou se arriscavam a ter suas ofertas rejeitadas. Deus exigia perfeição; Deus merecia o melhor. Esquisitices, não.

O Antigo Testamento aplica uma classificação semelhante, muito mais perturbadora, às pessoas. Lembro-me de assistir a um culto em Chicago no qual o pastor Bill Leslie dividiu o santuário de maneira que se assemelhasse com o templo em Jerusalém. Os gentios podiam ficar na galeria, chamada de Pátio dos Gentios, mas eram excluídos do santuário principal. As mulheres judias podiam entrar no santuário, mas ficavam apenas na região destinada a elas. Os leigos judeus tinham uma área espaçosa à frente, mas não podiam aproximar-se da plataforma, reservada apenas para os sacerdotes.

A parte de trás da plataforma, onde ficava o altar, Bill designava como o Santíssimo Lugar. "Imaginem uma cortina com alguns centímetros de espessura neste lugar", ele disse. E continuou:

"Apenas um sacerdote entrava ali uma vez por ano — no dia santo do *Yom Kippur*. E ele tinha de usar uma corda amarrada ao tornozelo. Se fizesse alguma coisa errada e morresse lá dentro, os outros sacerdotes teriam de puxá-lo pela corda. Eles não se atreviam a entrar no Santíssimo Lugar, no qual Deus habitava".

Ninguém, nem mesmo a pessoa mais religiosa, pensaria em penetrar no Santíssimo Lugar, pois a penalidade de morte era certa. A própria arquitetura lembrava aos israelitas que Deus era separado. Era *santo*.

Considere o paralelo moderno de uma pessoa que queira enviar uma mensagem ao presidente dos Estados Unidos. Qualquer cidadão pode escrever ao presidente, enviar um telegrama ou um *e-mail*. Mas, se essa pessoa viajasse até a Casa Branca, não esperaria obter uma audiência com o presidente. Embora pudesse falar com um secretário, ou até mesmo tivesse a ajuda de um senador, talvez conseguisse apenas marcar uma reunião com um funcionário do gabinete. Nenhum cidadão comum pode entrar no Salão Oval e apresentar um pedido ao presidente. O governo tem uma hierarquia, separando seus funcionários mais altos de acordo com um protocolo restrito. Semelhantemente, no Antigo Testamento uma escala hierárquica separava o povo de Deus, fundamentada não no prestígio, mas na "pureza" ou na "santidade".

Uma coisa é chamar os animais de impuros e outra, muito diferente, é chamar as pessoas de impuras, mas as leis do Antigo Testamento não recuaram.

> "Pelas suas gerações, nenhum dos seus descendentes que tenha algum defeito poderá aproximar-se para trazer ao seu Deus ofertas de alimento. Nenhum homem que tenha algum defeito poderá aproximar-se: ninguém que seja cego ou aleijado, que tenha o rosto defeituoso ou o corpo deformado; ninguém que tenha o pé ou a mão defeituosos, ou que seja corcunda ou anão, ou que tenha qualquer defeito na vista, ou que esteja com feridas purulentas ou com fluxo, ou que tenha testículos defeituosos."[6]

Resumindo, aqueles com corpos defeituosos ou linhagem familiar maculada (bastardos) não se qualificavam. Esquisitices, não. Mulheres menstruadas, homens que recentemente tivessem tido ejaculação noturna, mulheres que tivessem dado à luz, pessoas com enfermidades de pele ou feridas supuradas, alguém que tivesse tocado um cadáver — todas essas pessoas eram declaradas cerimonialmente impuras.

Nesta época de "politicamente correto", essa classificação espalhafatosa de indivíduos, baseada no gênero, na raça e até mesmo na saúde física, parece quase inconcebível, mas esse era o ambiente que definia o judaísmo. Todos os dias os homens judeus começavam suas orações matinais dando graças a Deus "que não me fez gentio... que não me fez escravo... que não me fez mulher".[7]

O texto de Atos 10 mostra claramente os resultados dessa atitude: "A lógica mortal dos políticos da pureza", como o teólogo croata Miroslav Volf[8] a descreve. Quando Pedro, sob coação, finalmente concordou em visitar a casa do centurião romano, apresentou-se dizendo: "Vocês sabem muito bem que é contra a nossa lei um judeu associar-se a um gentio ou mesmo visitá-lo". Ele fez tal concessão apenas depois de ser derrotado por Deus na discussão do terraço.

Pedro continuou: "Mas Deus me mostrou que eu não deveria chamar impuro ou imundo a homem nenhum". Uma revolução de graça estava a caminho, do tipo que Pedro dificilmente poderia compreender.

Antes de escrever *O Jesus que eu nunca conheci*, passei vários meses pesquisando sobre a formação da vida do Senhor. Aprendi a apreciar o mundo ordeiro do judaísmo do primeiro século. Admito que a classificação das pessoas irritou minha sensibilidade americana — parecia um padrão formal de ausência de graça, um sistema religioso de castas —, mas pelo menos os judeus haviam descoberto um lugar para cada grupo, como as mulheres, os estrangeiros, os escravos e os pobres. Outras sociedades tratavam-nos de maneira pior.

Jesus apareceu na Terra exatamente quando a Palestina experimentava um reavivamento religioso. Os fariseus, por exemplo, ditavam regras precisas para a manutenção da pureza: nunca entrar na casa de um gentio, nunca jantar com pecadores, não trabalhar aos sábados, lavar as mãos sete vezes antes de comer. Assim, quando se espalharam rumores de que Jesus podia ser o Messias tão esperado, os judeus piedosos ficaram mais escandalizados do que estimulados. Ele não tocara em pessoas impuras, tais como aqueles leprosos? Não permitira que uma mulher de má reputação lavasse seus pés e os enxugasse com os cabelos? Ele jantava com cobradores de impostos — um deles até fazia parte do seu círculo mais íntimo de discípulos — e era notoriamente negligente com as regras da purificação ritual e a guarda do sábado.

Além disso, Jesus deliberadamente entrava em território gentio e se envolvia com gentios. Elogiou um centurião romano por ter mais fé do que qualquer um em Israel e ofereceu-se para entrar na casa dele para curar seu servo. Curou um samaritano mestiço da lepra e teve uma longa conversa com uma mulher samaritana — para consternação dos discípulos, que sabiam que "os judeus não se relacionavam com os samaritanos". Essa mulher, rejeitada pelos judeus por causa de sua raça, rejeitada pelos vizinhos por causa de seus muitos casamentos, veio a ser a primeira "missionária" designada por Jesus e a primeira pessoa a quem ele francamente revelou sua identidade como Messias. A partir de então, ele culminou seu período no mundo dando a seus discípulos a "Grande Comissão", uma ordem de levar o evangelho aos gentios impuros "em toda a Judeia e Samaria, e até os confins da terra".[9]

A aproximação de Jesus das pessoas "impuras" consternava seus compatriotas, o que, finalmente, ajudou a crucificá-lo. Em essência, ele abolira o grande princípio do Antigo Testamento, "esquisitices, não", substituindo-o por uma nova regra da graça: "Todos nós somos esquisitos, mas Deus nos ama mesmo assim".

Os evangelhos registram apenas uma ocasião em que Jesus foi obrigado a recorrer à violência: na purificação do templo. Brandindo um chicote de couro, ele derrubou as mesas e as bancas e expulsou os mercadores que se haviam estabelecido ali. Como já disse, a própria arquitetura do templo expressava a hierarquia entre os judeus: os gentios podiam entrar apenas no pátio externo. Jesus não gostou de que os comerciantes houvessem transformado a área dos gentios em um bazar oriental cheio de sons de animais mugindo e vendedores anunciando preços, uma atmosfera que dificilmente conduziria à adoração. Marcos registra que, depois de Jesus purificar o templo, os sumos sacerdotes e mestres da lei "começaram a procurar uma forma de matá-lo"[10]. Na verdade, ele selara seu destino em virtude de sua impetuosa insistência no direito dos gentios de se aproximar de Deus.

Degrau por degrau, Jesus desmantelou a hierarquia que delimitava a aproximação de Deus. Convidou pessoas defeituosas, pecadores, estrangeiros e gentios — os impuros! — para a mesa do banquete divino.

Isaías não profetizara a respeito de um grande banquete ao qual todas as nações seriam convidadas? Através dos séculos, a visão exaltada de Isaías havia se anuviado de tal maneira que alguns grupos restringiam a lista de convidados aos judeus que não fossem fisicamente defeituosos. Em contraste direto, a versão de Jesus do grande banquete apresenta o anfitrião enviando mensageiros às ruas e aos caminhos para convidar "os pobres, os aleijados, os mancos e os cegos".[11] [b]

A história mais memorável de Jesus, a do filho perdido, termina igualmente com uma cena de banquete, apresentando como herói um pobre coitado que manchou a reputação da família. O ponto que Jesus queria destacar é o seguinte: aqueles que são julgados indesejáveis por todos são infinitamente desejáveis para Deus, e há uma grande festa quando um deles se volta para seu Criador. Todos nós somos esquisitos, mas Deus nos ama mesmo assim.

Outra parábola famosa, a do bom samaritano, zombou de seu público original apresentando dois religiosos profissionais que evitaram a vítima do assalto, não se arriscando a contaminar-se com um aparente defunto. Nessa história, Jesus transformou em herói um samaritano desprezado — uma escolha tão surpreendente para o público como se um rabino contasse uma história glorificando um ativista da Organização para a Libertação da Palestina — a OLP.

Em seus contatos sociais, Jesus acabou também com as categorias judias de "puros" e "impuros". O texto de Lucas 8, por exemplo, registra três incidentes em rápida sucessão que, juntos, devem ter confirmado as ideias erradas que os fariseus tinham a respeito de Jesus. Primeiro, ele navegou para uma região habitada por gentios, curou um louco nu e designou-o como missionário em sua cidade natal. Depois, foi tocado por uma mulher com hemorragia que já durava doze anos, um "problema feminino" que a desqualificava para participar dos cultos e, sem dúvida nenhuma, provocava nela muita vergonha. (Segundo os fariseus essas enfermidades ocorriam por causa de um pecado pessoal; Jesus dizia algo completamente diferente) Daí, seguiu para a casa de um chefe de sinagoga cuja filha acabara de morrer. Já "impuro", por causa do louco gentio e da mulher com hemorragia, Jesus entrou no quarto e tocou o cadáver.

---

[b] O Antigo Testamento contém muitas indicações de que Deus planejava o tempo todo expandir sua "família" além do povo judeu, abrangendo cada tribo e nação. Em uma deliciosa ironia, Pedro recebeu a visão dos animais impuros em Jope, exatamente o porto do qual Jonas tentara escapar da ordem de Deus de levar sua mensagem aos pagãos ninivitas [N. do A.].

As leis levíticas advertiam contra contágios: contatos com doentes, gentios, cadáveres, certos tipos de animais ou até mesmo mofo e bolor podiam contaminar uma pessoa. Jesus inverteu o processo: em vez de ficar contaminado, tornou a outra pessoa sadia. O louco nu não o contaminou; foi curado. A pobre mulher com o fluxo de sangue não o envergonhou nem o tornou impuro; ela saiu dali sã. A menina morta de 12 anos de idade não o contaminou; foi ressuscitada.

Vejo no método de Jesus um cumprimento, não uma abolição das leis do Antigo Testamento. Deus tinha "santificado" a criação separando o sagrado do profano, o puro do impuro. Jesus não anulou o princípio santificador; antes, mudou sua fonte. Nós mesmos podemos ser agentes da santidade de Deus, pois ele habita em nós. No meio de um mundo impuro podemos passear, como Jesus, buscando meios de sermos uma fonte de santidade. Para nós, os doentes e os aleijados não são áreas de perigo de contaminação, mas receptores em potencial da misericórdia divina. Somos chamados para estender essa misericórdia, para ser os anunciadores da graça, não para evitar o contágio. Assim como Jesus, podemos ajudar o "impuro" a se purificar.

Levou algum tempo para a igreja ajustar-se a essa mudança dramática; Pedro precisou ter a visão no terraço. Semelhantemente, a igreja precisou de um incentivo sobrenatural para levar o evangelho aos gentios. O Espírito Santo ficou feliz em agir, enviando Filipe primeiro a Samaria e depois o levando para a estrada no deserto na qual encontrou um estrangeiro, um homem negro, alguém considerado impuro segundo as regras do Antigo Testamento (por ser eunuco, ele era castrado). Pouco tempo depois, Filipe batizou o primeiro missionário para a África.

O apóstolo Paulo — inicialmente uma das criaturas mais resistentes à mudança, um "fariseu dos fariseus" que diariamente agradecia a Deus por não ser gentio, escravo ou mulher — acabou escrevendo as seguintes palavras revolucionárias: "Não há judeu nem grego, escravo nem livre, homem nem mulher; pois todos são um em Cristo Jesus".[12] A morte de Jesus, ele disse, derrubou as barreiras do templo, desmantelou os muros delimitadores da hostilidade, que haviam separado as pessoas por categorias. A graça encontrou um caminho.

Nos dias de hoje, quando o tribalismo espalha massacres na África, quando as nações redesenham fronteiras baseadas em antecedentes étnicos, quando o racismo nos Estados Unidos zomba dos grandes ideais de nossa nação, quando as minorias e os grupos separatistas tramam pelos seus direitos, não conheço mensagem mais poderosa do evangelho do que esta: a mensagem que matou Jesus. Os muros que nos separavam uns dos outros e de Deus foram demolidos. Somos todos "esquisitões", mas Deus nos ama mesmo assim.

Passaram-se quase vinte séculos desde que Deus iluminou o apóstolo Pedro em um terraço. Nesse período, muitas circunstâncias mudaram (ninguém mais está preocupado em "desjudaizar" a igreja), mas o movimento que Jesus introduziu tem consequências importantes para cada cristão. A revolução da graça de Jesus afeta-me profundamente pelo menos de duas formas.

Primeiro, ela afeta meu acesso a Deus. No mesmo culto em que Bill Leslie dividiu o santuário nas proporções aproximadas do templo judeu, membros da congregação apresentaram uma peça. Diversos requerentes aproximaram-se da plataforma para transmitir uma mensagem ao sacerdote — com as mulheres, naturalmente, dependendo de seus representantes masculinos. Alguns trouxeram sacrifícios para o sacerdote apresentar a Deus. Outros fizeram pedidos específicos: "O senhor poderia falar com Deus a respeito do meu problema?", perguntavam. Toda vez em que o "sacerdote" subia até a plataforma, passava por um ritual prescrito e submetia o pedido a Deus dentro do Santíssimo Lugar.

Subitamente, no meio dessa cerimônia, uma jovem mulher veio correndo pelo corredor, ignorando os limites estabelecidos para seu gênero, com a Bíblia aberta no livro de Hebreus. "Olhem, cada um de nós pode falar com Deus diretamente!", ela proclamou. "Ouçam isto."

> Portanto, visto que temos um grande sumo sacerdote que adentrou os céus, Jesus, o Filho de Deus, apeguemo-nos com toda a firmeza à fé que professamos.[...] Assim, aproximemo-nos do *trono da graça* com toda a confiança.[13]

"E aqui novamente":

> [...] temos plena confiança para entrar no Santo dos Santos pelo sangue de Jesus, por um novo e vivo caminho que ele nos abriu por meio do véu, isto é, do seu corpo. Temos, pois, um grande sacerdote sobre a casa de Deus.[14]

"Qualquer um de nós pode entrar no Santíssimo Lugar!", ela disse antes de sair do recinto. "Qualquer um de nós pode ir diretamente a Deus!"

Em seu sermão, o pastor falou da notável mudança de "poder aproximar-se de Deus". Você precisa apenas ler o livro de Levítico e então o de Atos para sentir a mudança sísmica. Enquanto os fiéis do Antigo Testamento se purificavam antes de entrar no templo e apresentavam suas ofertas a Deus por meio de um sacerdote, em Atos os discípulos de Deus (bons judeus, a maioria deles) reuniam-se em casas particulares e dirigiam-se a Deus com a expressão informal *Abba*. Tratava-se de um termo afetivo usado em família, como "papai", e antes de Jesus ninguém pensaria em aplicar essa palavra a Yahweh, o Soberano Senhor do Universo. Depois dele, tornou-se a palavra padrão utilizada pelos cristãos primitivos para dirigir-se a Deus em oração.

Antes, tracei um paralelo com um visitante na Casa Branca. Eu disse que ninguém poderia esperar adentrar o Salão Oval para ver o presidente sem hora marcada. Há exceções. Durante a administração de John F. Kennedy, os fotógrafos, às vezes, captavam cenas encantadoras. Sentados junto à mesa presidencial em ternos na cor cinza, os membros do gabinete debatiam questões de consequências mundiais, tais como a crise de mísseis cubanos. Enquanto isso, uma criança de 2 anos de idade, John-John, subia sobre a imensa mesa presidencial, ignorando o protocolo da Casa Branca e os importantes assuntos de Estado. John-John estava simplesmente visitando seu pai e, às vezes, para deleite deste, invadia o Salão Oval sem bater à porta.

Esse é o tipo de acessibilidade surpreendente transmitida pela palavra *Abba*, usada por Jesus. Deus pode ser o Soberano Senhor do Universo, mas, por meio de seu Filho, tornou-se tão acessível quanto qualquer pai humano "coruja". Em Romanos 8, Paulo traz a imagem da intimidade ainda para mais perto. O Espírito de Deus vive dentro de nós, ele diz, e quando não sabemos como orar, "o próprio Espírito intercede por nós com gemidos inexprimíveis".[15]

Não precisamos nos aproximar de Deus por meio de uma escala hierárquica, ansiosos a respeito das questões da pureza. Se o Reino de Deus tivesse uma advertência dizendo: "Esquisitices, não", nenhum de nós poderia entrar. Jesus veio para demonstrar que um Deus perfeito e santo dá boas-vindas aos pedidos de ajuda de uma viúva com dois óbolos, de um centurião romano, de um miserável publicano e de um ladrão na cruz. Temos apenas de chamar "Aba", ou, se falharmos nisso, simplesmente gemer. Deus se aproximou de nós desse jeito.

A segunda maneira pela qual a revolução de Jesus me afeta centraliza-se em como devemos olhar para as pessoas "diferentes". O exemplo de Jesus convence-me hoje porque sinto uma guinada sutil na direção inversa. Conforme a sociedade se desenvolve e a imoralidade aumenta, ouço alguns cristãos clamarem de que precisamos demonstrar menos misericórdia e mais moralidade, clamores que retrocedem ao estilo do Antigo Testamento.

Uma frase utilizada por Pedro e Paulo tornou-se uma de minhas imagens preferidas do Novo Testamento. Temos de administrar, ou "ser despenseiros" da graça de Deus, dizem os dois apóstolos. A imagem traz à mente um dos antiquados "vaporizadores" que as mulheres usavam antes de se aperfeiçoar a tecnologia dos *sprays*. Apertava-se uma bomba de borracha e gotículas de perfume saíam dos buraquinhos na outra ponta. Algumas gotas bastavam para o corpo inteiro; alguns poucos apertões bastavam para mudar a atmosfera de um quarto. Creio que é assim que a graça deve operar. Ela não converte o mundo inteiro ou toda uma sociedade, mas enriquece a atmosfera.

Agora receio que a imagem predominante dos cristãos tenha mudado de um vaporizador de perfume para diferentes embalagens de *sprays*: o tipo utilizado para exterminar insetos. *Veja, uma barata! Spray* nela. *Veja, um foco do maligno. Spray* nele. Alguns cristãos que conheço assumiram a tarefa de "dedetizadores morais" para a sociedade infestada pelo mal que os rodeia.

Sinto uma profunda preocupação por nossa sociedade. Estou tocado, entretanto, pelo poder alternativo da misericórdia demonstrada por Jesus, que veio para os doentes e não para os sãos, para os pecadores e não para os justos. Jesus nunca aprovou o mal, mas estava pronto a perdoá-lo. De alguma forma, ganhou a reputação de ser amigo dos pecadores, uma reputação que seus discípulos correm o risco de perder. Como diz Dorothy Day: "Eu realmente só amo a Deus na proporção em que amo a pessoa que menos amo".

São questões difíceis, confesso, e por essa razão merecem um capítulo à parte.

13
Olhos curados pela graça

> *"A Bíblia não diz que devemos amar a todos?"*
> *"Ah! a Bíblia! Para dizer a verdade, ela diz uma porção de coisas; mas ninguém nunca pensa em colocá-las em prática."*
>
> Harriet Beecher Stowe, em *Uncle Tom's Cabin*
> [*A cabana do pai Tomás*]

Sempre que me sentia entediado, telefonava para o meu amigo Mel White. Não conhecia ninguém que vivesse com mais vivacidade e espontaneidade. Ele viajara pelo mundo inteiro e eu me divertia com suas histórias: mergulhar entre barracudas no Caribe, caminhar em meio a excrementos de pombos acumulados havia milênios para filmar o nascer do sol de cima de um minarete marroquino, atravessar o Atlântico no *Queen Elizabeth II* como convidado de um famoso produtor de televisão, entrevistar os sobreviventes do culto de Jim Jones depois do massacre na Guiana.

Excessivamente generoso, Mel era um alvo perfeito para qualquer vendedor. Se estivéssemos sentados em uma lanchonete ao ar livre e uma vendedora de flores passasse por ali, ele compraria um ramalhete apenas para ver os olhos de sua esposa ficarem radiantes. Se um fotógrafo se oferecesse para tirar nossa foto por algum preço inacreditável, Mel imediatamente concordaria. "É uma lembrança", ele diria, rebatendo nossas objeções. "Não se pode colocar uma etiqueta de preço em uma lembrança." Suas piadas e gracejos mantinham o garçom, o *maître* e o caixa rindo o tempo todo.

Quando morávamos em Chicago, Mel costumava nos visitar a caminho de Michigan, onde trabalhava como consultor de filmes cristãos. Íamos comer fora, visitar galerias de artes, andar pelas ruas, pegar um cinema e caminhar pelas margens do lago, até meia-noite ou mais. Então, às quatro horas da manhã, Mel acordava, vestia-se e datilografava com pressa por quatro horas, produzindo um documento de trinta páginas que entregaria naquela tarde para seu cliente em Michigan. Quando o colocávamos em um táxi para ir ao aeroporto, minha esposa e eu estávamos exaustos, mas felizes. Mais do que ninguém, ele nos fazia viver de verdade.

Muitos homossexuais moravam em nossa vizinhança, especialmente ao longo da Avenida Diversey, conhecida como "Perversey" (trocadilho com a palavra "perversão", usada pelos habitantes locais). Lembro-me de caçoar deles falando com Mel.

— Você conhece a diferença entre um *gay* e um nazista? — eu disse uma vez enquanto descíamos a avenida. — Sessenta graus — e deixei cair a minha mão de uma tesa saudação nazista para uma imitação de desmunhecamento.

— Conseguimos identificar os homossexuais por aqui — minha esposa acrescentou. — Há alguma coisa diferente neles. Eu sempre os reconheço.

Éramos amigos fazia cerca de cinco anos quando recebi um telefonema de Mel perguntando se poderíamos nos encontrar no Marriott Hotel, perto do Aeroporto O'Hare. Cheguei na hora marcada, sentei-me sozinho no restaurante por uma hora e meia lendo o jornal, o cardápio, as embalagens dos pacotinhos de açúcar e tudo mais que consegui encontrar — e nada de Mel chegar. Exatamente quando me levantei para ir embora, irritado com o transtorno, ele entrou apressado. Desculpou-se, quase tremendo. Fora ao Marriott errado e ficara preso em um engarrafamento no tráfego de Chicago. Tinha apenas uma hora antes de seu voo. Eu poderia ficar mais um pouco com ele para ajudá-lo a se acalmar? "Naturalmente", respondi.

Aturdido com os acontecimentos da manhã, Mel parecia oprimido e perturbado, à beira das lágrimas. Ele fechou os olhos, respirou profundamente várias vezes e começou a conversa com uma frase que nunca esquecerei: — Philip, talvez você já tenha percebido que sou *gay*.

A ideia nunca tinha passado pela minha cabeça. Mel tinha uma esposa amorosa e dedicada e dois filhos. Ensinava no Seminário Fuller, era pastor da Igreja Evangélica da Aliança, fazia filmes e escrevia *best-sellers* cristãos. Mel, *gay*? Só se o papa fosse muçulmano.

Naquela ocasião, apesar da minha vizinhança, eu não conhecia nenhuma pessoa *gay*. Não sabia nada a respeito dessa subcultura. Fazia piadas e contava histórias a respeito da Parada do "Orgulho *Gay*" (que passava pela minha rua) aos meus amigos da área nobre da cidade, mas não tinha conhecidos homossexuais, muito menos amigos. A ideia era repugnante.

Agora estava ouvindo que um dos meus melhores amigos tinha um lado secreto que eu não conhecia. Recostei na cadeira, respirei fundo algumas vezes e pedi a Mel que me contasse sua história.

Não estou traindo a confiança dele ao repeti-la aqui, porque ele já a levou a público em seu livro *Stranger at the Gate: To be Gay and Christian in America* [Um estranho no portão: ser *gay* e cristão na América]. O livro menciona sua amizade comigo e também conta a respeito de alguns cristãos conservadores com os quais ele trabalhou escrevendo os livros deles: Francis Schaeffer, Pat Robertson, Oliver North, Billy Graham, W. A. Criswell, Jim e Tammy Faye Bakker, Jerry Falwell. Nenhuma dessas pessoas conhecia a vida secreta de Mel na ocasião em que trabalhara com elas e, de maneira bastante compreensível, algumas delas se sentem zangadas com ele agora.

Devo esclarecer que não tenho nenhum desejo de mergulhar nas importantes questões teológicas e morais relativas ao homossexualismo. Escrevo a respeito de Mel por um único motivo: minha amizade com ele desafiou fortemente minha noção de como a graça afetaria minha atitude para com pessoas "diferentes", mesmo quando essas diferenças são sérias e, talvez, insolúveis.

Fiquei sabendo por intermédio de Mel que o homossexualismo não é uma escolha de vida casual, como eu supunha. Conforme Mel diz em seu livro, ele sentia desejos homossexuais desde a adolescência; tentou forçosamente reprimir esses desejos e, quando adulto, buscou fervorosamente uma "cura". Jejuou, orou e foi ungido para receber a cura. Passou por rituais de exorcismo realizados por protestantes e também católicos. Tomou parte em terapias rígidas, que emitiam choques em seu corpo sempre que se sentia estimulado por fotografias de homens. Em uma ocasião, chegou a ficar drogado com tratamentos químicos, mas também desnorteado. Mais do que tudo, Mel desejava desesperadamente *não* ser *gay*.

Lembro-me de um telefonema que me acordou de madrugada. Sem se preocupar em se apresentar, Mel disse com voz categórica: "Estou sobre o parapeito do quinto andar olhando para o Oceano Pacífico. Você tem dez minutos para me dizer por que eu não deveria pular." Não era uma brincadeira para chamar a atenção. Mel quase tivera sucesso em uma sangrenta tentativa de suicídio fazia pouco tempo. Supliquei a ele, usando todos os argumentos pessoais, existenciais e teológicos que consegui imaginar em meu estado de sonolência. Graças a Deus, Mel não pulou.

Também me lembro de uma cena triste alguns anos depois, na qual Mel trouxe algumas lembranças de seu amante. Mostrou-me um suéter de lã azul e pediu que o jogasse na lareira. Ele havia pecado e agora estava arrependido, dizia; estava abandonando aquela vida e voltando para sua esposa e família. Nós nos alegramos e oramos juntos.

Lembro-me de outra cena triste quando Mel destruiu seu cartão de membro do California Bath Club. Uma então misteriosa enfermidade começava a aparecer entre a população *gay* da Califórnia e centenas de pessoas estavam abandonando o clube.

— Não estou fazendo isso por medo da doença, mas porque sei que é a coisa certa a fazer — disse Mel, pegando uma tesoura e cortando em pedaços o cartão de plástico.

Ele oscilava entre períodos de promiscuidade e de fidelidade. Às vezes, agia como um adolescente com hormônios pululando; outras, como um filósofo. — Aprendi a diferença entre sofrimento virtuoso e sofrimento provocado pela culpa — ele me disse uma vez. — Os dois são reais, os dois são dolorosos, mas o último é muito pior. O sofrimento virtuoso, como o que as pessoas celibatárias sentem, sabe o que está faltando, mas não conhece o que perdeu. O sofrimento pela culpa sabe tudo.

Para Mel, o sofrimento pela culpa significava a consciência persistente de que, se escolhesse "sair do armário", perderia casamento, carreira, ministério e, muito provavelmente, a fé.

Apesar desses sentimentos de culpa, ele finalmente concluiu que suas opções se reduziram em duas: insanidade ou integridade. Acreditava que as tentativas de reprimir os desejos homossexuais e viver no casamento heterossexual ou no celibato *gay* o levariam à insanidade (naquela ocasião, ele estava se tratando com um psiquiatra cinco dias por semana, a 100 dólares por sessão). A integridade, ele decidiu, significava encontrar um parceiro *gay* e abraçar a identidade homossexual.

A odisseia de Mel deixou-me confuso e perturbado. Minha esposa e eu ficamos acordados muitas longas noites com ele, discutindo seu futuro. Juntos, repassamos todas as passagens bíblicas relevantes e o que deviam significar. Mel continuava perguntando por que os cristãos destacavam todas as referências às uniões entre o mesmo sexo enquanto ignoravam outros comportamentos mencionados nas mesmas passagens.

A pedido dele, assisti à primeira passeata dos *gays* em Washington, em 1987. Fui não como participante, nem mesmo como jornalista, mas como amigo de Mel. Ele me queria por perto enquanto avaliava algumas das decisões que pesavam sobre suas costas.

Cerca de 300 mil participantes *gays* marcharam, e apenas uma minoria pretendeu escandalizar o público usando roupas que nenhum telejornal mostraria. O dia de outubro era frio e nuvens cinzentas derramaram gotas de chuva sobre as colunas desfilando pela capital.

Em uma das laterais, bem na frente da Casa Branca, observei uma confrontação raivosa. Policiais montados formaram um círculo protetor ao redor dos pequenos grupos que, graças a seus cartazes cor-de-laranja com ilustrações vivas do fogo do inferno, haviam conseguido atrair a atenção da maioria dos fotógrafos da imprensa. Embora fossem superados em número em uma proporção de 1,5 mil para 1, esses manifestantes cristãos gritavam palavras de ordem inflamadas contra os ativistas *gays*.

"Fora, bichas!", o líder dos cristãos vociferava em um microfone. E os outros pegavam a deixa e começavam: "Fora, fora..." Quando isso perdeu a força, passaram a gritar: "Vergonha! Vergonha!" Entre as cantorias, os líderes transmitiam mensagens cheirando a enxofre a respeito de Deus reservar o mais quente fogo do inferno para os sodomitas e outros pervertidos.

"Aids, Aids, ela vai pegar vocês", era o último motejo no repertório dos que protestavam, a frase gritada com mais ardor. Tínhamos acabado de assistir a uma triste procissão de várias centenas de pessoas com AIDS: muitos em cadeiras de rodas, como corpos esquálidos de sobreviventes dos campos de concentração. Ouvindo a cantilena, eu não conseguia imaginar como alguém poderia desejar esse destino para outro ser humano.

Por sua vez, os *gays* tinham uma reação mista contra os cristãos. Os desordeiros sopravam beijinhos ou comentavam: "Fanáticos! Fanáticos! Que vergonha para vocês!" Um grupo de lésbicas arrancou risadas da imprensa gritando em uníssono contra os manifestantes: "Queremos suas esposas!".

Entre os participantes da marcha havia pelo menos três mil que se identificavam com diversos grupos religiosos: o movimento católico da "Dignidade", o grupo episcopal da "Integridade" e até mesmo um grupinho de Mórmons e Adventistas do Sétimo Dia. Mais de mil participantes marcharam sob a bandeira da Igreja da Comunidade Metropolitana (ICM), denominação que professa uma teologia principalmente evangélica, exceto por sua postura a favor do homossexualismo. Este último grupo deu uma resposta comovente aos cristãos que protestavam: aproximaram-se, viraram-se para eles e cantaram: "Jesus me ama, sim, eu sei, pois a Bíblia assim o diz".

Fui atingido pela ironia inesperada dessa cena de confronto. De um lado, estavam os cristãos defendendo a doutrina pura (nem mesmo o Concílio Nacional das Igrejas aceitou a ICM como um de seus membros). Do outro, estavam os "pecadores", muitos dos quais abertamente admitindo a prática homossexual. Mas o grupo mais ortodoxo vomitava ódio e o outro grupo cantava o amor de Jesus.

Durante o fim de semana em Washington, Mel apresentou-me a muitos líderes de grupos religiosos. Não posso lembrar a quantos cultos assisti só no fim de semana. Para surpresa minha, a maior parte dos cultos utilizava os hinos e a liturgia dos protestantes ortodoxos, e eu não ouvi nada suspeito, teologicamente falando, pregado do púlpito. "Muitos cristãos *gays* são teologicamente bastante conservadores", um dos líderes me explicou. "Recebemos tanto ódio e rejeição da igreja que não existe razão para nos importarmos com ela, a menos que creiamos realmente que o evangelho é a verdade." Ouvi inúmeras histórias pessoais que confirmavam essa afirmação.

Cada *gay* que eu entrevistava contava histórias arrepiantes de rejeição, ódio e perseguição. Muitos haviam sido ofendidos e espancados vezes sem conta. Metade dos que entrevistei fora deserdada por suas famílias. Alguns dos pacientes com AIDS tentaram entrar em contato com a família afastada para informar sobre a enfermidade, mas não receberam resposta. Um homem, depois de dez anos de separação, foi convidado a ir para casa no jantar do Dia de Ação de Graças em Wisconsin. Sua mãe colocou-o à parte da família, em uma mesa separada com pratos de papel e utensílios plásticos.

Alguns cristãos dizem: "Sim, temos de tratar os *gays* com compaixão, mas, ao mesmo tempo, temos também de lhes transmitir uma mensagem de juízo". Depois de todas essas entrevistas, comecei a entender que cada *gay* já ouviu a mensagem de juízo da igreja repetidas vezes, nada além de juízo. As pessoas mais interessadas em teologia que entrevistei interpretam as passagens bíblicas a respeito do homossexualismo de maneira diferente. Algumas delas diziam ter se oferecido para sentar e discutir essas diferenças com mestres conservadores, mas nenhum concordou.

Deixei Washington com a cabeça girando. Havia participado de cultos abarrotados, marcados por cânticos fervorosos, orações e testemunhos — todos orientados pelo que a igreja cristã sempre ensinou como pecado. Além disso, podia sentir que meu amigo Mel estava cada vez mais perto de uma escolha que eu sabia ser moralmente errada — divorciar-se de sua esposa e perder seu ministério para iniciar uma nova vida, assustadora e cheia de tentações.

Ocorreu-me que minha própria vida seria mais simples se eu não tivesse conhecido Mel White. Mas ele era meu amigo, como deveria tratá-lo? O que a graça exigia de mim? O que faria Jesus?

Depois que Mel "saiu do armário" e sua história tornou-se pública, seus antigos colegas e empregadores trataram-no com frieza. Famosos cristãos que o haviam hospedado, viajado com ele e lucrado centenas de milhares de dólares com seu trabalho subitamente se afastaram. Em determinado aeroporto, Mel aproximou-se de um famoso político cristão que conhecia muito bem e lhe estendeu a mão; o homem fechou a cara, deu-lhe as costas sem nem mesmo falar com ele. Quando o livro de Mel saiu, alguns dos cristãos com os quais ele trabalhara convocaram a imprensa para denunciá-lo, negando qualquer associação íntima com ele no passado.

Durante algum tempo, Mel foi muito requisitado para falar no rádio e em programas de televisão como o *60 Minutos*. A mídia secular adorou a perspectiva de um homossexual enrustido trabalhando para líderes da direita religiosa e, em busca de fofocas, investigaram sua história a respeito de celebridades evangélicas. Quando aparecia nesses shows, Mel era repreendido por muitos cristãos. "Praticamente após cada programa", Mel conta, "alguém telefonava para dizer que eu era uma abominação e que deveria ser tratado de acordo com as leis de Levítico. Isto é, ser apedrejado até a morte".

Só porque fui mencionado no livro de Mel, também ouvi alguns desses cristãos. Um homem anexou a cópia de uma carta que escrevera a Mel, que concluía dizendo:

> Realmente oro para que um dia você verdadeiramente se arrependa, verdadeiramente deseje se libertar do pecado que o escraviza e renuncie aos falsos ensinamentos da chamada "igreja *gay*". Se não o fizer, graças a Deus receberá o que merece, uma eternidade no inferno, reservada para todos os que são escravizados pelo pecado e que se recusam a se arrepender.

Quando respondi, perguntei ao remetente se ele realmente queria dizer "graças a Deus", e ele me enviou uma longa carta, cheia de referências bíblicas, afirmando que sim.

Comecei a fazer questão de conhecer outros *gays* de nossa vizinhança, até mesmo alguns que tinham antecedentes cristãos. "Eu ainda creio", um deles me disse. "Gostaria de ir à igreja, mas sempre que tento alguém espalha boatos a meu respeito e de repente todos se afastam." Para finalizar, ele acrescentou uma observação gélida: "Como *gay*, descobri que é mais fácil conseguir sexo nas ruas do que um abraço na igreja".

Conheci outros cristãos que têm procurado tratar os homossexuais com amor. Barbara Johnson, por exemplo, é uma autora cristã de *best-sellers* que ficou sabendo que seu filho era *gay* e só então descobriu que a igreja não sabia como lidar com esse fato. Deu início a uma associação chamada Spatula Ministries (sua intenção com esse ministério é despertar a atenção das pessoas para o seguinte objetivo: "Você tem de raspar o meu teto com uma espátula") para ministrar a outros pais com o mesmo problema. Convencida de que a Bíblia proíbe esse tipo de relacionamento, Barbara opõe-se à prática homossexual e sempre deixa isso claro. Está simplesmente tentando proporcionar um refúgio para outras famílias que não o encontram na igreja. Os boletins de Barbara estão cheios de histórias de famílias que foram desfeitas e, depois, dolorosamente restauradas. "Eles são nossos filhos e nossas filhas", diz ela. "Não podemos simplesmente fechar a porta para eles."

Também falei com Tony Campolo, proeminente orador cristão que se opõe à prática homossexual, mas que admite que essa orientação está entranhada na pessoa e é quase impossível modificá-la. Ele defende um ideal de celibato sexual. Parcialmente por causa do ministério de sua esposa com a comunidade *gay*, Tony tem sido caluniado por outros cristãos, resultando em muitos compromissos cancelados. Em uma convenção, oponentes distribuíram correspondência falsa supostamente trocada entre Tony e líderes *gays* da Queer Nation [grupo ativista norte-americano], uma carta que se comprovou ser espúria, parte de uma campanha de difamação.

Para minha grande surpresa, fiquei sabendo muita coisa a respeito do tratamento de pessoas "diferentes" por Edward Dobson, formado pela Universidade Bob Jones, ex-braço direito de Jerry Falwell e fundador do *Fundamentalist Journal*. Dobson deixou a organização de Falwell para assumir um pastorado em Grand Rapids, no Michigan, e, enquanto esteve lá, preocupou-se com o problema da AIDS na cidade. Pediu para se encontrar com alguns líderes *gays* da cidade e ofereceu os serviços dos membros de sua igreja.

Embora a convicção de Dobson quanto ao erro da prática homossexual não tenha mudado, ele se sentiu constrangido a alcançar a comunidade *gay* com o amor cristão. Os ativistas ficaram, no mínimo, desconfiados. Conheciam a reputação de Dobson como fundamentalista e, tanto para eles como para muitos *gays*, os "fundamentalistas" trazem à lembrança pessoas como os manifestantes que vi em Washington.

Com o tempo, Ed Dobson ganhou a confiança da comunidade *gay*. Começou encorajando sua congregação a providenciar presentes de Natal para pessoas soropositivas e a oferecer outros meios práticos de ajuda a doentes e em fase terminal. Muitos deles nunca haviam conhecido um homossexual antes. Poucos se recusaram a cooperar. Gradualmente, entretanto, ambos os grupos começaram a se ver sob uma nova luz. Como um *gay* disse a Dobson: "Nós compreendemos vocês e sabemos que não concordam conosco. Mas vocês ainda demonstram o amor de Jesus, e nós nos sentimos atraídos por isso".

Para muitos pacientes aidéticos em Grand Rapids, a palavra *cristão* agora carrega uma conotação muito diferente do que significava há alguns poucos anos. A experiência de Dobson provou que os cristãos podem ter pontos de vista firmes a respeito de comportamento ético e, ainda assim, demonstrar amor.

Ed Dobson disse-me certa vez: "Se eu morrer e alguém se levantar no meu funeral e não disser nada além de 'Ed Dobson amava os homossexuais', eu me sentirei orgulhoso".

Também entrevistei o dr. C. Everett Koop, que naquela ocasião era Ministro da Saúde dos Estados Unidos. As credenciais de Koop como cristão evangélico eram impecáveis. Foi ele, com Francis Schaeffer, que ajudou a mobilizar a comunidade cristã conservadora a entrar na briga política pelas questões a favor da vida.

Em seu papel de "médico da nação", Koop visitou pacientes com AIDS. Seus corpos esqueléticos, debilitados e cobertos de feridas fizeram-no sentir por eles profunda compaixão, como médico e como cristão. Jurara cuidar dos fracos e desamparados; não havia grupo mais fraco e mais desamparado do que aquele no país.

Durante sete semanas Koop dirigiu-se apenas a grupos religiosos, incluindo a igreja de Jerry Falwell, a convenção dos Radialistas Religiosos Nacionais, grupos conservadores dentro do judaísmo e católicos romanos. Nesses discursos, proferidos nos Serviços de Saúde Pública, Koop afirmara a necessidade da abstinência e do casamento monogâmico. Mas acrescentou: "Sou o ministro da Saúde dos heterossexuais e dos homossexuais, dos jovens e dos velhos, dos morais e dos imorais". E advertiu os companheiros cristãos: "Vocês podem odiar o pecado, mas têm de amar o pecador".

Koop sempre expressou sua aversão à promiscuidade sexual — sistematicamente ele empregava a palavra "sodomia" quando se referia aos atos homossexuais —, mas, como ministro da Saúde, agia em favor dos homossexuais e cuidava deles. Koop mal podia crer que, ao falar para doze mil *gays* em Boston, eles fossem gritar: "Koop! Koop! Koop!".

"Eles deram um apoio incrível, apesar do que eu digo a respeito de suas práticas. Creio que é porque sou a pessoa que saiu e disse: 'Sou o ministro da Saúde de todas as pessoas e irei ao encontro delas onde elas estiverem'. Além disso, pedi que tivessem compaixão deles (dos homossexuais) e pedi voluntários para cuidar deles." Koop nunca comprometeu suas crenças — continua insistindo em empregar a palavra "sodomia", que é carregada de significado, em seus discursos —, mas nenhum evangélico cristão obteve recepção mais calorosa por parte dos homossexuais.

Por fim, recebi uma importante visão sobre pessoas "diferentes" por intermédio dos pais de Mel White. Uma rede de televisão apresentou um programa em que entrevistaram Mel, sua esposa, seus amigos e seus pais. Notavelmente, a esposa de Mel continuou a apoiá-lo e a elogiá-lo depois do divórcio; ela até mesmo escreveu o prefácio do seu livro. Os pais de Mel, cristãos conservadores e pessoas respeitáveis da comunidade (o pai dele foi prefeito da cidade), enfrentaram tempos difíceis para aceitar a situação. Depois que Mel lhes deu a notícia, passaram por diversos estágios: do choque à negação.

Em determinado ponto, o entrevistador da TV perguntou aos pais de Mel diante das câmeras:

— Vocês sabem o que outros cristãos afirmam a respeito do seu filho. Dizem que ele é uma aberração. O que vocês pensam disso?

— Bem — a mãe respondeu com voz doce e trêmula —, ele pode ser uma aberração, mas continua sendo nosso orgulho e nossa alegria.

Essa frase permaneceu comigo porque a considero uma definição de graça de partir o coração. Percebi que a mãe de Mel White expressou como Deus vê cada um de nós. De alguma forma, todos somos aberrações para Deus — *pois todos pecaram e estão destituídos da glória de Deus*[1] — e, de alguma forma, contra toda razão, Deus nos ama assim mesmo. A graça declara que ainda somos seu orgulho e sua alegria.

Paul Tournier escreveu a respeito de um amigo que estava se divorciando:

> Não posso aprovar essa atitude, porque o divórcio sempre será desobediência a Deus. Estaria traindo minha fé se escondesse isso dele. Sei que sempre há uma solução diferente do divórcio para um conflito conjugal, se realmente estamos preparados para buscá-la sob a orientação de Deus. Mas sei que essa desobediência não é pior do que a calúnia, a mentira, o gesto orgulhoso do qual sou culpado todos os dias. As circunstâncias de nossas vidas são diferentes, mas a realidade de nossos corações é a mesma. Se eu estivesse no lugar dele, será que agiria de maneira diferente? Não tenho ideia. Pelo menos sei que precisaria de amigos que me amassem sem reservas como eu sou, com todas as minhas fraquezas, e que confiassem em mim sem me julgar. Se ele obtiver o divórcio, sem dúvida vai encontrar dificuldades ainda maiores do que as que tem agora. Precisará ainda mais da minha afeição, e esta é a certeza que posso lhe dar.[2]

Recebi um telefonema de Mel White no meio de uma de suas campanhas ativistas. Ele estava jejuando em um acampamento em Colorado Springs, no Colorado, um bolsão de conservadores incitado até o "ponto de explosão" pelos ativistas dos direitos *gays*. Dentro do acampamento Mel exibia as correspondências "para esmagar os *gays*" enviadas por organizações cristãs de Colorado Springs. Ele estava pedindo aos líderes cristãos que desistissem da retórica inflamada, pois em muitos lugares do país crimes hediondos contra os *gays* estavam se tornando uma epidemia.

Mel teve uma semana difícil. Um comentarista de rádio local fizera algumas ameaças veladas contra ele e, à noite, carros cercavam o acampamento, buzinando para mantê-lo acordado.

— Um repórter está tentando nos reunir, todos de uma só vez — Mel disse-me ao telefone. — Ele convidou os linhas-duras do ACT UP e algumas ministras lésbicas da igreja MCC, além de executivos de organizações como Focus on the Family e Navigators. Não sei o que vai acontecer. Estou faminto, exausto e com medo. Preciso de você lá.

Então eu fui. Mel é a única pessoa que conheço capaz de convocar uma reunião desse tipo. Gente da direita e da esquerda sentou-se na mesma sala, com uma tensão palpável suspensa no ar. Lembro-me de muitas coisas que aconteceram naquela noite, mas de uma acima de todas. Quando Mel pediu que eu me manifestasse a respeito de alguns dos assuntos, apresentou-me como seu amigo e contou um pouco de nossa história comum. Terminou dizendo: "Não sei como Philip se sente a respeito de cada aspecto da questão do homossexualismo e, para dizer a verdade, tenho medo de perguntar. Mas sei como ele se sente a meu respeito — ele me ama."

A amizade com Mel ensinara-me muito a respeito da graça. Superficialmente, a palavra pode parecer uma expressão estereotipada pela tolerância obscura do liberalismo: podemos todos conviver apenas? Mas a graça é diferente. Retrocedendo às suas raízes teológicas, ela inclui um elemento de autossacrifício, um preço.

Muitas vezes eu vira Mel demonstrar um espírito gracioso para com os cristãos que o injuriavam. Uma vez, pedi para ver um lote de correspondências que ele recebera de cristãos e mal suportei ler as cartas. As páginas estavam contaminadas pelo ódio. Em nome de Deus, os remetentes diziam maldições, blasfêmias e faziam ameaças. Eu quis protestar: "Espere um pouco, Mel é meu amigo. Vocês não o conhecem." Mas, para os signatários das cartas, Mel era um rótulo — *pervertido!* — e não uma pessoa. Conhecendo-o, eu compreendia melhor os perigos que Jesus discutiu tão incisivamente no Sermão do Monte: com que rapidez nós acusamos os outros de homicidas e passamos por cima de nossa própria ira, ou de adúlteros e ignoramos nossa própria luxúria. A graça morre quando nos colocamos uns contra os outros.

Também li algumas das cartas que Mel recebera em resposta ao seu livro *Stranger at the Gate*. Muitas vieram de *gays* e simplesmente contavam uma história. Como Mel, muitos dos remetentes das cartas tentaram o suicídio. Como Mel, muitos experimentaram apenas rejeição por parte da igreja. Oitenta mil livros foram vendidos, 41 mil leitores escreveram — isso não significava nada a respeito da fome da graça na comunidade homossexual?

Testemunhei Mel tentando iniciar uma nova carreira. Ele perdeu todos os seus clientes anteriores, seus proventos caíram vertiginosamente, tendo de mudar-se de uma casa luxuosa para um pequeno apartamento. Como ministro da Justiça da denominação MCC, ele passa agora grande parte do seu tempo falando a pequenos grupos de homens e mulheres *gays,* grupos que, para falar com delicadeza, não fazem nada para alimentar o ego do orador.

Toda a noção de uma "igreja de *gays*" parece-me bizarra. Conheço homossexuais celibatários, não praticantes, que desejam desesperadamente que outra igreja os aceite, mas não encontram nenhuma. Sinto-me triste porque as igrejas que frequento estão perdendo os dons espirituais desses cristãos, e triste também porque a denominação MCC me parece muito presa a questões sexuais.

Mel e eu temos diferenças profundas. Não posso apoiar muitas das decisões que ele tomou. "Um dia nós dois vamos nos enfrentar um de cada lado dos piquetes", ele profetizara. "O que vai acontecer à nossa amizade?"

Em virtude disso, lembro-me de um difícil confronto ocorrido na cafeteria do Hotel Red Lion, exatamente quando voltei da Rússia. Eu estava exultante com as novidades da queda do comunismo, da nova abertura para Cristo em quase um terço do mundo, das incríveis palavras que ouvira diretamente dos lábios de Gorbachev e da KGB. Parecia um momento raro de graça em um século que conhecia tão pouco dela.

Mel, entretanto, estava com a cabeça em outro lugar. "Você poderia apoiar minha ordenação?", ele perguntou. Naquele tempo, o homossexualismo, para não dizer a sexualidade, estava fora de cogitação para mim. Estava pensando na queda do marxismo, no fim da Guerra Fria, na emancipação do Gulag.

"Não", respondi depois de pensar um pouco. "Com base em sua história e no que leio nas Epístolas, não acho que você se qualifique. Se eu votasse no concílio de sua ordenação, votaria contra."

Levou meses para nossa amizade se recuperar dessa conversa. Eu respondera honestamente, de improviso, mas para Mel pareceu uma rejeição direta e pessoal. Tentei colocar-me em seu lugar, compreender como seria ser como ele e manter a amizade com uma pessoa que escreve para a revista *Christianity Today* e que representa a instituição religiosa que lhe provocou tanto sofrimento. Como seria fácil para ele rodear-se de pessoas iguais a ele para apoiá-lo.

Francamente, creio que nossa amizade precisa de muito mais graça da parte de Mel do que da minha.

Posso prever o tipo de cartas que vou receber em reação a essa história. O homossexualismo é um assunto tão controvertido que desperta reações apaixonadas de ambos os lados. Os conservadores vão me reprovar severamente por alimentar um pecador, e os liberais me atacarão porque não endosso sua posição. Repito: não estou discutindo meu ponto de vista a respeito do comportamento homossexual, mas apenas minhas atitudes para com os homossexuais. Usei o exemplo do meu relacionamento com Mel White — deliberadamente evitando algumas das questões — porque para mim tem sido uma prova intensa e contínua de como a graça me convida a tratar pessoas "diferentes".

Tais diferenças profundas, seja qual for a área, formam um bocadinho de graça. Alguns têm de lutar corpo a corpo contra os fundamentalistas que os feriram no passado. Will Campbell assumiu a tarefa de se reconciliar com os *caipiras* e com os membros da Klan. Outros ainda lutam com a arrogância e a estreiteza de mente dos liberais "politicamente corretos". Os brancos devem lidar com sua diferença com os afro-americanos — e vice-versa. Os negros das cidades também precisam resolver seus complicados relacionamentos com os judeus e os coreanos.

Um assunto como o homossexualismo representa uma questão importante porque a diferença centraliza-se sobre uma questão moral, não transcultural. Através da História, a igreja tem considerado unanimemente o comportamento homossexual como um pecado sério. Então, a questão vem a ser: Como devemos tratar os pecadores?

Penso nas mudanças que ocorreram dentro da igreja evangélica durante minha vida sobre a questão do divórcio, um assunto a respeito do qual Jesus é absolutamente claro. Contudo, hoje uma pessoa divorciada não é evitada, banida das igrejas, cuspida ou ofendida. Mesmo os que consideram o divórcio um pecado tiveram de aceitar os pecadores e tratá-los com civilidade e até amor. Outros pecados a respeito dos quais a Bíblia também é clara — avareza, por exemplo — não parecem apresentar nenhuma barreira. Aprendemos a aceitar a pessoa, sem aprovar o seu comportamento.

Meu estudo da vida de Jesus convenceu-me de que, sejam quais forem as barreiras que tivermos de transpor ao tratar com pessoas "diferentes", elas não podem ser comparadas ao que um Deus santo — que habitava no Santíssimo Lugar, e cuja presença expelia violentamente fogo e fumaça do topo da montanha, provocando a morte de qualquer pessoa impura que se aproximasse — teve de vencer quando desceu para se juntar a nós sobre o planeta Terra.

Uma prostituta, um rico aproveitador, uma mulher possuída pelo demônio, um soldado romano, uma samaritana com hemorragia e outra samaritana com vários maridos ficaram maravilhados porque Jesus recebeu a reputação de ser "amigo de pecadores". Como escreveu Helmut Thielicke:

> Jesus tinha o poder de amar prostitutas, valentões e malfeitores... Ele foi capaz disso apenas porque via através da sujeira e da crosta da degeneração; seus olhos captavam a origem divina que está oculta por toda parte — em *cada* homem![...] Primeiro, e principalmente, ele nos dá novos olhos.[...][3]

Quando Jesus amava uma pessoa qualquer, carregada de culpa, e a ajudava, via nela um filho de Deus desviado. Via um ser humano a quem seu Pai amava e por quem se entristecia por ele andar em caminhos errados. Via-o como Deus o planejara originalmente e queria que ele fosse e, portanto, olhava, por baixo da camada superficial da sujeira e da imundície, para o verdadeiro homem. Jesus não *identificava* a pessoa com o seu pecado; antes, via nesse pecado uma coisa estranha, algo que realmente não fazia parte da pessoa, que simplesmente a acorrentava e a dominava e da qual ele a libertaria e a traria de volta para o seu verdadeiro eu. Jesus foi capaz de amar os homens porque ele os amava mesmo através da camada de lama.[4]

Podemos ser aberrações, mas ainda somos o orgulho e a alegria de Deus. Todos nós na igreja precisamos de "olhos curados pela graça" para ver o potencial nos outros para a mesma graça que Deus tão prodigamente nos concedeu. "Amar uma pessoa", disse Dostoievski, "significa vê-la como Deus pretendia que ela fosse."[5]

14
Brechas

> *O romancista católico crê que você destrói sua liberdade com o pecado; acho que o leitor moderno crê que o pecado traz liberdade. Não existe muita possibilidade de entendimento entre os dois.*
>
> Flannery O'Connor

O historiador e crítico de arte Robert Hughes[1] conta a história de um condenado à prisão perpétua em uma ilha de segurança máxima na costa da Austrália. Um dia, sem nenhuma provocação, ele se voltou contra um companheiro de prisão, espancando-o até deixá-lo inconsciente e por fim matá-lo. Por esse motivo, as autoridades mandaram-no de volta ao continente para outro julgamento, no qual ele deu um testemunho direto e impassível sobre o crime. Não demonstrou nenhum sinal de remorso e negou tratar-se de algum ressentimento com relação à vítima.

— Por que, então? — perguntou o juiz, admirado. — Qual foi o seu motivo?

O prisioneiro respondeu que estava enjoado da vida na ilha, um lugar de notória brutalidade, e não via motivos para continuar vivendo.

— Sim, sim, eu compreendo tudo isso — disse o juiz. — Posso entender por que você se afogaria no oceano. Mas por que matar?

— Bem, eu penso assim — começou o prisioneiro. — Sou católico. Se eu cometesse suicídio iria diretamente para o inferno. Mas, se matasse alguém, poderia vir para Sidney e confessar meu crime a um padre antes da execução. Desse jeito, Deus me perdoaria.

A lógica do prisioneiro australiano era o reflexo do Príncipe Hamlet, que não assassinaria o rei em suas orações na capela para que este não fosse perdoado por seus atos infames, indo diretamente para o céu.

Qualquer pessoa que escreve a respeito da graça enfrentará suas evidentes fissuras. No poema "For the Time Being" ["Por hora"], de W. H. Auden, o rei Herodes astutamente capta as consequências lógicas da graça: "Todo vigarista argumentará: 'Gosto de cometer crimes. Deus gosta de perdoá-los. Na verdade, o mundo está admiravelmente organizado".[2]

Nesse particular, confesso que pintei um quadro unilateral da graça. Descrevi Deus como um pai que sofre por amor, ansioso por perdoar, e a graça como uma força suficientemente poderosa para romper as correntes que nos amarram, e suficientemente misericordiosa para vencer diferenças profundas entre nós. Descrever a graça nesses termos arrasadores torna as pessoas nervosas, e concordo que já escorreguei à beira desse abismo. Fiz isso porque acredito que o Novo Testamento o faz também. Considere este lembrete incisivo do grande e antigo pregador Martyn Lloyd-Jones:

> Existe, portanto, claramente, um sentido no qual a mensagem da "justificação somente pela fé" pode ser perigosa. E igualmente perigosa a mensagem de que a salvação é inteiramente de graça.[...]
>
> Eu diria a todos os pregadores: se sua pregação a respeito da salvação não foi mal-entendida desse modo, então seria melhor que examinassem de novo seus sermões. E também seria melhor que se certificassem de que realmente estão pregando a salvação que é oferecida no Novo Testamento ao ímpio, ao pecador, àqueles que são inimigos de Deus. Há esse tipo de elemento perigoso a respeito da verdadeira apresentação da doutrina da salvação.[3]

A graça tem cheiro de escândalo. Quando alguém perguntou ao teólogo Karl Barth o que ele diria a Adolf Hitler, ele respondeu: "Jesus Cristo morreu pelos seus pecados". Pelos pecados de Hitler? De Judas? A graça não tem limites?

Dois gigantes do Antigo Testamento, Moisés e Davi, cometeram homicídio e Deus ainda assim os amava. Como já mencionei, outro homem que comandou uma campanha de torturas criou um padrão missionário que nunca foi igualado. Paulo nunca se cansou de descrever este milagre do perdão:

> Anteriormente fui blasfemo, perseguidor e insolente; mas alcancei misericórdia, porque o fiz por ignorância e na minha incredulidade; contudo, a *graça* de nosso Senhor transbordou sobre mim, com a fé e o amor que estão em Cristo Jesus. Esta afirmação é fiel e digna de toda aceitação: Cristo Jesus veio ao mundo para salvar os pecadores, dos quais eu sou o pior.[4]

Ron Nikkel, que dirige a Prison Fellowship International, tem um discurso padrão que transmite aos prisioneiros em todo o mundo. "Não sabemos quem vai para o céu", ele diz. E prossegue:

> Jesus deu a entender que uma porção de pessoas será surpreendida: "Nem todos os que me dizem: Senhor, Senhor, entrarão no Reino dos céus". Mas nós sabemos que alguns ladrões e homicidas estarão ali. Jesus prometeu o céu ao ladrão na cruz e o apóstolo Paulo foi cúmplice de assassinatos.

Tenho observado a expressão nos rostos de prisioneiros em lugares como Chile, Peru e Rússia quando a verdade de Ron atinge o ponto. Para eles, o escândalo da graça soa bom demais para ser verdade.

Quando Bill Moyers filmou um especial para a televisão a respeito do hino *Preciosa a graça de Jesus*, sua câmera seguiu Johnny Cash até as entranhas de uma prisão de segurança máxima.

— O que este hino significa para vocês? — Cash perguntou aos prisioneiros depois de cantar o hino.

Um homem cumprindo pena por tentativa de assassinato replicou:

— Fui diácono, membro de uma igreja, mas não sabia o que a graça significava até que vim parar em um lugar como este.

O potencial para o "abuso da graça" ficou claro para mim, de maneira pungente, em uma conversa com um amigo que chamarei de Daniel. Já era tarde da noite e eu estava sentado em um restaurante com Daniel, ouvindo-o confidenciar-me que decidira abandonar a esposa depois de quinze anos de casamento. Ele se envolvera com uma mulher mais jovem e mais bonita, alguém que o fazia sentir-se vivo, "como eu não me sentia há anos", conforme ele mesmo dizia. Ele e a esposa não tinham grandes incompatibilidades. Ele simplesmente queria uma mudança, como um homem que deseja ardentemente um carro novo.

Daniel, que era cristão, conhecia bem as consequências pessoais e morais do que estava prestes a fazer. Sua decisão de separar-se infligiria prejuízos permanentes à sua esposa e aos três filhos. Mesmo assim, ele disse que a força que o impulsionava para a mulher mais jovem, como um ímã poderoso, era forte demais para poder resistir.

Ouvi a história de Daniel com tristeza e amargura, falando pouco enquanto tentava absorver a notícia. Então, durante a sobremesa, ele deixou cair a bomba:

> "Na verdade, Philip, quero saber uma coisa. O motivo pelo qual quis falar com você hoje à noite foi para lhe perguntar o que está me preocupando. Você estuda a Bíblia. Acha que Deus pode perdoar uma coisa tão horrível como a que vou fazer?"

A pergunta de Daniel revolvia-se como uma serpente viva; tomei três xícaras de café antes de atrever-me a dar uma resposta. Nesse intervalo, pensei muito na repercussão da graça. Como poderia dissuadir meu amigo de cometer um erro terrível se ele souber que o perdão está bem ali na esquina? Ou, como na sombria história de Robert Hughes, na Austrália, o que evitaria que um condenado cometesse homicídio se ele soubesse com antecedência que seria perdoado?

Há um "gancho" na graça que preciso mencionar agora. Nas palavras de C. S. Lewis, Agostinho diz: " 'Deus dá quando encontra mãos vazias'. Um homem com as mãos cheias de pacotes não pode receber um presente."[5] A graça, em outras palavras, precisa ser recebida. Lewis explica que aquilo que chamei de "abuso da graça" nasce de uma confusão entre tolerância e perdão: "Tolerar um mal é simplesmente ignorá-lo, tratá-lo como se ele fosse bom, mas o perdão necessita ser aceito, bem como oferecido, para ser completo: e um homem que não admite culpa não pode aceitar perdão algum."[6]

Resumindo, disse ao meu amigo Daniel o seguinte: "Se Deus pode perdoá-lo? Naturalmente. Você conhece a Bíblia; Deus usa homicidas e adúlteros. A bem da verdade, Pedro e Paulo, dois homens que falharam muito, lideraram a igreja do Novo Testamento. O perdão é problema *nosso*, não de Deus. O que temos de fazer para cometer pecado é o que nos distancia de Deus — nós nos transformamos no próprio ato de rebeldia —, não há garantia de que um dia voltaremos. Você me pergunta agora a respeito do perdão, mas será que mais tarde vai querer o perdão, especialmente se ele envolver arrependimento?"

Meses depois de nossa conversa, Daniel fez sua escolha e abandonou a família. Ainda não vi evidências de arrependimento. Agora ele se inclina a racionalizar sua decisão como uma maneira de fugir de um casamento infeliz. Afastou-se de seus antigos amigos por considerá-los "demasiadamente intolerantes e críticos" e procura substitutos que celebrem sua recém-descoberta libertação. Para mim, entretanto, ele não parece muito liberado. O preço da "liberdade" significou virar as costas para aqueles que mais se interessam por ele. Diz-me também que agora Deus não faz mais parte de sua vida. "Talvez mais tarde", afirma.

Deus assumiu um grande risco anunciando o perdão com antecedência. E o escândalo da graça envolve uma transferência desse risco para nós.

"Verdadeiramente é um erro estar cheio de faltas", disse Pascal, "mas é um erro ainda maior estar cheio delas e não desejar reconhecê-las."

As pessoas dividem-se em duas categorias. Não me refiro aos culpados e aos "justos", como muitas pessoas pensam. Antes, porém, existem duas categorias diferentes de pessoas culpadas. Há pessoas culpadas que reconhecem seus erros. E pessoas culpadas que não os reconhecem. São dois grupos que convergem em uma cena registrada em João 8.

O incidente acontece no átrio do templo, onde Jesus está ensinando. Um grupo de fariseus e mestres da lei interrompe o "culto" arrastando uma mulher apanhada em adultério. Segundo o costume, despem-na da cintura para cima como prova de sua vergonha. Aterrorizada, indefesa, publicamente humilhada, a mulher encolhe-se diante de Jesus, com os braços cobrindo os seios desnudos.

O adultério envolve duas pessoas, naturalmente, mas a mulher está sozinha diante de Jesus (talvez tivesse sido apanhada na cama com um fariseu!?). João deixa claro que os acusadores estavam mais interessados em criar uma armadilha para Jesus do que punir um crime — e a armadilha era muito inteligente. A lei de Moisés especificava morte por apedrejamento para o adultério, mas a lei romana proibia os judeus de realizar execuções. Jesus obedeceria a Moisés ou a Roma? Ou, notório por sua misericórdia, encontraria uma maneira de a adúltera escapar? Nesse caso, teria de desafiar a lei de Moisés diante de uma multidão reunida nos próprio átrio do templo. Todos os olhos fixaram-se nele.

Nesse momento cheio de tensão, Jesus faz uma coisa diferente: Ele se inclina e escreve no chão com o dedo. Esta, de fato, é a única cena dos evangelhos que o apresenta escrevendo. Para suas únicas palavras escritas, ele escolheu como agente um galho e escreveu na areia, sabendo que os pés, o vento, ou a chuva logo as apagariam.

João não nos conta o que Jesus escreveu na areia. Em seu filme a respeito da vida de Jesus, Cecil B. DeMille apresenta-o anotando os nomes dos diversos pecados: adultério, homicídio, orgulho, avareza, luxúria. Cada vez que ele escreve uma palavra, alguns fariseus se afastam. A imaginação de De Mille, como todas as outras, é uma conjectura. Sabemos apenas que nesse momento carregado de perigo Jesus para, fica em silêncio e escreve com o dedo na areia. O poeta irlandês Seamus Heaney comenta que Jesus "marca passo em todo o sentido dessa expressão",[7] concentrando a atenção de todos e criando uma brecha de significado entre o que está acontecendo e o que o auditório deseja que aconteça.

Aqueles que estão no auditório veem, sem dúvida, duas categorias de atores no drama: a mulher culpada, apanhada com as mãos sujas, e os acusadores "justos", que são, afinal de contas, profissionais religiosos. Quando Jesus finalmente fala, destrói uma daquelas categorias.

— Se algum de vocês não tem pecado — diz o Filho de Deus —, que seja o primeiro a atirar uma pedra nesta mulher.

Novamente ele se inclina para escrever, marcando passo de novo, e, um a um, todos os acusadores se afastam.

A seguir, Jesus se endireita e dirige-se à mulher, que ficou sozinha diante dele.

— Mulher, onde estão eles? Ninguém a condenou?

— Ninguém, senhor — ela diz.

E para a mulher, tomada pelo terror da expectativa de uma possível execução, Jesus dá o veredito:

— Nem eu a condeno... Vai e abandona sua vida de pecado.

Assim, em uma tacada brilhante, Jesus substitui as duas categorias presumidas, os justos e os culpados, por duas categorias diferentes: os pecadores que admitem o pecado e os pecadores que o negam. A mulher apanhada em adultério, desamparada, admitiu sua culpa. Muito mais problemáticas eram as pessoas que, como os fariseus, negavam ou reprimiam a culpa. Eles também precisavam estar de mãos vazias para receber a graça divina. O dr. Paul Tournier expressa esse padrão em linguagem psiquiátrica: "Deus apaga a culpa consciente, mas traz à consciência a culpa reprimida".[8]

A cena que se encontra em João 8 desconcerta-me porque, em razão de minha própria natureza, identifico-me mais com os acusadores do que com a acusada. Nego mais do que confesso. Envolvendo meus pecados em um manto de respeitabilidade, raramente — ou nunca — sou apanhado em uma indiscrição espalhafatosa e pública. Mas, se entendo corretamente essa história, a mulher pecadora é a que está mais próxima do Reino de Deus. De fato, só posso avançar no Reino se me tornar como essa mulher: trêmula, humilde, sem desculpas, com as mãos abertas para receber a graça de Deus.

Essa cena de abertura para receber é o que chamo de "captar" a graça. Ela tem de ser recebida. E o termo cristão para esse ato é *arrependimento,* a porta da graça. C. S. Lewis disse que o arrependimento não é uma coisa que Deus arbitrariamente exige de nós; "é simplesmente uma descrição daquilo que significa voltar."[9] Em se tratando da parábola do filho perdido, o arrependimento é a fuga para casa que conduz à celebração feliz. Ele abre o caminho para um futuro, para um relacionamento renovado.

As muitas passagens explícitas sobre o pecado contidas na Bíblia aparecem sob uma nova luz quando compreendo o desejo de Deus de me pressionar para o arrependimento, a porta da graça. Jesus disse a Nicodemos: "Pois Deus enviou o seu Filho ao mundo, não para condenar o mundo, mas para que este fosse salvo por meio dele".[10] Em outras palavras, Deus desperta minha culpa para meu próprio benefício. Ele não procura me esmagar, mas me libertar. E a libertação exige um espírito indefeso como o dessa mulher apanhada com as mãos sujas, não o espírito altivo dos fariseus.

Uma falha só pode ser radicalmente sanada se for trazida à luz. Os alcoólatras sabem que se uma pessoa não reconhecer seu problema — "Eu sou um alcoólatra" —, não há esperança de cura. Para os negadores contumazes, essa confissão pode exigir intervenções excruciantes da família e dos amigos, que "escrevem na areia" a vergonhosa verdade até que o alcoólatra a admita.[a]

Nas palavras de Tournier,

> ...os cristãos que estão mais desesperados consigo mesmos são aqueles que expressam com mais força sua confiança na graça. Temos um S. Paulo... e um S. Francisco de Assis, que afirmaram ser os maiores pecadores entre todos os homens; e um Calvino, que afirmou que o homem era incapaz de fazer o bem e de conhecer a Deus por meio do seu próprio poder.[...]
>
> "São os santos que têm o senso do pecado", diz o padre Daniélou. E continua: "O senso do pecado é a medida da consciência que uma alma tem de Deus."[11]

É possível, como adverte o escritor bíblico Judas, transformar "a graça de nosso Deus em libertinagem".[12] Nem mesmo a ênfase sobre o arrependimento apaga esse perigo completamente. Tanto meu amigo Daniel quanto o condenado australiano concordariam em teoria com a necessidade do arrependimento. E os dois estavam planejando explorar a brecha da graça conseguindo o que desejavam no momento e arrependendo-se mais tarde. Primeiro, uma ideia tortuosa forma-se no fundo da mente. *É algo que eu desejo. Sim, eu sei que é errado. Mas por que simplesmente não vou em frente? Sempre posso obter o perdão depois.* A ideia transforma-se em obsessão e, finalmente, a graça transforma-se em "dissolução imoral".

---

[a] Os alcoólatras usam a expressão "bêbado não assumido" para descrever alguém que para de beber mas que se recusa a admitir que tem um problema. Sentindo-se miserável, faz com que todos a sua volta se sintam igual. Continua controlando as pessoas feito marionetes, manipulando os cordéis da codependência. No entanto, por não beber mais, esse indivíduo deixou de viver períodos de felicidade. A família pode até tentar fazê-lo beber outra vez, em busca de um certo alívio; querem seu "bêbado feliz" de volta. O escritor Keith Miller compara essa pessoa a um hipócrita na igreja, que muda por fora mas não por dentro. A verdadeira transformação, tanto do alcoólatra quanto do cristão, deve começar admitindo a necessidade da graça. Negar só faz bloqueá-la [N. do A.].

Os cristãos têm reagido a esse perigo de diversas formas. Martinho Lutero, embriagado com a graça de Deus, às vezes zombava do potencial do abuso. Ele escreveu a seu amigo Melanchthon:

> "Se você for um pregador da graça, não pregue uma graça fictícia, mas a verdadeira; se a graça é verdadeira, envolve um pecado verdadeiro, não fictício. Seja pecador e peque vigorosamente.[...] Basta reconhecermos, mediante a riqueza da glória de Deus, o Cordeiro que tira o pecado do mundo; disto o pecado não nos separa, mesmo se milhares, milhares de vezes por dia nós fornicássemos ou cometêssemos homicídio."[13]

Outros, alarmados com a perspectiva dos cristãos fornicarem ou cometerem assassinatos milhares de vezes por dia, censuraram Lutero por sua hipérbole. A Bíblia, afinal, apresenta a graça como uma contrapartida para o pecado. Como podem os dois coexistir na mesma pessoa? Não deveríamos crescer "na graça",[14] como Pedro ordena? Nossa semelhança familiar com Deus não deveria aumentar? "Cristo nos aceita como somos", escreveu Walter Trobisch, "mas quando ele nos aceita, não podemos permanecer como somos."[15]

Dietrich Bonhoeffer, teólogo do século 20, cunhou a expressão "graça barata" como uma maneira de resumir o abuso da graça. Vivendo na Alemanha nazista, ficou horrorizado com a maneira covarde pela qual os cristãos reagiam à ameaça de Hitler. Os pastores luteranos pregavam a graça dos púlpitos aos domingos e depois ficavam em silêncio durante o resto da semana, enquanto os nazistas continuavam sua política de racismo, eutanásia e finalmente genocídio. O livro de Bonhoeffer *Discipulado* destaca as muitas passagens do Novo Testamento ordenando aos cristãos que busquem a santidade. Todo chamado à conversão, ele insistia, inclui um chamado para o discipulado, para a semelhança de Cristo.

No livro de Romanos, Paulo lida exatamente com essas questões. Nenhuma outra passagem bíblica apresenta de maneira tão direcionada a graça em todos os seus mistérios. E para termos uma perspectiva do escândalo da graça devemos ler Romanos de 6 a 7.

Os primeiros capítulos do livro alertam sobre o estado miserável da humanidade, com a conclusão condenatória: "Pois todos pecaram e estão destituídos da glória de Deus."[16] Como uma orquestra introduzindo um novo movimento sinfônico, os dois capítulos seguintes falam da graça que elimina toda penalidade: "Mas onde aumentou o pecado, transbordou a graça".[17] Certamente uma grande teologia, mas essa declaração arrasadora introduz o problema muito prático que estou abordando: por que ser bom se você já sabe com antecedência que será perdoado? Por que lutar para ser justo como Deus quer quando ele me aceita exatamente como sou?

Paulo sabe que abriu uma espécie de "comporta" teológica. Em Romanos 6, ele pergunta bruscamente: "Que diremos, então? Continuaremos pecando para que a graça aumente?".[18] E depois: "Vamos pecar porque não estamos debaixo da Lei, mas debaixo da graça?".[19] O apóstolo responde curta e explosivamente às duas perguntas: "De maneira nenhuma!". Outras traduções são mais pitorescas; a versão King James, por exemplo, diz: "Deus me livre!".

O que absorve o apóstolo nesses capítulos densos e apaixonados é simplesmente o escândalo da graça. A questão "Para que ser bom?" subsiste na essência do argumento de Paulo. Se você já sabe com antecedência que será perdoado, por que não se juntar aos bacanais pagãos? Coma, beba, divirta-se, pois amanhã Deus perdoará. Paulo não pode ignorar essa brecha evidente.

A primeira ilustração de Paulo (Romanos 6.1-14) vai diretamente ao ponto. Ele apresenta a questão: se a graça aumenta quando o pecado aumenta, então por que não pecar o máximo possível para que Deus tenha mais oportunidade de estender sua graça? Embora esse raciocínio possa parecer perverso, em diversas ocasiões os cristãos têm seguido exatamente essa lógica viciosa. Um bispo do século 3 ficou perplexo ao ver mártires devotos da fé cristã dedicarem suas últimas noites na prisão embriagando-se, participando de orgias e sendo promíscuos. Eles raciocinavam da seguinte maneira: uma vez que a morte como mártires os tornaria perfeitos, que importância teria se passassem suas últimas horas pecando? Na Inglaterra de Cromwell, uma seita extremista conhecida como Ranters desenvolveu a doutrina da "santidade do pecado". Um líder lançava maldições durante uma hora no púlpito de uma igreja de Londres; outros se embebedavam e blasfemavam em público.

Paulo não tinha tempo para tais circunvoluções éticas. Para refutá-las, ele começa com uma analogia básica que contrasta diretamente a morte com a vida. "Nós, os que morremos para o pecado, como podemos continuar vivendo nele?",²⁰ pergunta, incrédulo. Nenhum cristão que tenha ressuscitado para a nova vida em Cristo deveria estar preso à sepultura. O pecado tem cheiro de morte. Por que alguém o preferiria?

Contudo, o exemplo vivo de Paulo da morte *versus* a vida não esclarece totalmente a questão, pois a maldade nem sempre tem cheiro de morte — pelo menos, não para os seres humanos. O abuso da graça é uma verdadeira tentação à luxúria, à ganância, à inveja e ao orgulho que tornam o pecado claramente atraente. Como porcos de uma fazenda, nós gostamos de chafurdar na lama.

Além disso, embora os cristãos possam ter teoricamente "morrido para o pecado", ele continua presente na vida. Um amigo que dirigiu um estudo bíblico a respeito dessa passagem foi interpelado por uma colega com uma expressão aturdida. "Sei que foi declarado que estamos mortos para o pecado", ela disse, "mas, na minha vida o pecado parece muito vivo". Paulo, homem realista, reconheceu esse fato. Caso contrário, ele não nos teria advertido na mesma passagem: *"Considerem-se* mortos para o pecado, mas vivos para Deus em Cristo Jesus"²¹ e "Portanto, não permitam que o pecado continue dominando os seus corpos mortais".²²

Edward O. Wilson, biólogo de Harvard, realizou uma experiência um tanto estranha com formigas, mas que talvez possa complementar o que Paulo quer dizer. Depois de observar que levava alguns dias para as formigas reconhecerem como morta uma de suas companheiras de formigueiro, ele chegou à conclusão de que as formigas identificam a morte pelo cheiro, não visualmente. Quando o corpo da formiga começa a se decompor, as outras formigas, infalivelmente, carregam-na para fora do formigueiro. Depois de diversas tentativas, Wilson conseguiu isolar o elemento como sendo o ácido oleico. Se as formigas sentissem o cheiro do ácido, levavam a formiga morta para fora; qualquer outro cheiro era ignorado por elas. Seu instinto era tão forte que, se Wilson besuntasse pedacinhos de papel com ácido oleico, as outras formigas carregavam zelosamente o papel para o cemitério.

Em uma experiência final, Wilson passou ácido oleico em algumas formigas vivas. Imediatamente, as colegas de formigueiro agarraram-nas e marcharam com elas, suas pernas e antenas se debatendo em protesto, para o cemitério.

Assim depositadas, as indignadas "mortas-vivas" limpavam-se antes de retornar ao formigueiro. Se não removessem todo o ácido, as colegas imediatamente as agarravam de novo e transportavam ao cemitério. Tinham de estar comprovadamente vivas, julgadas apenas pelo cheiro, antes de serem aceitas de volta.

Penso nessa imagem, formigas "mortas" agindo como se fossem vivas, quando leio a primeira ilustração de Paulo em Romanos 6. O pecado pode estar morto, mas ele se contorce, obstinado, de volta à vida.

Logo em seguida, Paulo torna a apresentar o dilema de maneira sutilmente diferente: "Vamos pecar porque não estamos debaixo da Lei, mas debaixo da graça?" (Romanos 6.15). Será que a graça oferece uma licença, uma espécie de passe livre através do labirinto ético da vida? Já descrevi um homicida australiano e um adúltero americano que chegaram a essa mesma conclusão.

"Acho que existe uma razão para obedecermos às regras enquanto somos jovens... para termos energia suficiente para quebrar todas elas quando ficarmos velhos", disse Mark Twain, que tentava seguir seu próprio conselho. Por que não, se você sabe com antecedência que será perdoado? Novamente Paulo deixa escapar um "Deus me livre!" de incredulidade. Como você responde a alguém cujo alvo principal na vida é "forçar a barra" com a graça? Essa pessoa realmente experimentou a graça algum dia?

A segunda analogia de Paulo (Romanos 6.15-23), a escravidão humana, acrescenta uma nova dimensão à discussão. "Vocês eram escravos", ele começa, traçando uma comparação muito adequada. O pecado é um senhor de escravos que nos controla quer gostemos quer não. Paradoxalmente, uma busca impetuosa de liberdade com frequência acaba em escravidão: insista na liberdade de perder o controle sempre que sentir raiva e logo você descobrirá que é escravo da ira. Na vida moderna, essas coisas das quais os adolescentes se cercam para expressar sua liberdade — fumo, álcool, drogas, pornografia — acabam sendo seus senhores inexoráveis.

Para muitos, o pecado é como um tipo de escravidão — ou, em termos atuais, um vício. Qualquer membro do "programa dos doze passos" pode descrever o processo. Estabeleça uma firme resolução de não se entregar ao seu vício e, durante algum tempo, você se aquecerá na liberdade. Quantos, contudo, experimentam o triste retorno à escravidão!

Eis aqui uma descrição exata do paradoxo do romancista François Mauriac:[23]

> Uma a uma as paixões despertaram, rondando furtivamente e farejando o objeto de seu desejo; atacam pelas costas a pobre alma indecisa, que está liquidada. Quantas vezes foi arremessada na poça, coberta de lama endurecida, agarrando-se às margens para voltar à luz, para sentir suas mãos fraquejando e retomar de novo às trevas, antes de, finalmente, submeter-se à lei da vida espiritual — a lei menos compreendida no mundo e aquela que o repele mais, embora sem ela não consiga obter a graça da perseverança. O necessário é a renúncia do ego, e isso se expressa perfeitamente na frase de Pascal: "Renúncia doce e total. Absoluta submissão a Jesus Cristo e ao meu orientador espiritual".
>
> As pessoas podem rir e zombar de você por ser indigno do título de homem livre e por ter de submeter-se a um senhor.[...] Mas essa escravidão é realmente uma libertação milagrosa, pois mesmo quando você estava livre, passava o tempo todo inventando e colocando correntes em si mesmo, apertando-as cada vez mais a cada momento. Durante os anos em que pensou que era livre, submeteu-se como um boi ao jugo de seus incontáveis males hereditários. Desde o momento de seu nascimento nenhum dos seus crimes deixou de continuar vivo, não deixou de aprisioná-lo mais e mais a cada dia, não deixou de gerar outros crimes. O homem a quem você se submete *não quer que você seja livre para ser escravo*: ele rompe o ciclo de seus grilhões e, contra os seus quase extintos e ainda latentes desejos, acende e reacende o fogo da Graça.

Ainda em uma terceira ilustração (Romanos 7.1-6), Paulo compara a vida espiritual ao casamento. A analogia básica não é nova, pois a Bíblia com frequência apresenta Deus como um noivo amoroso indo atrás de uma noiva volúvel. A intensidade dos sentimentos que nutrimos pela pessoa que escolhemos para passar a vida reflete a paixão que Deus sente por nós, e ele deseja que sua paixão seja retribuída na mesma moeda.

Muito mais do que a morte, muito mais do que a escravidão, a analogia do casamento propicia uma resposta à pergunta com a qual Paulo começou: "Por que ser bom?" Realmente, essa pergunta está errada. Deveria ser: "Por que amar?".

Houve um verão em que precisei aprender alemão básico para concluir um doutorado. Que verão terrível! Nas maravilhosas tardes em que meus amigos velejavam pelo Lago Michigan, andavam de bicicleta e bebericavam *capuccinos* nos cafés ao ar livre, eu hibernava com um professor de primeiríssima qualidade, analisando verbos alemães. Cinco noites por semana, três horas por noite, eu passava memorizando vocabulário e terminações que nunca mais usaria. Suportei essa tortura com um único propósito: passar no exame e obter meu doutorado.

E se o secretário da escola tivesse me prometido: "Philip, queremos que você estude muito, aprenda alemão e preste o exame, mas prometemos de antemão que você vai passar no teste. Seu diploma está pronto", você acha que eu teria passado todas as deleitáveis tardes de verão em um apartamento quente e abafado? Nunca. Em resumo, esse é o dilema teológico que Paulo confronta em Romanos.

Por que aprender alemão? Há motivos nobres, é claro — as línguas ampliam a mente e expandem o âmbito da comunicação —, mas isso nunca me motivou a estudar alemão antes. Eu aprendi por motivos egoístas, para concluir um doutorado, e apenas a ameaça das consequências que pesavam sobre mim levou-me a reordenar minhas prioridades de verão. Hoje, lembro-me muito pouco do alemão que armazenei na mente. "A velhice da letra" (a descrição da lei do Antigo Testamento feita por Paulo) produz resultados em curto prazo, na melhor das hipóteses.

O que me inspiraria a aprender alemão? Posso imaginar um incentivo poderoso. Se minha esposa, a mulher pela qual me apaixonei, falasse apenas alemão, eu teria aprendido essa língua em tempo recorde. Por quê? Porque teria um desejo desesperado de comunicar-me *mit einer schönen Frau* [*com uma mulher bonita*]. Teria passado noites acordado, analisando verbos e colocando-os adequadamente nos finais de minhas frases nas cartas de amor, acariciando cada acréscimo ao meu vocabulário como uma nova maneira de me expressar àquela a quem amava. Teria aprendido alemão de boa vontade, com o próprio relacionamento como recompensa.

Essa realidade ajuda-me a compreender a ríspida exclamação de Paulo, "Deus me livre!", à pergunta "Permaneceremos no pecado, para que a graça aumente?". Será que um noivo na noite do casamento manteria a seguinte conversa com a noiva: "Querida, eu a amo muito. Estou ansioso em passar a minha vida com você, mas preciso esclarecer alguns detalhes. Depois de casado, até onde posso ir com outras mulheres? Posso dormir com elas? Beijá-las? Você não se importaria com alguns casos de vez em quando, não é? Sei que isso a magoaria, mas imagine só todas as oportunidades que você terá de me perdoar depois que eu a trair!" Para esse *don juan,* a única resposta razoável é uma bofetada no rosto e um "Deus me livre!". Obviamente, ele não compreende nada a respeito do amor.

Semelhantemente nos aproximamos de Deus com uma atitude de "O que eu posso fazer?" prova que não temos ideia do que Deus tem em mente para nós. Ele quer alguma coisa muito além do relacionamento que eu poderia ter com um senhor de escravos, que forçaria minha obediência com um chicote. Deus não é um patrão, um gerente ou um gênio mágico para servir às nossas ordens.

Realmente, ele quer alguma coisa mais íntima do que o relacionamento mais íntimo neste mundo, o laço para toda a vida entre um homem e uma mulher. O que Deus deseja não é um bom desempenho, mas meu coração. Eu faço coisas boas para minha esposa não para ganhar pontos com dela, mas, sim, para expressar meu amor. De igual maneira, Deus deseja que eu sirva "de maneira nova no Espírito": não por compulsão, mas por desejo. "Discipulado", afirma Clifford Williams, "significa simplesmente a vida que brota da graça."[24]

Se eu tivesse de resumir as principais motivações do Novo Testamento para "ser bom" em uma única palavra, escolheria *gratidão*. Paulo começa a maior parte de suas cartas com um resumo das riquezas que possuímos em Cristo. Se compreendermos o que Cristo fez por nós, então certamente, por gratidão, lutaremos para viver de maneira digna de tão grande amor. Lutaremos por santidade não para fazer Deus nos amar, mas porque Ele já nos ama. Como Paulo disse a Tito, é a graça de Deus que "nos ensina a renunciar à impiedade e às paixões mundanas e a viver de maneira sensata, justa e piedosa nesta era presente".[25]

Em suas memórias, *Ordinary Time* [Tempo regulamentar], a escritora católica Nancy Mairs fala de seus anos de rebelião contra as imagens infantis de um "Papai do céu" que só podia ser agradado se ela seguisse uma lista de difíceis prescrições e proibições:

> O fato de essas prescrições e proibições tomarem sua forma mais básica como mandamentos sugeria que a natureza humana tinha de ser forçada para o bem. Entregue a seus próprios esquemas, ela preferiria ídolos, irreverências, manhãs dominicais ociosas com pãezinhos frescos e o *New York Times;* desrespeito à autoridade, homicídios, adultérios, roubos, mentiras e a cobiça de todas as coisas que pertencem ao vizinho.[...] Eu estava sempre à beira de cometer um "não faça", para fazer em seguida uma reparação pedindo perdão ao próprio ser que me havia levado a transgredir, pois proibindo os comportamentos ele claramente esperava que eu os cometesse, antes de mais nada: o Deus do "te peguei", poderíamos dizer.[26]

Mairs transgrediu uma porção dessas regras, sentiu-se constantemente culpada e, então, em suas palavras, "aprendeu a desenvolver-se sob os cuidados" de um Deus que "pedia a simples atitude que tornaria a transgressão impossível: amor".

O melhor motivo para ser bom é desejar ser bom. A mudança interior exige relacionamento. Exige amor. "Quem pode ser bom, se não pelo amor?", pergunta Agostinho.[27] Quando Agostinho fez a famosa declaração "Se você apenas amar a Deus poderá fazer tudo o que desejar", ele estava falando muito sério. Uma pessoa que realmente ama a Deus ficará inclinada a agradar a Deus. Foi justamente o que Jesus e Paulo disseram ao resumir toda a lei no simples mandamento: "Amar a Deus".

Se captarmos a maravilha do amor de Deus por nós, a pergunta tortuosa de Romanos 6 e 7 — "O que eu posso fazer?" — nunca nos ocorrerá. Passaremos nossos dias tentando nos aprofundar na graça de Deus, não simplesmente explorando-a.

15
Anulação da graça

> Mas pode aquele que tem o vinho desejar a uva?
>
> GEORGE HERBERT

Já tive muitos encontros cara a cara com o legalismo. Sou oriundo de uma cultura fundamentalista do Sul que fazia cara feia para rapazes e moças nadando juntos, para o uso de *shorts*, joias ou maquiagem e que era contra a dança, o boliche e a leitura dos jornais dominicais. O álcool era um pecado de categoria diferente, carregado com o odor sulfuroso do inferno.

Mais tarde, frequentei uma faculdade cristã onde, em uma era de minissaias, os decanos legislavam uma saia abaixo dos joelhos. Se uma aluna usasse saia de comprimento duvidoso, a reitora feminina exigia que ela se ajoelhasse para ver se a saia tocava o chão. Calças compridas eram proibidas para mulheres — exceto durante passeios no campo, quando tinham de ser usadas *por baixo das saias*, garantindo o recato. Uma faculdade cristã concorrente chegou a ponto de banir vestidos com bolinhas, uma vez que as bolinhas poderiam chamar a atenção para partes "sugestivas" do corpo. Os alunos do sexo masculino de nossa escola tinham regras próprias, incluindo uma restrição contra cabelos que cobrissem orelhas e barba. O namoro era regulamentado: mesmo tendo ficado noivo antes do último ano, eu só podia ver minha noiva durante a hora do jantar e não podia beijá-la ou segurar suas mãos.

A faculdade também tentava monitorar o relacionamento dos estudantes com Deus. Logo pela manhã uma campainha tocava, convocando-nos para a hora devocional particular. Se fôssemos apanhados dormindo, teríamos de ler e fazer um relatório de um livro como *The Christian's Secret of a Happy*

Life [O segredo do cristão para uma vida feliz]. (Fico imaginando se as autoridades consideraram o impacto a longo prazo na prescrição de livros assim como castigo.)

Alguns alunos abandonaram a escola, alguns cumpriram alegremente as regras e outros aprenderam a fingir, vivendo uma vida dupla. Eu sobrevivi em parte por causa dos *insights* recebidos ao ler a obra clássica de Erving Goffman, *Asylums* [Asilos]. O grande sociólogo examinava uma série do que ele chamou de "instituições totais", incluindo mosteiros, internatos particulares, hospícios, prisões e academias militares. Cada uma delas tinha uma longa lista de regras despersonalizantes e arbitrárias, utilizadas como meio de dissipar a individualidade e reforçar a conformidade. Cada conjunto de regras era um sistema sutilmente afinado de ausência de graça.

O livro de Goffman ajudou-me a ver a faculdade cristã, e o fundamentalismo em geral, como um ambiente controlado, uma subcultura. Eu estava magoado com esse ambiente, mas comecei a perceber que cada um de nós se desenvolve em uma subcultura. Alguns (como os judeus hassídicos e os muçulmanos fundamentalistas) são mais legalistas do que os fundamentalistas do Sul; outros (as gangues das cidades e os grupos militares de direita) são muito mais perigosos; outros ainda (a subcultura do videogame/MTV) parecem benignos na superfície, mas se revelam insidiosos. Minha resistência ao fundamentalismo abrandou-se quando considerei as alternativas.

Comecei a ver a faculdade cristã como um tipo de academia militar espiritual: ambas exigiam camas bem feitas, cabelo mais curto e postura mais rígida do que as outras escolas. Se eu não gostasse daquilo, podia ir embora.

O que me aborrece, em retrospectiva, era a tentativa da faculdade cristã de relacionar todas as regras com a lei de Deus. No livro de 66 páginas das regras —brincávamos que ele incluía uma página para cada livro da Bíblia — e nos cultos na capela, deões e professores esforçavam-se para fundamentar cada regra em princípios bíblicos. Eu fervia de raiva diante de suas tentativas contorcionistas de condenar o cabelo comprido nos homens, cientes de que Jesus e muitas personagens bíblicas que estudávamos provavelmente tinham cabelos mais longos do que os nossos. A regra a respeito do comprimento do cabelo tinha mais a ver com a probabilidade de ofender os mantenedores do que qualquer coisa nas Escrituras, mas ninguém se atrevia a admitir isso.

Não podia encontrar uma palavra na Bíblia a respeito de *rock*, comprimento de saias ou uso de cigarros. Além disso, a proibição do álcool colocava-nos do lado de João Batista, não de Jesus. Mas as autoridades daquela escola estavam determinadas a apresentar todas aquelas regras como parte do evangelho. A subcultura misturava-se com a mensagem.

Devo esclarecer que, de muitas maneiras, agora me sinto grato pela severidade do fundamentalismo, que talvez me tenha mantido afastado de problemas. O legalismo restrito estabelece fronteiras para os desvios: podíamos matar aula para jogar boliche, mas nunca pensaríamos em tocar em álcool ou — o que seria muito pior — drogas. Embora não encontre nada na Bíblia contra o fumo, sinto-me grato pelo fato de o fundamentalismo ter-me assustado e afastado dele antes mesmo que o Ministério da Saúde criasse excelentes campanhas.

Resumindo, tenho poucos ressentimentos contra essas regras especiais, mas muito ressentimento contra a maneira pela qual eram estabelecidas. Eu nutria o sentimento constante e esmagador de que obedecer a um código externo de comportamento era a maneira de agradar a Deus — mais do que isso, de fazer Deus me amar. Levou anos para destilar o evangelho da subcultura na qual eu o conheci. Lamentavelmente, muitos dos meus amigos desistiram dos esforços, nunca se aproximando de Jesus porque a intolerância da igreja bloqueara o caminho.

Hesito em escrever a respeito dos perigos do legalismo em uma época em que ambas, a igreja e a sociedade, parecem estar se inclinando em direção oposta. Ao mesmo tempo, não sei de nada que represente ameaça maior para a graça. O legalismo pode "funcionar" em uma instituição tal como uma faculdade cristã ou a Marinha. Em um mundo carente de graça, a desonra estruturada tem poder considerável. Mas há um preço, um preço incalculável: a não graça não funciona no relacionamento com Deus. Passei a ver o legalismo em sua busca de falsa pureza como um esquema elaborado para fugir da graça. Você pode conhecer a lei de cor sem conhecer sua essência.

Tenho um amigo que tentou ajudar um homem de meia-idade a vencer sua reação alérgica à igreja; no caso dele, o fato devia-se a uma criação exageradamente severa em escolas católicas. "Você vai realmente permitir que algumas freiras vestidas de branco e preto o mantenham longe do Reino de

Deus?", meu amigo perguntou. O mais trágico é dizer que, durante anos, a resposta foi "sim".

Quando estudo a vida de Jesus, um fato sempre me surpreende: o grupo que deixou Jesus mais irado foi aquele com o qual, pelo menos externamente, Ele mais se identificava. Os mestres concordam que Jesus tinha o perfil rigoroso de um fariseu. Obedecia à Torá, ou lei mosaica, citava os fariseus famosos e, com frequência, concordava com eles em argumentos públicos. Jesus, porém, dirigiu aos fariseus seus mais fortes ataques. "Serpentes! Raça de víboras! Hipócritas! Guias cegos! Sepulcros caiados!",[1] era assim que ele os chamava.

O que provocava essas explosões? Os fariseus tinham muita coisa em comum com aqueles que, atualmente, a imprensa talvez chamasse de fundamentalistas bíblicos. Eles dedicavam suas vidas para seguir a Deus, eram pontuais com relação ao dízimo, obedeciam à Torá nos mínimos detalhes e enviavam missionários para arrebanhar novos convertidos. Diferindo dos relativistas e secularistas do primeiro século, mantinham-se fiéis aos valores tradicionais. Raramente envolvidos em pecado sexual ou crime violento, eram cidadãos-modelo.

A violenta denúncia contra os fariseus indica com que seriedade Jesus considerava a ameaça nociva do legalismo. Seus perigos eram indefiníveis, escorregadios, difíceis de derrubar. Tenho percorrido o Novo Testamento em busca deles — especialmente Lucas 11 e Mateus 23, onde Jesus disseca os fariseus moralmente. Menciono-os aqui pois creio que esses perigos representam uma ameaça tão grande no século 20 como no primeiro século. Hoje o legalismo assume formas diferentes das que existiam na minha infância, mas nunca desapareceu.

Acima de qualquer coisa, Jesus condenou a ênfase legalista dada às *aparências*. "Vocês, fariseus, limpam o exterior do copo e do prato, mas interiormente estão cheios de ganância e de maldade",[2] ele afirmou. Expressões de amor a Deus transformaram-se, com o passar do tempo, em meios de impressionar os outros. No tempo de Jesus, os religiosos assumiam uma aparência lúgubre e faminta durante um curto período de jejum, faziam orações longas e eloquentes em público e usavam porções da Bíblia amarradas aos corpos.

Em seu Sermão do Monte, Jesus denunciou as motivações existentes por trás dessas práticas aparentemente inocentes:

> "Portanto, quando você der esmola, não anuncie isso com trombetas, como fazem os hipócritas nas sinagogas e nas ruas, a fim de serem honrados pelos outros. Eu lhes garanto que eles já receberam sua plena recompensa. Mas quando você der esmola, que a sua mão esquerda não saiba o que está fazendo a direita, de forma que você preste a sua ajuda em segredo. E seu Pai, que vê o que é feito em segredo, o recompensará.
>
> "E quando vocês orarem, não sejam como os hipócritas. Eles gostam de ficar orando em pé nas sinagogas e nas esquinas, a fim de serem vistos pelos outros. Eu lhes asseguro que eles já receberam sua plena recompensa. Mas quando você orar, vá para seu quarto, feche a porta e ore a seu Pai, que está em secreto. Então seu Pai, que vê em secreto, o recompensará.[3]

Tenho visto o que acontece quando os cristãos ignoram os mandamentos de Jesus. Por exemplo, a igreja que frequentei em minha infância realizava uma campanha anual para arrecadar fundos para missões estrangeiras.[a] Do púlpito, o pastor citava os nomes e as quantias recebidas: "Sr. Jones, 500 dólares... E ouçam isto: a família Sanderson oferece 2 mil dólares! Louvado seja o Senhor!" Todos nós aplaudíamos e dizíamos "Amém!". E os Sanderson reluziam. Quando criança eu tinha fome desse tipo de reconhecimento público, não para promover a causa das missões estrangeiras, mas para encontrar aprovação e ser aplaudido. Uma vez, fui à frente levando um grande saco de moedas. Acreditem, nunca me senti mais justo do que quando o pastor interrompeu o andamento do culto, elogiou-me e orou pelas minhas moedinhas. Recebi minha recompensa.

Hoje, a tentação ainda existe. Quando ofereço uma contribuição substancial para uma organização não lucrativa, os beneficiários me dão tratamento especial, com meu nome destacado no boletim organizacional. Recebo cartas

---

[a] Sim, trata-se da mesma igreja que excluía membros negros. Levantávamos mais de 100 mil dólares — muito dinheiro nas décadas de 1950 e 60 — para enviar missionários às pessoas da raça negra, mas não permitíamos que nenhuma dessas pessoas entrasse em nossa igreja [N. do A.].

especiais do presidente que, explicam-me, são enviadas apenas ao grupo de doadores de elite. Admito que me deleito com as cartas elogiosas — até ler novamente o Sermão do Monte.

Leon Tolstoi, que lutou contra o legalismo toda sua vida, entendia as fraquezas de uma religião fundamentada nos aspectos exteriores. O título de um dos seus livros fala disso: *The Kingdom of God Is Within You* [O Reino de Deus está entre vocês]. De acordo com Tolstoi, todos os sistemas religiosos tendem a promover regras exteriores, ou moralismo. Em contraste, Jesus recusou definir um conjunto de regras que seus seguidores pudessem então cumprir com um senso de satisfação. Ninguém jamais pode "chegar lá" à luz de ordens tão amplas como "Ame o Senhor, o seu Deus de todo o seu coração, de toda a sua alma e de todo o seu entendimento".[4] "Portanto, sejam perfeitos como perfeito é o Pai celestial de vocês."[5]

Tolstoi traçou um contraste entre o método de Jesus e o de todas as outras religiões:

> A prova da observância dos ensinamentos religiosos exteriores é se a nossa conduta se conforma ou não com seus decretos (como, por exemplo, guardar o sábado, dar o dízimo ou ser circuncidado). Tal conformidade realmente é possível.
>
> A prova da observância dos ensinamentos de Cristo é nossa conscientização dos fracassos em atingir uma perfeição ideal. O grau em que nos aproximamos dessa perfeição não pode ser visto; tudo o que podemos ver é a extensão de nosso desvio.
>
> Um homem que professa uma lei externa é como alguém de pé à luz de uma lanterna fixada em um poste. É uma luz que o envolve todo, mas não há mais nenhum lugar para ele andar. Um homem que professa os ensinamentos de Cristo é como um homem carregando uma lanterna: a luz está diante dele, sempre iluminando um pedaço de chão novo e sempre o encorajando a caminhar mais.[6]

Em outras palavras, a prova da maturidade espiritual não é quanto você está "puro", mas, sim, a conscientização de sua impureza. Essa mesma conscientização abre a porta para a graça.

"Quanto a vocês, peritos na lei, disse Jesus, 'ai de vocês também!, porque sobrecarregam os homens com fardos que dificilmente eles podem carregar.'

"⁷ Com o passar do tempo, o espírito do cumprimento da lei se cristaliza em *extremismo*. Não conheço nenhum tipo de legalismo que não busque alargar seu domínio de intolerância.

Os escribas e fariseus que estudavam a Lei de Moisés, por exemplo, fizeram muitos acréscimos aos seus 613 regulamentos. O rabino Eliezer, o Grande, especificou com que frequência um trabalhador comum, um condutor de burros, de camelos, ou um marinheiro deveriam fazer sexo com as esposas. Os fariseus acrescentaram dezenas de emendas às regras referentes ao sábado. Um homem podia montar um jumento sem transgredir as regras do sábado, mas se carregasse uma vara para apressar o animal seria culpado de sobrecarregá-lo. Uma mulher não podia olhar-se no espelho no sábado para não perceber algum cabelo grisalho e se sentir tentada a arrancá-lo. Podia-se engolir vinagre, mas não fazer gargarejo.

Os fariseus tinham a liberdade de melhorar qualquer coisa que Moisés tivesse dito. O terceiro mandamento, "Não tomarás em vão o nome do Senhor, o teu Deus",[8] transformou-se em uma proibição de usar o nome do Senhor de qualquer forma. Sendo assim, até hoje os judeus escrevem "D-s", em vez de "Deus", e nunca enunciam a palavra. Apenas por segurança, os mestres interpretam a lei "Não cozinhem o cabrito no leite da própria mãe"[9] como uma proibição de misturar carne com laticínios. É por isso que clínicas, hospitais e casas de repouso *kosher* são equipados com duas cozinhas, uma para carne e outra para os laticínios. "Não adulterarás"[10] levou os fariseus a criar regras contra falar ou até mesmo olhar para mulheres que não fossem suas esposas. Os "fariseus sangrentos" — que andavam de cabeça baixa e batiam-na em paredes, postes ou árvores — usavam seus hematomas como sinal de santidade.

A desconsideração desses acréscimos à lei mosaica provocou constantes problemas para Jesus. Ele curou pessoas aos sábados e permitiu que seus discípulos colhessem espigas quando estavam com fome. Conversava com mulheres à luz do dia. Comia com pessoas "impuras" e dizia que nada que as pessoas comessem podia torná-las impuras. E o mais surpreendente: dirigia-se a Deus chamando-o de "Aba".

A história da Igreja revela que algumas vezes os cristãos superaram os fariseus em seu extremismo. No século 4, os monges viviam de uma dieta de pão, sal e água. Um monge construiu para si uma cela tão pequena que tinha de se dobrar em dois para entrar nela; outro passou dez anos em uma gaiola circular. Outros monges viviam em florestas e colhiam ervas e raízes para comer; alguns usavam apenas uma tanga de espinhos. Simão Estilita estabeleceu o padrão para o extremismo: viveu no topo de uma coluna durante 37 anos e prostrava-se 1.244 vezes por dia.

Os cristãos nos Estados Unidos, defensores da liberdade e do pragmatismo, tiveram seus próprios lances de extremismo. Seitas como a dos *shakers* proibiam o sexo e o casamento (garantindo sua extinção final). O grande pregador e evangelista Charles Finney não tomava café nem chá e insistia para que a escola fundada por ele, o Oberlin College, banisse condimentos como pimenta, mostarda, azeite e vinagre. Mais recentemente, um amigo pregou no funeral de um jovem adventista do sétimo dia que jejuou até a morte por estar preocupado com os tipos de alimentos permitidos.

Nós rimos ou choramos, conforme o caso, diante desses sintomas de extremismo, mas os cristãos devem reconhecer que essas tendências fazem parte constante de nossa herança. Em todo o mundo, o padrão mudou com os "cristãos ocidentais" conhecidos agora por sua decadência, não devido ao seu legalismo extremo. Para se ter uma ideia, alguns países muçulmanos instituem uma polícia moral para espancar mulheres que se atrevem a dirigir ou andar sem véu em público. Os hotéis em Israel instalaram elevadores "sabáticos" que, no sábado, param automaticamente em todos os andares para que os judeus ortodoxos evitem o trabalho de apertar os botões.

O pêndulo, porém, balança; em alguns grupos cristãos, o extremismo está em alta. Onde o legalismo se enraíza, os espinhos agudos do extremismo finalmente brotam.

O legalismo é um perigo sutil porque ninguém se considera legalista. Minhas próprias regras parecem necessárias; as regras de outras pessoas parecem excessivamente severas.

"Vocês dão o dízimo da hortelã, do endro e do cominho, mas têm negligenciado os preceitos mais importantes da lei: a justiça, a misericórdia e a fidelidade.[...] Guias cegos! Vocês coam um mosquito e engolem um camelo."[11]

Jesus não criticou os fariseus pelo extremismo propriamente dito — duvido de que Ele realmente se importasse com o que eles comiam ou quantas vezes lavavam as mãos. Mas o Senhor Jesus se importava porque impunham o extremismo aos outros e porque se concentravam nas *trivialidades,* negligenciando assuntos mais importantes. Os mesmos mestres que davam o dízimo de suas especiarias culinárias pouco tinham a dizer a respeito da injustiça e da opressão na Palestina. E, quando Jesus curou uma pessoa no sábado, seus críticos pareciam muito mais preocupados com o protocolo do que com o doente.

O legalismo revelou sua baixeza na execução de Jesus: os fariseus esforçaram-se para não entrar no palácio de Pilatos antes da festa da Páscoa e arranjaram a crucificação de tal modo que não interferisse nas regras do sábado. Assim, o maior crime da História foi realizado com atenção total aos detalhes legalistas.

Tenho visto muitas ilustrações modernas da tendência do legalismo para as trivialidades. A igreja na qual fui criado tinha muito a dizer a respeito do corte de cabelo, das joias e do *rock,* mas nenhuma palavra a respeito da injustiça racial e do sofrimento dos negros no Sul. Na faculdade cristã, nunca ouvi uma referência ao Holocausto na Alemanha, talvez o pecado mais hediondo de toda a História. Estávamos ocupados demais medindo saias para nos preocupar com questões políticas contemporâneas como a guerra nuclear, o racismo ou a fome no mundo. Encontrei estudantes sul-africanos provenientes de igrejas nas quais os jovens cristãos não mascavam chicletes, não oravam com as mãos nos bolsos e as calças *jeans* tornavam a pessoa espiritualmente suspeita. No entanto, essas mesmas igrejas defendiam vigorosamente a doutrina racista do *apartheid.*

Um delegado americano no Congresso da Aliança Batista Mundial em Berlim, em 1934, enviou um relatório a respeito do que encontrou no regime de Hitler:

> Foi um grande alívio estar em um país onde a obscena literatura sexual não pode ser vendida; onde filmes pútridos e violentos não podem ser exibidos. A nova Alemanha queimou grandes quantidades de livros e revistas corruptores com suas fogueiras de livrarias judias e comunistas.[12]

O mesmo delegado defendia Hitler como um líder que não fumava nem bebia, que queria que as mulheres se vestissem sem exageros e que se opunha à pornografia.

É muito fácil apontar o dedo para os cristãos alemães da década de 1930, para os fundamentalistas sulistas da década de 1960, ou para os calvinistas sul-africanos da década de 1970. O que me deixa preocupado é que os cristãos contemporâneos podem um dia ser julgados exatamente com a mesma aspereza. Que trivialidades nos preocupam, e que assuntos sérios da lei — justiça, misericórdia, fidelidade — podemos estar negligenciando? Será que Deus se preocupa mais com um *piercing* no nariz do que com a decadência urbana?

O escritor Tony Campolo, que circula regularmente como orador nas capelas das universidades cristãs, durante algum tempo usou essa provocação para lograr seu intento: "As Nações Unidas relatam que mais de dez mil pessoas morrem de fome todos os dias, e a maioria de vocês não dá a mínima e diz: 'Que vão à m....'. Mas o que é ainda mais trágico é que a maioria aqui está mais preocupada com o fato de eu ter pronunciado um palavrão do que com o fato de dez mil pessoas estarem morrendo agora." A reação foi a prova que ele queria: em quase todos os casos, Tony recebia uma carta do capelão ou do diretor da faculdade protestando pela linguagem indecente. As cartas nunca mencionavam a fome do mundo.

Grande parte do comportamento considerado pecaminoso na minha criação é agora prática comum em muitas igrejas evangélicas. Embora as manifestações tenham se modificado, o espírito do legalismo não. Agora estou mais predisposto a encontrar um legalismo de pensamento. Alguns amigos escritores que se atrevem a questionar a doutrina que herdamos sobre aborto ou homossexualismo, por exemplo, enfrentam o mesmo julgamento hoje que os cristãos enfrentaram por causa do "beber socialmente" na subcultura fundamentalista.

Já mencionei os insultos que Tony Campolo recebeu por seus pedidos para que demonstrássemos mais compaixão aos homossexuais. Outra amiga, Karen Mains, teve de encerrar a carreira como radialista depois de uma campanha crítica contra suas obras. As ditas "alterações da Palavra de Deus" de Eugene Peterson, em sua paráfrase da Bíblia, *The Message* [A mensagem],[b] fizeram dele alvo de um autoeleito sentinela de seitas. Richard Foster atreveu-se a utilizar palavras como "meditação" em suas obras a respeito das disciplinas espirituais,[c] o que o colocou sob suspeita de ser um novo herege. Chuck

---

[b] No prelo, por Editora Vida [N. do E.].
[c] Ver *Celebração da disciplina*, Vida, 1983 [N. do E.].

Colson contou-me sobre a correspondência terrível recebida de cristãos em resposta à sua aceitação do Prêmio Templeton para o Progresso da Religião que, às vezes, é concedido a não cristãos. "Nossos irmãos foram menos caridosos do que a mídia secular durante o caso Watergate", disse ele, acusador. O correio esquentou ainda mais quando ele assinou uma declaração de mútua cooperação com os católicos.

"...Tenham cuidado com o fermento dos fariseus, que é a hipocrisia." "Mas não façam o que eles fazem, pois não praticam o que pregam."[13] A palavra *hipocrisia* significa, simplesmente, "colocar uma máscara". Evidentemente, Jesus cunhou a palavra, tomando-a emprestada dos atores gregos, ou *hypocrites*, que entretinham multidões em um teatro ao ar livre. Ela descrevia uma pessoa que coloca uma máscara para causar boa impressão.

Como parte de uma bolsa de estudos, meu amigo Terry Muck estudou o legalismo entre os monges budistas no Sri Lanka. Os monges tinham concordado em obedecer às 212 regras de Buda, muitas das quais estavam agora fora de moda e eram impraticáveis. Terry ficava imaginando como eles conseguiam conciliar sua necessidade de viver em um mundo moderno com o apego a um código legalista antiquado. Por exemplo, Buda especificara que nenhum monge podia carregar dinheiro, mas Terry observou que os monges pagavam passagens nos ônibus da cidade. "Vocês seguem as 212 regras?", ele lhes perguntou. "Sim." "Vocês lidam com dinheiro?" "Sim." "Vocês conhecem a regra contra a utilização do dinheiro?" "Sim." "Vocês seguem todas as regras?" "Sim."

As regras também proibiam comer depois do meio-dia, pois os monges viviam de esmolas e Buda não queria que seus discípulos sobrecarregassem as donas de casa. Os monges modernos contornam essa regra fazendo o relógio parar ao meio-dia todos os dias; depois da refeição da tarde, eles acertam o relógio de novo.

Tenho utilizado exemplos do budismo, mas, em minha própria experiência, a hipocrisia é um dos motivos mais comuns pelos quais as pessoas rejeitam o cristianismo. Os cristãos professam os "valores da família", mas alguns estudos mostram que alugam vídeos considerados perniciosos, divorciam-se, abusam de seus filhos na mesma proporção das outras pessoas.

Entretanto, a própria natureza do legalismo incentiva a hipocrisia porque ela define um conjunto de regras que pode encobrir o que ocorre internamente. Em uma universidade cristã, e até mesmo em uma igreja, todos aprendem sobre como parecer "espiritual". A ênfase no exterior torna fácil para uma pessoa fingir, conformar-se, adequar-se, mesmo ignorando ou ocultando os problemas internos. Anos depois de sair da faculdade cristã, fiquei sabendo que alguns de meus colegas sofreram com profundos problemas interiores — depressão, homossexualismo, vícios — que não foram resolvidos durante o período em que estiveram ali. Eles se concentravam apenas em se adequar ao comportamento que os cercava.

Uma das passagens mais solenes do Novo Testamento, e uma das poucas que indicam castigo direto, aparece em Atos 5. Trata-se da história de Ananias e Safira. Esse casal praticou uma boa obra, vendendo sua propriedade e doando grande parte do dinheiro recebido à igreja. Mas fez uma coisa errada: esforçando-se para parecer mais espiritual, agiram como se estivessem doando *todo* o dinheiro. Em outras palavras, representaram espiritualmente. A dura resposta a Ananias e Safira indica com que seriedade Deus olha para a hipocrisia.

Conheço apenas duas alternativas para a hipocrisia: perfeição ou honestidade. Uma vez que nunca conheci nenhuma pessoa que ame ao Senhor nosso Deus de todo o seu coração, mente e alma, e ao próximo como a si mesma, não vejo a perfeição como uma alternativa realista. Nossa única opção, portanto, é a honestidade que leva ao arrependimento. Como a Bíblia indica, a graça de Deus pode cobrir qualquer pecado, até mesmo homicídio, infidelidade ou traição. Mas, por definição, a graça deve ser recebida, e a hipocrisia disfarça nossa necessidade de recebê-la. Quando a máscara cai, a hipocrisia fica exposta como um ardil elaborado para evitar a graça.

"Tudo o que fazem é para serem vistos pelos homens [...] gostam do lugar de honra nos banquetes e dos assentos mais importantes nas sinagogas, de serem saudados nas praças e de serem chamados 'rabis'."[14]

A crítica de Jesus se concentra no que o legalismo faz ao que guarda a lei: desperta sentimentos de *orgulho* e de *competição*. Em vez de avançar na tarefa de criar uma sociedade justa que brilharia como uma luz aos gentios, os fariseus estreitavam sua visão e começavam a competir uns com os outros.

Ocupados na tentativa de impressionar uns aos outros com calistenia espiritual, perdiam contato não só com o verdadeiro inimigo, mas também com o restante do mundo. "Das devoções tolas e dos santos de cara fechada, poupa-nos, ó Senhor", orava Teresa de Ávila.

Como um legalista convalescente, tenho de me lembrar que, apesar de toda a sua severidade, os fariseus não pareciam sentir o peso das obrigações da lei. Eles continuavam inventando novas regras, apesar de tudo. Viam a severidade como meio de ganhar *status*. Jesus condenou esse orgulho. E condenou também a espiritualidade que classificava alguns pecados como aceitáveis (ódio, materialismo, luxúria, divórcio) e outros como inaceitáveis (homicídio, adultério, transgressão do sábado).

Nós, cristãos, temos nossa própria relação de pecados "aceitáveis" e "inaceitáveis". Enquanto evitamos os pecados mais graves, sentimo-nos muito bem a respeito de nosso *status* espiritual. O problema é que nossa compreensão dos pecados graves continua mudando. Na Idade Média, emprestar dinheiro a juros era considerado algo imoral, de tal modo que os judeus é que faziam o trabalho sujo. Hoje, os cristãos fazem uso de cartões de crédito e de empréstimos para compra de casa própria sem nenhum sentimento de culpa. A lista dos sete pecados capitais incluía gula, inveja e preguiça espiritual ou "melancolia" — comportamentos que raramente são dignos de sermão nos dias de hoje.

Durante a era vitoriana, os pecados sexuais ficavam no topo da lista — ou embaixo, dependendo de como você olhasse —, de modo que a palavra "imoralidade" veio a indicar pecados sexuais. Quando eu era criança, o divórcio e o alcoolismo encabeçavam a lista. Agora, nas igrejas evangélicas modernas, o aborto e o homossexualismo subiram de posto.

Jesus tinha uma visão totalmente diferente do pecado. Em vez de classificar os pecados como significativos ou menos significativos, ele elevava os olhos dos seus ouvintes para um Deus perfeito, diante do qual todos nós somos pecadores. Todos nós carecemos da graça de Deus. Isaías traduziu isso em linguagem terrena: "Todos os nossos atos de justiça", disse o profeta, "são como trapo imundo",[15] literalmente, "roupas de baixo sujas".

Ironicamente, os pecadores notórios têm uma espécie de vantagem quando se trata de graça. O escritor Graham Greene costumava dizer que sua fé religiosa se intensificava quando ele cometia alguma imoralidade, pois, então, ele ia à igreja e se confessava por causa do desespero. Não tinha desculpas nem fundamentos para defender seu comportamento.

A história de Jesus a respeito do filho perdido apresenta um ponto semelhante. O filho não tinha como ficar de pé, não tinha base possível para orgulho espiritual. Falhara, qualquer que fosse a medida de avaliação espiritual; agora não tinha nada em que se apoiar além da graça. O amor e o perdão de Deus estendiam-se igualmente para o virtuoso irmão mais velho, naturalmente, mas esse filho, ocupado demais em se comparar com o irmão irresponsável, estava cego à verdade a respeito de si mesmo. Nas palavras de Henri Nouwen: "O estado de perdição do 'santo' ressentido é tão difícil de alcançar exatamente porque está intimamente ligado ao desejo de ser bom e virtuoso". Nouwen confessa:

> Eu sei, na minha própria vida, com que diligência tenho tentado ser bom, aceitável, agradável e exemplo digno para os outros. Sempre houve o esforço consciente de fugir dos abismos do pecado e o constante temor de cair em tentação. Mas com tudo isso havia uma seriedade, uma intensidade moralista — e até mesmo um toque de fanatismo que tornava cada vez mais difícil sentir-me à vontade na casa de meu Pai. Tornei-me menos livre, menos espontâneo, menos brincalhão.[...]
>
> Quanto mais reflito no filho mais velho em mim, mais percebo com que profundidade essa forma de perdição está enraizada e como é difícil voltar para casa a partir dali. Voltar para casa de uma escapada libidinosa parece muito mais fácil do que voltar para casa de uma ira fria que se enraizou nos cantos mais profundos do meu ser.[16]

Os jogos espirituais que praticamos, muitos dos quais começam com a melhor das motivações, podem levar-nos perversamente para longe de Deus porque nos conduzem para longe da graça. O arrependimento — e não o comportamento adequado ou até mesmo a santidade — é a porta de entrada da graça. E o oposto do pecado é graça, não virtude.

S e a crítica de Jesus contra o legalismo não é suficientemente devastadora, o apóstolo Paulo acrescentou mais uma queixa fundamental. O legalismo falha em uma coisa que deveria fazer: encorajar a obediência. Em uma estranha reviravolta, o sistema das leis restritas cria novas ideias de transgressão na mente da pessoa. Paulo explica: "Eu não saberia o que é cobiça, se a Lei não dissesse: 'Não cobiçarás'. Mas o pecado, aproveitando a oportunidade dada pelo mandamento, produziu em mim todo tipo de desejo cobiçoso".[17] Em uma demonstração desse princípio, algumas estatísticas provam que pessoas criadas na abstinência são três vezes mais inclinadas a se tornarem alcoólatras.

Lembro-me de quando li a narrativa de Agostinho a respeito do roubo das peras. Ele e os amigos tinham abundância de peras de alta qualidade, mas sentiram-se inclinados a invadir a árvore de um vizinho apenas para desobedecer à advertência do homem contra o roubo das frutas. Tendo passado quatro anos de minha vida em um *campus* governado por um livro de regras de 66 páginas, posso entender esse estranho padrão de comportamento. Aprendi a rebelar-me ouvindo todas as severas advertências contra a rebeldia. Em parte por imaturidade, tenho certeza, sentia constante tentação de resistir às exigências da autoridade simplesmente porque eram impostas. Nunca sentira o desejo de deixar crescer a barba até que li uma regra no livro proibindo barbas.

"Quanto mais fina a malha, mais numerosos são os buracos", escreveu o teólogo católico Hans Küng.[18] Tendo jurado obediência às 2.414 regras do Código Romano da Lei Canônica, um dia ele percebeu que sua energia estava sendo gasta em guardar ou fugir daquelas regras, em vez de realizar o trabalho do evangelho.

Para aqueles que não se rebelam, mas lutam sinceramente para cumprir as regras, o legalismo tem outra armadilha. Os sentimentos de fracasso podem provocar cicatrizes de vergonha eternas. Jovem monge, Martinho Lutero passava seis longas horas torturando o cérebro para confessar os pecados que poderia ter cometido no dia anterior! Ele escreveu:

> Embora vivesse uma vida imaculada como monge, sentia que era um pecador com uma consciência inquieta diante de Deus. Quase não podia acreditar que o tinha agradado com minhas obras. Longe de amar esse Deus justo que pune os pecadores, eu realmente o maldizia. Eu era um bom monge e obedecia à minha Ordem tão seriamente que, se um monge pudesse chegar ao céu por meio da disciplina monástica, seria eu. Todos os meus companheiros no mosteiro podiam confirmar isso.[...] Mesmo assim, minha consciência não me dava a certeza de que eu precisava. Ao contrário. Eu sempre duvidava e

dizia: "Você não fez isso certo. Você não foi suficientemente contrito. Você deixou aquilo fora de sua confissão".¹⁹

O fracasso do relacionamento opera de ambas as formas. Quando leio a história dos israelitas e sua aliança com Deus, vejo esparsas referências ao deleite ou prazer de Deus. Com algumas exceções luminosas, os livros históricos da Bíblia, e principalmente os profetas, retratam um Deus que parece irritado, desapontado ou realmente furioso. A lei não encorajava a obediência — mostrava amplamente a desobediência. A lei simplesmente indicava a enfermidade; a graça realizou a cura.

Nem Jesus nem Paulo fizeram uma queixa definitiva contra o legalismo que me atingisse de forma profundamente pessoal. Mencionei amigos que rejeitaram a fé cristã principalmente por causa do legalismo mesquinho da igreja. Meu irmão desfez o namoro com a primeira garota que realmente amou porque ela não era suficientemente "espiritual", segundo seus padrões legalistas. Durante trinta anos ele tentou fugir desse moralismo blindado — e assim acabou também fugindo de Deus.

O legalismo cria uma subcultura. E nós, nos Estados Unidos, uma nação de imigrantes, certamente sabemos que as subculturas podem ser repudiadas. Quantos imigrantes observaram seus filhos abandonar a linguagem, a herança e os costumes da família para adotar a subcultura adolescente da América moderna? De igual maneira, quantas famílias estritamente cristãs viram um filho abandonando a fé, deixando de lado regras e crenças tão facilmente como se deixa de lado uma roupa que não serve mais? O legalismo facilita a apostasia.

Samuel Tewk, reformador inglês do século 19, apresentou um método radicalmente novo de tratar os mentalmente doentes. Naquela ocasião, os funcionários dos hospícios acorrentavam os lunáticos às paredes e os espancavam, na crença de que o castigo derrotaria as forças malignas dentro deles. Tewk ensinou aos mentalmente doentes sobre como se portar nas festas e na igreja. Vestiu-os como todos se vestem, para que ninguém os reconhecesse mentalmente doentes. Por fora, pareciam ótimos. Contudo, não fez nada para resolver o sofrimento deles e, apesar do seu comportamento, continuaram mentalmente doentes.

Um dia, percebi que era como um dos pacientes de Tewk: embora a igreja de minha infância tivesse me ensinado a maneira adequada de comportamento, e uma faculdade cristã tivesse me dado conhecimentos mais avançados, nada havia curado a profunda enfermidade dentro de mim. Embora eu tivesse assimilado o comportamento externo, a enfermidade e o sofrimento continuavam internamente. Durante algum tempo, deixei de lado as crenças de minha infância até que Deus, de forma maravilhosa, se revelou a mim como um Deus de amor e não de ódio, de liberdade e não de regras, de graça e não de julgamento.

Até hoje alguns dos meus amigos que se rebelaram junto comigo continuam alienados de Deus por causa de sua profunda desconfiança com relação à igreja. No meio de toda a confusão da subcultura, não sei como se desviaram do alvo final: conhecer a Deus. "A igreja", diz Robert Farrar Capon, "passou tanto tempo inculcando-nos o medo de cometer erros que nos transformou em alunos de piano mal treinados: tocamos nossas músicas, mas nunca realmente as ouvimos porque nossa preocupação principal não é fazer música, mas, sim, evitar alguma confusão que possa nos colocar em dificuldades."[20] Agora ouço os sons da graça e me entristeço por meus amigos que não ouvem.

Hoje, muitas décadas depois, olho para minha própria criação legalista um tanto confuso. Francamente, não acho que Deus se importa se uso ou não bigode, como Deus não se importa se uso zíper para fechar a calça, ou se, como os *amish*, botões. Quando frequentei a faculdade cristã, observei pessoas que seguiam as regras e não conseguiram encontrar-se com Deus. E também pessoas que transgrediam as regras e não se encontraram com Deus. O que me preocupa, contudo, são as pessoas que ainda creem que não conseguiram alcançar Deus *porque* transgrediram as regras. Elas nunca ouviram a melodia do evangelho da graça.

Escrevi a respeito do legalismo em parte em virtude dos meus próprios encontros contundentes com ele e também porque creio que ele representa uma tentação muito poderosa para a igreja. O legalismo permanece como um *stripper* provocante, seduzindo-nos em direção a um caminho mais fácil. Ele seduz, prometendo alguns dos benefícios da fé, mas é incapaz de conceder o que mais interessa. Como Paulo escreveu aos legalistas do seu tempo: "Pois o Reino de Deus não é comida nem bebida, mas justiça, paz e alegria no Espírito Santo".[21]

Jay Kesler, presidente da Taylor University, contou-me sua própria colisão com o legalismo. Logo depois de decidir-se a seguir Cristo quando ainda era adolescente, ele se sentiu pressionado por todas as novas regras impostas. Confuso, Jay caminhava pelo quintal de sua casa quando notou seu fiel cachorro *collie,* chamado Laddy, roendo alegremente um osso enquanto rolava no gramado molhado e reluzente. Jay imaginou que Laddy era talvez o melhor cristão que ele conhecia. Não fumava, não bebia, não ia ao cinema, não dançava, nem participava de protestos. Não fazia mal a ninguém, era dócil e passivo. Imediatamente, Jay percebeu como estava desviado da vida de liberdade e paixão para a qual Jesus o chamara.

À primeira vista, o legalismo parece duro, mas na realidade a liberdade em Cristo é o caminho mais difícil. É relativamente fácil deixar de matar, mas é difícil amar; é fácil evitar a cama do vizinho, mas é difícil manter um casamento vivo; é fácil pagar impostos, mas é difícil servir os pobres. Quando vivo em liberdade, tenho de me manter aberto ao Espírito Santo para receber sua orientação. Estou mais consciente em relação ao que tenho negligenciado do que a respeito do que tenho realizado. Não posso esconder-me por trás de uma máscara de comportamento, como os hipócritas fazem, nem posso esconder-me por trás de comparações fáceis com outros cristãos.

O teólogo reformado J. Gresham Machen escreveu: "Uma visão deficiente da lei leva ao legalismo na religião; uma visão elevada faz com que a pessoa busque a graça". O efeito final do legalismo é diminuir a visão que alguém possa ter de Deus. Inclinamo-nos a pensar nas denominações e instituições cristãs severas como se fossem mais "espirituais". Na verdade, as diferenças entre Bob Jones e o Wheaton College, ou entre os menonitas e os batistas do Sul, são minúsculas quando comparadas com um Deus santo.

Certa vez li que, proporcionalmente, a superfície da Terra é mais lisa do que uma bola de bilhar. A altura do monte Everest e as profundezas do oceano Pacífico são muito impressionantes para aqueles que vivem neste planeta. Mas vistas de Andrômeda, ou mesmo de Marte, essas diferenças não têm a menor importância. É assim que vejo agora as mesquinhas diferenças comportamentais existentes entre um grupo cristão e outro. Comparadas com um Deus santo e perfeito, o mais elevado Everest de regras não passa de um montículo de terra. Você não pode obter a aceitação de Deus escalando; tem de recebê-la como um presente.

Jesus proclamou, sem sombra de dúvida, que a Lei de Deus é tão perfeita e tão absoluta que ninguém poderia alcançar a justiça. E, por outro lado, a graça de Deus é tão grande que não precisamos alcançá-la. Tentando provar como merecem o amor de Deus, os legalistas perdem o ponto principal do evangelho, que é o dom de Deus às pessoas que não o merecem. A solução para o pecado é deixar de impor um código cada vez mais restrito de comportamento. É conhecer a Deus.

PARTE IV
SONS DA GRAÇA PARA UM MUNDO SURDO

16
Big Harold: uma história

Cresci sem pai; meu pai faleceu vítima de poliomielite um mês depois do meu primeiro aniversário. Por pura bondade, um homem de nossa igreja nos acolheu, meu irmão e eu, sob sua proteção. Nós o chamávamos de Big Harold. Ele ficava sentado pacientemente nos *playgrounds* enquanto girávamos no carrossel. Quando ficamos mais velhos, ensinou-nos a jogar xadrez e ajudou a construir um carrinho de rolimã com um caixote. Na ignorância da meninice, não tínhamos ideia de que muitas pessoas na igreja pareciam considerá-lo estranho.

Depois de algum tempo, Harold saiu da nossa igreja. De acordo com seu ponto de vista, ela era liberal demais. Algumas mulheres usavam batom e maquiagem. Além disso, ele encontrara algumas passagens bíblicas que o levaram a desaprovar a música instrumental na igreja. Foi então que ele procurou uma igreja que fosse mais de encontro aos seus pontos de vista. Assisti ao casamento de Harold: a regra contra a música evidentemente limitava-se apenas ao santuário, pois um longo fio amarelo serpenteava pelo corredor central até o lado de fora, onde um toca-discos tossia uma gravação rangente da *Marcha nupcial* de Mendelssohn.

Harold era obcecado por moral e política. Acreditava que os Estados Unidos logo cairiam sob o juízo de Deus devido à sua permissividade. Citava os líderes comunistas que falavam que o Ocidente estava apodrecendo de dentro para fora, como uma fruta madura demais. Realmente acreditava que os comunistas, operando por meio da Comissão Trilateral e do Banco Central Americano, logo tomariam nosso governo. Ele me deu livros sobre o assunto publicados pela John Birch Society, impressos em papel barato, encadernados com capas nas cores vermelho, branco e azul, e insistiu para que eu lesse o livro *None Dare Call It Treason* [Ninguém se atreva a chamar de traição].

Big Harold odiava pessoas negras. Com frequência falava como eram idiotas e preguiçosas, contando histórias a respeito de negros imprestáveis que trabalhavam perto dele. Nessa época, o Congresso começou a aprovar projetos de lei referentes aos direitos civis e Atlanta começou a se integrar. Antes, os brancos frequentavam hotéis e restaurantes específicos para eles, e os *shoppings* serviam negros ou brancos, nunca ambos. Agora o governo forçava mudanças e Harold viu tudo isso como mais um sinal da conspiração comunista. A gota d'água foi quando os tribunais aprovaram leis referentes aos ônibus escolares em Atlanta. Harold tinha dois filhos e não suportou a ideia de mandá-los tomar um ônibus cheio de crianças negras para uma escola dirigida por humanistas seculares.

Quando Harold começou a falar em emigração, pensei que estivesse brincando. Solicitou panfletos sobre lugares como Rodésia, África do Sul, Austrália, Nova Zelândia e Ilhas Falkland — lugares nos quais os brancos ainda pareciam estar firmes no controle. Ele examinava mapas e estudava a composição racial dessas sociedades. Além de querer um país em que os brancos dominassem, queria também um que tivesse moral. Isso excluía a Austrália, apesar da maioria branca, porque sua sociedade parecia mais permissiva do que a dos Estados Unidos. Havia praias onde se praticava *topless* e todos bebiam cerveja.

Um dia, Harold anunciou que estava de partida para a África do Sul. Naquela época, ninguém poderia imaginar que a minoria branca fosse perder o controle do poder. Eles tinham as armas, afinal. As Nações Unidas estavam votando medidas e mais medidas condenando o *apartheid,* mas a África do Sul mantinha sua posição, desafiando o mundo inteiro. Big Harold gostava disso.

Ele também apreciava o fato de a religião exercer papel importante no governo da África do Sul. O partido político dominante apoiava-se com força na Igreja Reformada que, em troca, fornecia base teológica para o *apartheid*. O aborto era ilegal, como também o casamento inter-racial. Inspetores incumbidos de garantir os bons costumes censuravam revistas como a *Playboy* e proibiam filmes e livros questionáveis. Harold ria enquanto nos contava

[a] Rideel, 2004 [N. do R.].

que, durante anos, *Beleza negra*ᵃ [*Black Beauty*], livro infantil a respeito de um cavalo, fora banido por causa do título; nenhum dos inspetores se dera ao trabalho de lê-lo.

No aeroporto de Atlanta, nós nos despedimos de Big Harold, sua esposa, Sarah, e seus dois filhos, que estavam abandonando o único país que haviam conhecido durante toda a vida. Eles não tinham emprego, amigos, nem mesmo um lugar para morar na África do Sul. "Não se preocupem", asseguravam, "ali, gente branca é recebida de braços abertos."

Harold comprovou ser um correspondente fiel, sempre com sua assinatura em estilo próprio. Tornou-se um pregador leigo em uma pequena igreja e usava o verso de suas anotações de sermões para escrever cartas à família e aos amigos na América. Tipicamente, esses sermões tinham doze ou catorze pontos principais, cada um apoiado por uma verdadeira concordância de referências bíblicas. Às vezes, tornava-se difícil distinguir o verso de uma dessas cartas da frente, porque os dois lados pareciam sermões. Harold pregava contra o comunismo e as falsas religiões, contra a imoralidade dos jovens de hoje, contra as igrejas e as pessoas que não concordavam com ele em cada detalhe.

Tudo parecia estar bem na África do Sul. A América tinha muito a aprender, ele me escreveu. Em sua igreja, os jovens não mascavam chiclete, não escreviam bilhetinhos, não cochichavam durante o sermão. Na escola, os alunos (todos brancos) ficavam em pé e dirigiam-se aos professores com respeito. Harold assinava a revista *Time* e mal acreditava no que estava acontecendo na América. A África do Sul mantinha as minorias no seu devido lugar, e grupos de apoio a feministas e direitos dos *gays* eram coisa desconhecida. Ele dizia que o governo deveria ser um agente de Deus, defendendo o que é certo contra as forças das trevas.

Mesmo quando escrevia a respeito de sua família, Harold conseguia transmitir um tom excêntrico e crítico. Seus filhos nunca pareciam agradá-lo, especialmente William, que estava sempre tomando a decisão errada e criando problemas.

Qualquer um que pegasse uma das cartas de Harold poderia considerá-lo uma pessoa esquisita. Mas, por causa das boas lembranças da infância, nunca levei muito a sério o que ele escrevia. Eu sabia que, sob aquela aparência ríspida, havia um homem que se dedicara a ajudar uma viúva e seus dois filhos pequenos.

Eu era adolescente quando Harold se mudou. Fui para a faculdade e me formei, arranjei um emprego de editor em uma revista e, finalmente, vim a ser um escritor em tempo integral. O tempo todo Harold enviava cartas. Seu pai faleceu, depois a mãe, mas ele nunca pensou seriamente em voltar aos Estados Unidos para uma visita. Até onde sei, ninguém na família dele, nem nenhum dos seus amigos, o visitou na África do Sul.

As cartas tornaram-se sombrias na década de 1990, quando pela primeira vez tornou-se concebível que brancos e negros partilhariam o poder na África do Sul. Big Harold enviou cópias de cartas que havia mandado para os jornais. O governo da África do Sul o estava traindo exatamente como o governo dos Estados Unidos. Ele dizia poder provar que Nelson Mandela e Desmond Tutu eram comunistas de carteirinha. Chamava os americanos de traidores pelo seu apoio às sanções econômicas e apontava para a agitação comunista como a razão principal por trás do declínio da moralidade. Clubes de *striptease* estavam agora sendo abertos nas cidades fronteiriças. E na cidade de Johannesburgo podia-se ver casais de raças diferentes andando de mãos dadas. O tom de suas cartas tornava-se cada vez mais histérico.

Sentindo certa apreensão, decidi visitá-lo em 1993. Durante vinte e cinco anos eu recebera apenas críticas e desaprovação da parte dele. Ele enviara longas refutações aos meus livros, até que um deles, *Decepcionado com Deus*[b] [*Disappointment with God*], o enfureceu tanto que me pediu para não mandar mais nenhum. Despachou uma carta de três páginas condenando-o — não o livro propriamente dito, mas o título. Embora não tivesse nem aberto o livro, tinha muita coisa a dizer a respeito do título, que considerava ofensivo.

Mesmo assim, uma vez que eu ia à África do Sul a negócios, poderia fazer uma mudança de rota de alguns quilômetros para visitar *Big* Harold. Talvez ele se mostrasse diferente pessoalmente, mais parecido com o homem que eu conhecera. Talvez precisasse entrar em contato com um mundo maior. Eu lhe

---

[b] Mundo Cristão, 1999 [N. do R.].

escrevi com meses de antecedência perguntando se poderia visitá-lo e imediatamente suas cartas adquiriram um tom mais ameno e mais conciliador.

O único voo para a cidade de Harold saía de Johannesburgo às 6h30 e, quando minha esposa e eu chegamos ao aeroporto, serviram-nos café. A cafeína aumentou nosso nervosismo pela visita. Não tínhamos ideia do que esperar. Os filhos dele eram agora adultos que, sem dúvida, falariam com sotaque sul-africano. Será que eu reconheceria os pais, Harold e Sarah? Comecei a treinar mentalmente no sentido de não usar o apelido Big Harold, remanescente da infância.

E assim começou um dos dias mais bizarros de minha vida. Quando o avião pousou e desembarcamos, reconheci Sarah imediatamente. Seu cabelo estava grisalho e os ombros curvados pela idade, mas aquele rosto triste e magro não poderia ser de mais ninguém. Ela me abraçou e nos apresentou o filho William e sua noiva Beverly (a filha morava longe e não poderia nos receber).

William tinha quase trinta anos, era falante, simpático e grande admirador da América. Mencionou que conhecera a noiva em uma clínica para recuperação de viciados em drogas. Obviamente, esses fatos nunca foram mencionados nas cartas de Harold.

William tomara emprestada uma velha perua Volskwagen, pensando que teríamos muita bagagem; assim, os assentos do meio da perua tinham sido retirados. William, Beverly e Sarah sentaram-se na frente enquanto minha esposa e eu ocupamos o único assento de trás, diretamente em cima do motor. Fazia muito calor e a fumaça do motor entrava pelos buracos no revestimento enferrujado. Para piorar, Beverly e William, como muitos que se recuperam do vício das drogas, fumavam sem parar e nuvens de fumaça pairavam dentro do carro, misturando-se com a descarga do óleo.

William levou-nos a um passeio maluco pela cidade, de um lado para outro, parando aqui e acolá. A todo momento ele se voltava em seu assento para destacar vistas interessantes:

— Ouviu falar do doutor Christian Barnard? Ele morou nesta casa — e, quando o fazia, a perua pulava de um lado para o outro, a bagagem espalhando-se pelo chão. Tínhamos de lutar para manter no estômago os litros de café e o desjejum do avião.

Havia uma pergunta que eu ainda não fizera: "Onde estava Harold?"

Eu imaginava que ele estivesse nos esperando em casa. Mas, quando saltamos, ninguém apareceu à porta.

— Onde está o Harold? — perguntei a William enquanto retirávamos a bagagem, lembrando-me de não mencionar o "Grande".

— Nós íamos lhe contar, mas ainda não tivemos oportunidade. Papai está na prisão — ele disse, procurando outro cigarro no bolso.

— Prisão? — perguntei, sobressaltado.

— Isso mesmo. Já deveria ter saído, mas seu processo de soltura atrasou.

Fiquei olhando para ele à espera de mais explicações.

— É que... bem, papai às vezes se descontrola. Ele escreve cartas zangadas...

— Eu sei, recebi algumas dessas cartas — interrompi.

— Sim. Ele mandou uma dessas cartas a muitas pessoas e teve problemas. Vamos lhe contar depois. Vamos entrar.

Demorei um pouco mais, tentando absorver as notícias, mas William chamou lá de dentro. Agarrei minhas malas e entrei no bangalô pequeno e escuro. No interior, venezianas duplas e cortinas isolavam-nos da luz exterior. A mobília era confortável e bastante desgastada, em estilo mais americano do que em outros lares que visitamos na África do Sul. Sarah pôs água para ferver e conversamos educadamente durante alguns minutos, contornando o assunto que todos sabiam fervilhar em nossa cabeça.

Logo descobri um assunto mais interessante. William criava belas aves tropicais: periquitos, cacatuas, araras-vermelhas e papagaios. Uma vez que o síndico do seu prédio não permitia animais, ele os mantinha na casa dos pais, onde voavam livres. Eram bastante mansos, pousaram em meus ombros e andaram pelo sofá. Um periquito muito colorido começou a procurar minha língua, quase fazendo com que eu derramasse o chá.

— Ah, não ligue para o Jerry — William riu. — Eu o ensinei a comer chocolate. Eu mastigo a barra de chocolate um pouco, daí estico a língua e ele retira o chocolate — após essa explicação, mantive a boca fechada e preferi não olhar para a expressão no rosto de minha esposa.

Ali, enjoado pela *overdose* de café, pelo cheiro do cigarro e pela viagem na perua, sentado em um melancólico bangalô, com uma ave deixando algo molhado em meus ombros e querendo agarrar minha língua, ouvi a verdade a respeito do lado triste de Big Harold. Sim, Harold pregava fogo e enxofre aos domingos e escrevia cartas compridas e enfadonhas cheias de críticas e de fúria aos amigos na América. Sim, ele vociferava contra o declínio da moral. Ao mesmo tempo, porém, de sua pequena casa decadente na qual eu me encontrava agora, ele dirigia uma rede de pornografia. Comprava publicações estrangeiras ilegais, recortava as imagens e as enviava às mulheres famosas da África do Sul com bilhetes que diziam: "Gostaria de fazer isso com você". Uma dessas mulheres, apresentadora de telejornal, ficou bastante alarmada e chamou a polícia. Após investigações, a polícia chegou até Harold, que foi autuado.

Sarah quase não aguentou contar os detalhes do dia em que a polícia cercou a casa, forçou a porta e vasculhou gavetas e armários. Eles apreenderam a copiadora e a máquina de escrever do marido. Encontraram seu arquivo particular de pornografia e levaram-no para a prisão algemado, com um boné de jogador de beisebol ocultando-lhe o rosto. Durante todo o tempo, equipes de reportagem da televisão ficaram do lado de fora e um helicóptero pairou sobre a cena. A história foi contada no noticiário da noite: "Preso pregador acusado de imoralidade".

Sarah disse que não saiu de casa por quatro dias, com vergonha de enfrentar os olhares dos vizinhos. Finalmente, forçou-se a sair para ir à igreja, apenas para suportar mais humilhação. Harold fora o centro moralizador da pequena igreja e os outros agora se sentiam confusos, até traídos. Se uma coisa dessas podia acontecer com ele...

Mais tarde, naquele mesmo dia, após ouvir fragmentos da história, fui visitar Harold. Enchemos uma cesta de piquenique e a levamos à prisão, onde ele se encontrou conosco no pátio. Foi nosso primeiro encontro cara a cara em vinte e cinco anos. Abraçamo-nos. Ele tinha agora sessenta e poucos anos, estava muito magro, quase calvo, com olhos empapuçados e um aspecto pálido. Eu mal podia crer que já o chamara de "Big" Harold.

Parecia um fantasma comparado com os outros prisioneiros, muitos dos quais aproveitavam o tempo para desenvolver músculos e se bronzear. Ele tinha um ar de tristeza esmagador. Fora exposto e despido diante de todo o mundo. Não tinha mais onde se esconder.

Nas muitas horas em que passamos juntos, percebi vislumbres do Harold que conheci. Contei-lhe sobre as mudanças na antiga vizinhança e os melhoramentos feitos para preparar Atlanta para as Olimpíadas de 1996. Seu semblante iluminou-se quando mencionei amigos e membros da família.

Apontou para as diversas aves que voavam pelo pátio, aves exóticas da África do Sul que eu nunca vira.

Conversamos, mas nunca diretamente a respeito dos acontecimentos que o levaram para a prisão. Ele admitiu estar com medo. "Ouvi dizer o que eles fazem aqui com pessoas infratoras em assuntos relacionados ao sexo", ele disse. "Por isso deixei crescer a barba e comecei a usar chapéu. É uma espécie de disfarce."

A hora da visita acabou e, com todos os outros visitantes, fomos levados para fora através de filas de cercas de arame farpado. Abracei Harold novamente e fui embora, sabendo que provavelmente nunca mais o veria.

Quando nosso avião deixou a África do Sul alguns dias depois, ainda estávamos em estado de choque. Minha esposa, que conhecia Harold principalmente por suas cartas, esperara encontrar um profeta vestido de pelo de camelo, um João Batista insistindo com o mundo: *Arrependei-vos*! Eu esperava uma combinação disso com o homem gentil de minha infância. Nunca nenhum de nós poderia imaginar que iríamos visitar um prisioneiro cumprindo pena.

Após nossa visita, as primeiras cartas de Harold adquiriram um tom mais humilde. Quando foi solto, entretanto, começou a endurecer de novo. Conseguiu forçar o caminho de volta para a igreja (pois eles o tinham "excomungado"), comprou uma nova máquina de escrever e começou a emitir mais pronunciamentos sobre as condições do mundo. Eu esperava que a experiência vivida o contivesse um pouco, tornando-o mais compassivo com os outros, menos altivo e moralmente menos seguro. Mas, infelizmente, vários anos se passaram e nunca mais detectei o mínimo sinal de humildade em suas cartas.

O mais triste é que nunca detectei nenhum sinal de graça. Big Harold era bem escolado em moralidade. Para ele, o mundo dividia-se seguramente em puros e impuros, e ele apertava o círculo cada vez mais até que, finalmente, não pôde mais confiar em ninguém a não ser em si mesmo. Então não pôde mais confiar nem em si mesmo. Talvez, pela primeira vez na vida, ele se encontrasse em uma posição na qual não havia para onde se voltar, a não ser para a graça. Mas, até onde pude perceber, ele nunca se voltou para ela. A moralidade, até mesmo a moralidade defeituosa, parecia um lugar bem mais seguro.

17
Aroma misto

Aos melhores falta convicção e os piores estão repletos de intensidade passional.

W. B. Yeats

Fui rudemente apresentado às guerras culturais contemporâneas quando visitei a Casa Branca durante o primeiro período de governo de Bill Clinton. O convite veio de maneira indireta. Eu não me envolvia pessoalmente no campo da política e procurava evitar o assunto em minhas obras. Entretanto, no final de 1993, comecei a ficar preocupado com o alarme, histeria mesmo, demonstrado nos círculos evangélicos em razão do estado da sociedade. Escrevi um artigo que concluía: "Nosso desafio real não deve ser cristianizar os Estados Unidos (uma batalha perdida), mas, antes, lutar para sermos a igreja de Cristo em um mundo cada vez mais hostil."

Os editores da revista *Christianity Today* deram um título um tanto sensacionalista ao artigo: "Por que Clinton não é o Anticristo?". Recebi várias cartas, principalmente de pessoas declarando que ele *era* o Anticristo. Não sei como o artigo foi parar na mesa presidencial e, alguns meses depois, quando o presidente Clinton convidou doze evangélicos para um café da manhã particular, meu nome estava na lista. Alguns dos convidados representavam a igreja ou organizações paraeclesiásticas. Alguns vinham de academias cristãs. Fui convidado graças, principalmente, ao título interessante do meu artigo. ("Bem, Bill, você tem de começar por algum lugar", disse Al Gore quando viu o título "Por que Clinton não é o Anticristo?")

"O presidente não tem nada programado", asseguraram. "Ele simplesmente deseja ouvir as preocupações de vocês. Cada um terá cinco minutos para dizer o que quiser a ele." Era preciso pouca sabedoria política para entender que o presidente nos convida principalmente em razão de sua baixa popularidade entre os evangélicos. Clinton falou de algumas dessas preocupações em suas palavras de abertura, confessando: "Às vezes eu me sinto como um órfão espiritual. Sendo um batista do Sul a vida inteira, acho difícil encontrar uma comunidade cristã em Washington, D.C., a cidade mais secular na qual já vivi."

Quando a família presidencial ia à igreja, atraía toda a mídia, o que dificultava uma experiência de adoração mais íntima. Poucos dos membros da equipe de Clinton (os quais, naturalmente, ele designara) partilhavam de sua preocupação com a fé.

Além disso, a comunidade cristã conservadora se afastara dele. Quando o presidente se exercitava correndo pelas ruas de Washington, via para-choques com os dizeres: "Um voto para Bill Clinton é um pecado contra Deus." Randall Terry, fundador da "Operação Resgate", havia publicamente chamado os Clinton de "Acabe e Jezabel". E a própria denominação batista do Sul estava sendo pressionada para censurar a igreja de Clinton em Arkansas por não excluir o presidente do seu rol de membros.

Em suma, o presidente não experimentara muita graça por parte dos cristãos. "Estou na política tempo suficiente para esperar críticas e hostilidade — disse ele. — Mas não estou preparado para o *ódio* que recebi dos cristãos. Por que os cristãos odeiam tanto?"

Naturalmente, todos os que se encontravam na sala de jantar Lincoln, naquela manhã, sabiam por que o presidente despertava tanta animosidade entre os cristãos. Sua política a respeito do aborto e dos direitos homossexuais, particularmente, aliada aos relatórios de seus próprios fracassos morais, tornava difícil para muitos cristãos levar a sério a profissão de fé dele. Um respeitado líder cristão declarara categoricamente: "Bill Clinton não pode ser sincero a respeito de sua fé e defender os pontos de vista que defende".

Escrevi um artigo a respeito do café da manhã e, alguns meses depois, recebi outro convite da Casa Branca, dessa vez oferecendo uma entrevista exclusiva do presidente para a revista. A entrevista teve lugar em fevereiro de 1994, a maior parte dela realizada na limusine presidencial. Depois que Clinton fez um discurso em uma escola no centro da cidade, David Neff, editor da *Christianity Today*, e eu o acompanhamos na longa corrida de volta à Casa Branca, onde continuaríamos a conversa no Salão Oval. A limusine, embora espaçosa, tolhia as longas pernas de Clinton sentado à nossa frente. Tomando goles de água em um copo de papel para aliviar a garganta sempre irritada, o presidente respondeu às nossas perguntas.

Grande parte da conversa girou em torno da questão do aborto. David Neff e eu tínhamos planejado estrategicamente como introduzir as perguntas difíceis, mas elas vieram à tona naturalmente. Naquela manhã, todos nós participamos da "Oração Nacional do Café da Manhã" e ouvimos Madre Teresa criticar o presidente pela praga do aborto que se alastrava pelo país. Clinton havia se encontrado com ela em particular, depois do café, e parecia ansioso por continuar a discussão conosco.

Meu artigo resultante dessa conversa, "A charada da fé de Bill Clinton", apresentava seus pontos de vista e também explorava a pergunta levantada por meu amigo. Poderia Bill Clinton ser sincero a respeito de sua fé, defendendo os pontos de vista que defendia? Eu fizera muita pesquisa, até mesmo conversara com seus amigos e colegas de infância e a evidência parecia clara: a fé de Clinton não era uma postura assumida como expediente político, mas parte integrante do seu ser. Com exceção do período da faculdade, ele frequentava a igreja fielmente, apoiou Billy Graham a vida toda e era ávido estudante da Bíblia. Quando perguntei que livros cristãos ele lera mais recentemente, mencionou títulos de Richard Mouw (Presidente do Seminário Teológico Fuller) e Tony Campolo.

Na verdade, achei quase impossível entender os Clinton à parte de sua fé religiosa. Hillary Clinton, metodista desde criança, crê que fomos colocados no mundo para fazer o bem e servir os outros. Bill Clinton, um batista do Sul, foi criado na tradição do reavivamento e de "ir à frente" para confessar os pecados. É claro que ele provoca muita bagunça durante a semana — quem não faz isso? — mas, aos domingos, vai à igreja, confessa seus pecados e começa tudo de novo.

Depois da entrevista, escrevi o que pensava ser uma avaliação equilibrada do presidente Clinton e sua fé, dando espaço considerável à questão do aborto, traçando um contraste entre sua posição indefinida e os absolutos morais de Madre Teresa. Eu estava totalmente despreparado para a reação tempestuosa. Fico imaginando se o carteiro da minha rua vai conseguir se recuperar do esforço despendido ao arrastar sacolas e mais sacolas de cartas iradas enviadas para a minha caixa de correio.

"Você diz que Clinton tem conhecimento bíblico", dizia um, "bem, o diabo também tem! Você foi enganado." Muitos defendiam que os evangélicos não deveriam nunca se encontrar com o presidente. Seis traçavam paralelos com Adolf Hitler, que cinicamente usou pastores para seus próprios propósitos. Outros nos compararam com a igreja amedrontada por Stalin. Outros se lembraram de cenas bíblicas de confrontação: João Batista e Herodes, Elias e Acabe, Natã e Davi. Por que eu não agira mais como um profeta, colocando o dedo no nariz do presidente?

Uma pessoa escreveu: "Se Philip Yancey visse uma criança que estivesse prestes a ser atropelada por um trem, creio que ficaria confortavelmente fora do caminho e pediria gentilmente à criança que se mexesse, em vez de se esforçar gritando, empurrando e tirando a criança do perigo".

Menos de 10% das cartas tinham coisas positivas a dizer. E o tom dos ataques pessoais apanhou-me desprevenido. Um leitor escreveu: "Talvez a mudança das planícies do centro-oeste para a atmosfera rarefeita e reclusa do Colorado tenha provocado um curto-circuito na provisão de oxigênio do sr. Yancey e prejudicado seu raciocínio". E outro: "Espero que Philip Yancey tenha desfrutado dos deliciosos ovos à *Benedict* do café da manhã na Casa Branca; enquanto ele estava ocupado limpando a gema de sua barba (se é que não escorreu pelas costas), a administração Clinton estava forjando de antemão sua agenda radicalmente antiteísta e amoral".

Em vinte e cinco anos de jornalismo, tenho recebido meu quinhão de respostas de todos os tipos. Mesmo assim, quando leio pilhas de cartas injuriosas, tenho a estranha sensação de que entendo por que o mundo não associa automaticamente a palavra "graça" aos evangélicos.

As obras do apóstolo Paulo seguem um padrão familiar. A primeira parte de cada carta explora conceitos teológicos elevados, tais como "as riquezas da graça de Deus". Nesse ponto, Paulo faz uma pausa para responder a objeções potenciais. Só então ele prossegue para fazer uma aplicação prática, explicando como essas riquezas se traduzem na desordem da vida cotidiana. Como uma pessoa "agraciada" deveria agir no papel de marido ou esposa, como membro de igreja, como cidadão?

Utilizando esse mesmo padrão, apresentei a graça como uma força poderosa, capaz de romper os grilhões da ausência da graça que amarram nações, tribos e famílias. Ela transmite as melhores notícias possíveis, que o Deus do Universo nos ama — notícias tão boas que trazem o cheiro do escândalo. Mas minha tarefa não acabou. Chegou a hora de voltar à questão prática: se a graça é tão maravilhosa, por que os cristãos não a demonstram mais?

Por que os cristãos, chamados para espargir o aroma da graça, preferem emitir a fumaça cancerígena da ausência de graça? Nos Estados Unidos da década de 1990, uma resposta a essa pergunta rapidamente poderia vir à mente. A igreja permitiu-se envolver muito em questões políticas que funcionam pelas regras do poder — regras da ausência de graça. Em nenhuma outra área a igreja corre risco maior de perder sua vocação do que em praça pública.

Minha experiência ao escrever a respeito de Bill Clinton esclareceu esse ponto. Talvez pela primeira vez eu tenha captado um bom sopro do aroma espargido por alguns cristãos, e não foi um cheiro agradável. Comecei a prestar mais atenção a como os cristãos estão sendo percebidos pelo mundo de um modo geral. Um editorial empolado no *The New York Times*, por exemplo, advertia que o ativismo dos conservadores religiosos "apresenta uma ameaça muito maior à democracia do que o comunismo apresentava".[1] Será que eles realmente creem nisso?

Uma vez que as histórias em quadrinhos revelam muito a respeito da tendência da cultura, comecei a observar como elas descrevem os cristãos. A revista *New Yorker,* por exemplo, mostrava um garçom em um restaurante caro explicando o cardápio a um freguês: "Os que têm asteriscos são aqueles recomendados pela direita religiosa". Outra tira política apresentava uma igreja americana clássica com o letreiro: "Primeira Igreja do Anti-Clinton".

Apoio totalmente o direito e também as responsabilidades que os cristãos têm de se envolver na política. Em cruzadas morais como a abolição, direitos civis e antiaborto, os cristãos têm liderado. Creio que a mídia tem exagerado a "ameaça" apresentada pela direita religiosa. Os cristãos que conheço que estão envolvidos na política não se parecem nada com essas caricaturas. Mesmo assim, eu me preocupo com a recente tendência dos rótulos "cristãos evangélicos" e "direita religiosa" tornarem-se intercambiáveis. As histórias em quadrinhos mostram que os cristãos estão sendo cada vez mais considerados moralistas rígidos que querem controlar a vida dos outros.

Sei por que alguns cristãos estão agindo dessa forma: medo. Sentimos o ataque nas escolas, nos tribunais e, às vezes, no Congresso. Enquanto isso, vemos ao nosso redor o tipo de mudança moral que destaca o declínio da sociedade. Em categorias como crime, divórcio, suicídio de jovens, aborto, uso de drogas, bem-estar das crianças e nascimentos ilegítimos, os Estados Unidos superam todos os outros países industrializados. Os socialmente conservadores sentem-se cada vez mais como uma minoria ameaçada, com seus valores sob ataque constante.

Como podem os cristãos defender valores morais em uma sociedade secular enquanto, ao mesmo tempo, transmitem um espírito de graça e amor? Como o salmista expressou: "Quando os fundamentos estão sendo destruídos, que pode fazer o justo?"[2] Tenho certeza de que por trás da rispidez das pessoas que me escreveram existe uma preocupação profunda e apropriada por um mundo que dá pouco lugar a Deus. Mas também sei que, como Jesus ressaltou aos fariseus, a preocupação apenas com valores morais não é de maneira nenhuma suficiente. O moralismo à parte da graça resolve pouco.

Andy Rooney, comentarista de um programa de televisão, disse certa vez: "Decidi que sou contra o aborto. Acho que é homicídio. Mas vivo um dilema: por que prefiro as pessoas pró-escolha, em vez das que são pró-vida? Prefiro muito mais jantar com um grupo das primeiras pessoas". Pouco importa com quem ele janta, mas é muito importante se Andy Rooney deixa de encontrar a graça de Deus dos cristãos em todo o seu zelo pró-vida.

Quando pergunto aos meus companheiros de voo "O que lhes vem à mente quando digo as palavras 'cristão evangélico'?", geralmente eles respondem em termos políticos. Mas o evangelho de Jesus não foi uma plataforma política. Em toda a conversa dos partidos eleitorais e guerras políticas, a mensagem da graça, o principal distintivo que os cristãos têm para oferecer, tende a sumir. É difícil, se não impossível, transmitir a mensagem da graça nos corredores do poder.

A igreja está se tornando cada vez mais politizada. Conforme a sociedade se desenvolve, ouço gritos de que estamos enfatizando menos a misericórdia e mais a moralidade. Estigmatizar os homossexuais, humilhar as mães solteiras, perseguir os imigrantes, molestar os mendigos, punir os infratores — sinto que alguns cristãos creem que, se simplesmente aprovarmos leis suficientemente duras em Washington, poderemos virar nosso país ao contrário. Um notável líder espiritual insiste: "A única maneira de termos um reavivamento genuinamente espiritual é fazer uma reforma legislativa".³ Será que o inverso não seria melhor?

Nas décadas de 1950 e 1960, as principais denominações afastaram-se da proclamação do evangelho para seguir uma agenda mais política. E o que aconteceu? Os bancos das igrejas começaram a se esvaziar, reduzindo os membros pela metade. Muitos desses frequentadores insatisfeitos procuraram as igrejas evangélicas nas quais podiam ouvir mensagens mais direcionadas às suas necessidades espirituais. Seria irônico realmente se as igrejas evangélicas repetissem o erro e expulsassem seus membros por causa de uma ênfase exacerbada na política conservadora.

O utro livro merece ser escrito atacando a intolerância da esquerda secular, em que a mesquinharia e a inflexibilidade também vicejam. Neste livro, contudo, tenho apenas uma preocupação: o que dizer a respeito da graça? A preocupação dos cristãos com a moralidade esgotou nossa mensagem do amor de Deus pelos pecadores? Os cristãos evangélicos fazem parte da minha herança, da minha família. Trabalho entre eles, presto culto no meio deles, escrevo livros para eles. Se minha família parece correr o risco de representar mal o evangelho de Cristo, tenho de falar. É, na realidade, uma espécie de autocrítica.

É verdade que a mídia distorce a direita religiosa e interpreta mal os cristãos em geral. Mas nós, os cristãos, somos parcialmente culpados. Ao visitar minha cidade, Randall Terry convocou os cristãos a serem "zelotes intolerantes" quando se trata de "infanticidas, sodomitas, distribuidores de camisinhas e do pluralismo sem sentido".⁴ Terry descreveu nossa congressista como "cobra, feiticeira e mulher maligna". Disse que "os cristãos precisam parar de agir feito gatinhos assustados nos guetos cristãos, brincando de 'joguinhos espirituais' ". Precisamos, antes, limpar o "esgoto moral em que esta nação se transformou" e fazer dela uma nação cristã novamente. Mas, acima de tudo, precisamos conquistar outras nações.

Embora Randall Terry talvez não se referisse aos principais evangélicos, seus comentários fizeram com que as primeiras páginas dos jornais locais alimentassem as imagens públicas da ausência de graça. Foi o que fizeram os seguintes comentários de Terry: "Quero que uma onda de ódio passe sobre vocês. Sim, o ódio é bom.[...] Temos um dever público, somos chamados por Deus para conquistar este país".

Ralph Reed, antigo membro da Coalizão Cristã, geralmente é um orador circunspecto, mas suas palavras foram provavelmente impressas mais vezes do que quaisquer outras:

> "É melhor andarmos depressa, furtivamente, na calada da noite.[...] Quero ficar invisível. Quero fazer guerrilhas. Pinto meu rosto e viajo à noite. Você não sabe que acabou até que esteja morto em um saco. Você não sabe até a noite da eleição."[5]

Imagino muitas pessoas, assim como eu, lendo esses pronunciamentos com reservas. Estamos acostumados com posturas políticas, com a imprensa publicando os trechos mais polêmicos. Eu poderia facilmente desculpar suas palavras por causa dos comentários destemperados do lado oposto. Contudo, fico imaginando como soariam esses comentários para uma jovem mulher que acabara de passar por um aborto e naquele momento estivesse arrependida. Sei o que esses comentários provocam em um homossexual que luta com a sua identidade, pois entrevistei muitos deles em Washington, D.C.

Retorno ao comentário da prostituta que no início me levou a escrever este livro. "Igreja! Por que deveria ir lá? Já estou me sentindo terrível. Eles vão apenas me fazer sentir pior!" Penso na vida de Jesus, que atraía com um magnetismo inverso as pessoas mais desagradáveis, os refugos morais. Ele veio buscar os pecadores, não os justos. Ao ser preso, não foram os notórios pecadores da Palestina, mas os moralistas, que pediram sua morte.

Meu vizinho, funcionário do Partido Republicano do Estado, falou-me da preocupação existente entre os companheiros republicanos com o fato de os "candidatos sorrateiros" (termo usado por Ralph Reed) da direita religiosa planejarem assumir o partido. Um de seus colegas o advertiu de que esses candidatos sorrateiros poderiam ser identificados por seu frequente emprego da palavra "graça". Embora ele não tivesse ideia do que a palavra graça significa, observara que os candidatos sorrateiros vinham de organizações e igrejas com essa palavra destacada em seus títulos ou em suas publicações.

Será que a graça, "a última palavra perfeita", a única palavra teológica imaculada remanescente em nossa linguagem, seguirá o mesmo caminho de muitas outras? Na arena política, será que passou a significar o oposto?

Em outro contexto, Nietzsche fez a seguinte advertência, que se aplica aos cristãos modernos: "Tenha cuidado para que, ao lutar contra o dragão, você não se transforme em um".

William Willimon, capelão da Universidade de Duke e metodista vitalício, adverte os evangélicos contra sua atual fixação nos políticos. "Pat Robertson tornou-se Jesse Jackson. O Randall Terry da década de 1990 é o Bill Coffin da década de 1970. O americano médio não conhece outra resposta para os anseios humanos ou para o desvio da moral que não seja a legislação."[6] Willimon fala por experiência própria, pois sua denominação construiu um prédio de escritórios de quatro andares em Capitol Hill a fim de dar apoio ao Congresso mais eficientemente. Sim, eles trabalharam com eficiência, mas ao longo do caminho negligenciaram sua missão principal como igreja, e os metodistas abandonaram as igrejas aos milhares. Agora, quando Willimon chama sua denominação de volta à pregação bíblica, ele olha para os evangélicos e encontra sermões a respeito de política, não de Deus.

Vejo a confusão entre política e religião como uma das maiores barreiras para a graça. C. S. Lewis observou que quase todos os crimes da história cristã aconteceram quando a religião foi confundida com a política. A política, que sempre foi governada pelas regras da ausência de graça, seduz-nos para trocar a graça pelo poder, uma tentação à qual a igreja com frequência não tem conseguido resistir.

Aqueles de nós que viveram sob a estrita separação entre igreja e Estado talvez não percebam bem como se faz historicamente esse arranjo ou por que ele aconteceu. A frase de Thomas Jefferson, "uma parede separando igreja e Estado",[7] apareceu primeiro em uma carta aos batistas de Connecticut que *receberam bem* essa parede de separação. Os batistas, os puritanos, os quacres e outros grupos separatistas fizeram uma longa viagem à América na esperança de encontrar um lugar que separasse a igreja do Estado, pois todos foram vítimas da perseguição religiosa patrocinada por esse mesmo Estado. Quando a igreja se juntava a ele, tendia a exercer o poder em vez de distribuir graça.

Como Mark Galli, da revista *Christian History*, destacou, os cristãos no final do século 20 queixavam-se da desunião da igreja, da falta de líderes piedosos na política e da morte da influência cristã na cultura popular. Nenhuma dessas queixas se aplicava à Idade Média, uma era em que a igreja estava unificada, os cristãos nomeavam líderes políticos para posições importantes e a fé permeava toda a cultura popular. Mas quem poderia olhar com nostalgia para os resultados desse passado? As cruzadas devastaram as terras do Oriente. Os sacerdotes, marchando ao lado dos soldados, "converteram" continentes inteiros sob o jugo da espada. Inquisidores perseguiram judeus, caçaram bruxas e até mesmo sujeitaram cristãos leais a cruéis provas de fé. Verdadeiramente, a igreja se tornou a "polícia moral" da sociedade. A graça deu lugar ao poder.

Quando a igreja teve oportunidade de estabelecer as regras para toda a sociedade, com frequência voltava-se ao extremismo contra o qual Jesus advertiu. Considere apenas um exemplo, a Genebra de João Calvino. Ali, as autoridades podiam convocar qualquer pessoa para ser interrogada a respeito de questões da fé. A frequência à igreja era compulsória. As leis abrangiam questões tais como quantos pratos podiam ser servidos em cada refeição e a cor apropriada das roupas.

William Manchester registra algumas das proibições de Calvino:

> ...banquetes, dança, canto, quadros, estátuas, relíquias, sinos de igreja, órgãos, velas no altar; canções "indecentes ou profanas", apresentar-se no palco ou frequentar o teatro; ou mesmo usar ruge, joias, rendas ou roupas "indecorosas"; ou falar desrespeitosamente dos superiores, divertimentos extravagantes, jurar, apostar, jogar cartas, caçar, embriagar-se; dar aos filhos nomes que não sejam de personagens do Antigo Testamento; ler livros "imorais ou profanos".[8]

O pai que batizasse o filho com um nome que não se encontrava no Antigo Testamento passava quatro dias na prisão, assim como a mulher cujo penteado fosse "imoral". O Consistório degolou uma criança que bateu nos pais. Eles afogavam qualquer mulher solteira que engravidasse. Em incidentes separados, o filho adotivo de Calvino e sua nora foram executados porque foram encontrados na cama com seus respectivos amantes.

Depois de narrar esses acontecimentos da história da Igreja, Paul Johnson conclui: "Tentativas de aperfeiçoar sociedades cristãs neste mundo, quer dirigidas por papas, quer por revolucionários, acabaram degenerando em terror vermelho".[9] Esse fato deveria nos deter quando as vozes de hoje nos convocam para derrubar os muros entre a igreja e o Estado e para restaurar a moralidade de nossa sociedade. Nas palavras de Lesslie Newbigin: "O projeto de trazer o céu de cima para a Terra sempre resulta em trazer o inferno de baixo".[10]

Nós, nos Estados Unidos modernos, assediados pelo secularismo e vivendo em uma cultura que se está deteriorando moralmente, podemos perder de vista de onde viemos com facilidade. Fico cada vez mais alarmado quando ouço o secretário nacional da *Moral Majority* orar pela morte dos seus oponentes, dizendo: "Estamos cansados de dar a outra face... valha-nos Deus, é tudo o que temos feito".[11] Fico preocupado quando leio a respeito de uma organização na Califórnia trabalhando para eleger autoridades governamentais a fim de que o governo se torne o "departamento de polícia do Reino de Deus na Terra", pronto para "impor a vingança de Deus sobre aqueles que abandonam as leis divinas da justiça".[12]

No início, a América esteve a ponto de se tornar uma teocracia restrita segundo as linhas da Genebra de Calvino. O Código de Connecticut, por exemplo, inclui as seguintes leis: "Ninguém deve correr no sábado, nem caminhar no jardim, ou em qualquer outro lugar, exceto reverentemente para a reunião e de volta dela. Ninguém deve viajar, cozinhar, fazer camas, varrer a casa, cortar cabelo ou barbear-se no sábado. Se algum homem beijar a esposa, ou a esposa o marido, no Dia do Senhor, o casal culpado será punido de acordo com a vontade do tribunal de magistrados".[13] As forças anglicanas que tomaram Maryland aprovaram uma lei exigindo que os cidadãos se convertessem do catolicismo antes de participar da assembleia. Algumas partes da Nova Inglaterra restringiram os eleitores a pessoas piedosas que pudessem dar testemunho de uma experiência pessoal de salvação.

Por fim, entretanto, as colônias concordaram que não haveria uma igreja nacional estabelecida e que a liberdade religiosa seria praticada por toda a nação. Foi um passo sem precedentes na História e um jogo que parece ter valido a pena, como diz o historiador Garry Wills: a primeira nação a separar o cristianismo do governo produziu, talvez, a nação mais religiosa na Terra.

Jesus veio para fundar uma espécie de reino que poderia coexistir em Jerusalém e também se espalhar pela Judeia, por Samaria e pelos confins da Terra. Em uma parábola, advertiu que aqueles fazendeiros que se concentram em arrancar o joio (sua imagem para "os filhos do maligno") podem destruir o trigo junto. Deixe as questões do julgamento ao único Juiz verdadeiro, Jesus aconselhou.

O apóstolo Paulo tinha muito a dizer a respeito da imoralidade individual dos membros da igreja, mas pouco a respeito da imoralidade da Roma pagã. Raramente ele desmascarava os abusos cometidos em Roma — escravidão, idolatria, jogos violentos, opressão política, ganância —, muito embora esses abusos certamente prejudicassem os cristãos daquele tempo, tanto quanto nossa sociedade deteriorante prejudica os da atualidade.

Quando fui à Casa Branca visitar o presidente Clinton, sabia que sua reputação entre os cristãos conservadores dependia de duas questões: o aborto e os direitos dos homossexuais. Concordo plenamente que as questões morais são importantes e que os cristãos devem discuti-las. Mas, quando examino o Novo Testamento, encontro pouquíssima coisa relacionada com cada uma delas. As duas práticas existiam naquela época, de formas diferentes e mais notórias. Os cidadãos romanos não dependiam do aborto para o controle da natalidade. As mulheres davam à luz seus bebês e, então, os abandonavam à beira da estrada para os animais selvagens e abutres. De igual maneira, os romanos e os gregos também praticavam o homossexualismo: homens mais velhos utilizavam garotos jovens como seus escravos sexuais, praticando pederastia.

Assim, no tempo de Jesus e de Paulo, essas duas questões morais faziam valer seus direitos de maneira que hoje seriam consideradas crimes em qualquer país civilizado do planeta. Nenhum país permite que uma pessoa mate um recém-nascido. Nenhum país permite legalmente que se pratique sexo com crianças. Jesus e Paulo, sem dúvida, sabiam dessas práticas deploráveis. E, mesmo assim, Jesus não disse nada a respeito delas. E Paulo fez apenas referências ao transexualismo. Nenhum deles se concentrou no reino pagão que os rodeava, mas na alternativa do Reino de Deus.

Por esse motivo, fico pensando na enorme energia que está sendo gasta nos dias de hoje para a restauração da moralidade dos Estados Unidos. Será que estamos nos concentrando mais no reino deste mundo do que naquele que não é deste mundo? A imagem pública da igreja evangélica atual está praticamente definida por uma ênfase em duas questões que Jesus nem mesmo mencionou. Como nos sentiremos se os historiadores do futuro olharem para trás, para a igreja evangélica da década de 1990, e declararem "Eles lutaram bravamente nas fronteiras morais do aborto e dos direitos dos homossexuais", enquanto, ao mesmo tempo, relatarem que pouco fizemos para obedecer à Grande Comissão e espargir o aroma da graça no mundo?

18
Astúcia de serpente

*A igreja... não é a senhora ou a serva do Estado, mas,
antes, sua consciência.
Ela deve ser a orientadora e a crítica do Estado —
nunca sua ferramenta!*

Martin Luther King Jr.

Na minha infância, na década de 1950, o diretor da escola começava o dia com uma oração lida no intercomunicador. Na escola, jurávamos fidelidade a uma nação "à sombra de Deus". Na Escola Dominical, jurávamos fidelidade às duas bandeiras: a americana e a cristã. Jamais me ocorreu que a América pudesse um dia apresentar aos cristãos um novo desafio: como "agraciar" uma sociedade cada vez mais hostil em relação a eles.

Até a recente história americana — segundo a versão oficial pelo menos —, os dois parceiros, igreja e Estado, dançavam a mesma valsa. A religião é tão penetrante que os Estados Unidos já foram descritos como uma nação com a alma de igreja. O Mayflower Compact[a] especificava a meta dos peregrinos como "estabelecer para a glória de Deus, a difusão da fé cristã e a honra de nosso rei e de nosso país".[1] Nossos fundadores pensavam que a fé religiosa era essencial para uma democracia funcionar. Nas palavras de John Adams, "nossa constituição foi feita apenas para um povo moral e religioso. Ela é totalmente inadequada para o governo de qualquer outro povo".[2]

---

[a] "Pacto do Mayflower." Pioneiro ato compromissório do período colonial entre os imigrantes ingleses ("puritanos") que viajaram a bordo do navio Mayflower e fundaram a colônia de Plymouth em terras americanas [N. do R.].

Na maior parte de nossa história, até a Suprema Corte fazia eco ao consenso cristão. Em 1931, a corte declarou: "Somos um povo cristão, garantindo reciprocamente uns aos outros direito igual de liberdade religiosa e reconhecendo com reverência o dever de obedecer à vontade de Deus".[3] Em 1954, Earl Warren, o presidente da Suprema Corte famoso entre os conservadores, disse em um discurso: "Creio que ninguém pode ler a história do nosso país sem perceber que a Bíblia e o espírito do Salvador têm sido, desde o início, nossos mentores".[4] As constituições das colônias originais, ele acrescentou, apontavam todas para o mesmo objetivo: "Uma terra cristã governada por princípios cristãos".

Somos lembrados diariamente de nossa herança cristã. Os próprios nomes das agências do governo — o *serviço* civil e o *ministério* da justiça — apresentam implicações religiosas. Os americanos reagem rapidamente a desastres, protegem os direitos dos incapacitados, param para ajudar motoristas com problemas no trânsito, doam bilhões de dólares para caridade — estes e muitos outros "hábitos do coração" refletem uma cultura nacional que cresceu com raízes cristãs. Só quem viaja para o exterior pode apreciar o fato de que nem todas as culturas possuem essas nuanças da graça.

(Sob a superfície, naturalmente, a história é outra. Os americanos nativos quase foram exterminados neste país "cristão". Mulheres tiveram seus direitos básicos negados. "Bons cristãos" no Sul espancavam seus escravos sem remorso. Tendo sido criado no Sul, sei que os afro-americanos, como grupo, não olham para trás com nostalgia para os "piedosos" dias de nossa história primitiva. "Eu teria sido um escravo naquele tempo", John Perkins relembra. Para essas minorias, a mensagem da graça perdeu-se.)

Atualmente, poucas pessoas confundem igreja e Estado nos Estados Unidos. Essa mudança ocorreu com uma rapidez de tirar o fôlego de qualquer um que nasceu nos últimos trinta anos, imaginando de que consenso cristão eu estaria falando. É incrível que as palavras "à sombra de Deus" foram acrescentadas ao Juramento de Fidelidade apenas em 1954, e a frase "Em Deus nós confiamos" se transformou no lema oficial da nação em 1956. Desde então, a Suprema Corte baniu as orações nas escolas e alguns professores tentaram proibir os alunos de escrever a respeito de alguns temas religiosos. O cinema e a televisão raramente mencionam os cristãos, exceto para depreciá-los, e os tribunais arrancam símbolos religiosos dos lugares públicos.

Grande parte da violência aos direitos religiosos brota da rapidez dessa mudança cultural. Harold O. J. Brown, um dos primeiros ativistas evangélicos contra o aborto, diz que ele e outros viveram o caso Roe *versus* Wade[b] como um aviso no meio da noite. Os cristãos consideravam a Suprema Corte um grupo de sábios dignos de confiança que tiravam suas conclusões partindo do consenso moral do restante do país. Subitamente, a bomba caiu, uma decisão que dividiu o país. Outras decisões do tribunal — estabelecendo o "direito de morrer", redefinindo o casamento, protegendo a pornografia — fizeram os cristãos conservadores cambalearem. Agora os cristãos estão muito mais propensos a considerar o Estado um antagonista da igreja, não seu parceiro. James Dobson capta o espírito da coisa quando diz:

> "Nada menos do que uma grande guerra civil de valores alastra-se hoje por toda a América do Norte. Dois lados imensamente diferentes e pontos de vista incompatíveis estão presos em um amargo conflito que permeia cada nível da sociedade."[5]

A guerra cultural está em curso. Ironicamente, a cada ano a igreja nos Estados Unidos se aproxima mais e mais da situação enfrentada pela igreja do Novo Testamento: uma minoria ameaçada vivendo em uma sociedade pluralista, pagã. Os cristãos que vivem em lugares como Sri Lanka, Tibete, Sudão e Arábia Saudita enfrentam a hostilidade do governo há anos. Mas, nos Estados Unidos, com uma história tão compatível com a fé, não gostamos disso.

---

[b] Em 1973, nos Estados Unidos, no caso Roe *versus* Wade, o aborto foi declarado legal graças a uma fraude. Uma jovem texana chamada Norma Mc Corvey (apelidada Jane Roe) alegou estar grávida em razão de um estupro e pediu à Suprema Corte autorização para abortar. Por 7 votos contra 2, o Tribunal decidiu que era inconstitucional não só a lei do Texas que proibia o aborto, mas qualquer lei de qualquer um dos 50 estados-membros dos EUA que proibisse o aborto até seis meses de gestação. Vinte e dois anos depois, em 1995, a protagonista do caso contou toda a verdade à revista *Newsweek*, dizendo que não tinha sido estuprada de fato e que inventara a história para conseguir fazer o aborto [N. do R.].

Como podem os cristãos distribuir graça em uma sociedade que parece estar se desviando de Deus? A Bíblia oferece muitos modelos diferentes de respostas. Elias escondeu-se em cavernas e desencadeou raios sobre o regime pagão de Acabe; seu contemporâneo Obadias cooperou com o sistema, dirigindo o palácio de Acabe enquanto abrigava os verdadeiros profetas de Deus ao lado. Ester e Daniel foram usados por impérios pagãos; Jonas invocou o juízo sobre outro império. Jesus submeteu-se ao julgamento de um governador romano; Paulo pediu que seu caso fosse conduzido ao imperador César.

Para complicar ainda mais as coisas, a Bíblia não dá conselho direto aos cidadãos de uma democracia. Paulo e Pedro insistem com seus leitores que se submetessem às autoridades e honrassem o rei, mas, em uma democracia, nós, cidadãos, somos o "rei". Dificilmente podemos ignorar o governo quando, por direito constitucional, formamos o governo. Se os cristãos formam uma maioria, por que não se proclamar uma "maioria moral" e formar a cultura à nossa semelhança?

Quando uma forma de consenso cristão dominava nos Estados Unidos, essas questões eram menos urgentes. Agora todos nós que amamos nossa fé e também nossa nação temos de decidir como melhor expressar esse cuidado. Ofereço três conclusões preliminares que deveriam ser aplicadas, haja o que houver, no futuro.

Primeiro, deve ter ficado clara minha convicção de que distribuir a graça de Deus é a principal contribuição cristã. Como disse Gordon MacDonald, o mundo pode fazer qualquer coisa que a igreja pode, exceto uma: o mundo não pode demonstrar graça. Em minha opinião, os cristãos não estão desempenhando um bom trabalho de distribuição da graça ao mundo, e nós tropeçamos especialmente nesse campo da fé e da política.

Jesus não permitiu que instituição alguma interferisse no seu amor pelos indivíduos. A política racial e religiosa dos judeus proibia que ele falasse com uma mulher samaritana, ainda mais com uma que tivesse antecedentes morais duvidosos. Jesus, no entanto, escolheu uma mulher samaritana para ser missionária. Entre seus discípulos havia um cobrador de impostos, considerado um traidor em Israel, e também um zelote, membro de um partido ultrapatriota. O Senhor Jesus elogiou João Batista, que era contracultural. Encontrou-se com Nicodemos, um fariseu observador, e também com um centurião romano.

Jantou na casa de outro fariseu chamado Simão e também na casa de um homem "impuro", Simão, o leproso. Para Jesus, a pessoa era mais importante do que qualquer categoria ou rótulo.

Sei como é fácil ser arrebatado pela política da polarização, gritar nas passeatas para o "inimigo" do outro lado. Mas Jesus ordenou: "Amem os seus inimigos".⁶ Para Will Campbell, eles eram os *kluxers* racistas que mataram seu amigo. Para Martin Luther King Jr., os delegados brancos que atiçavam seus cães contra ele.

Quem é *meu* inimigo? Aqueles que são a favor do aborto? O produtor de Hollywood que polui nossa cultura? O político ameaçando meus princípios morais? O traficante que domina o centro de minha cidade? Se meu ativismo, ainda que bem motivado, expulsa o amor, então entendi mal o evangelho de Jesus. Estou apaixonado pela lei, não pelo evangelho da graça.

As questões que desafiam a sociedade são centrais. Talvez uma guerra cultural seja inevitável. Mas os cristãos devem utilizar diferentes armas nas guerras, as "armas da misericórdia", maravilhosa frase de Dorothy Day. Jesus declarou que deveríamos ter um sinal diferencial: não a correção política ou a superioridade moral, mas o *amor*. Paulo acrescentou que sem amor nada do que fazemos — nenhum milagre da fé, nenhum brilho teológico, nenhuma chama de sacrifício pessoal — terá valor (1Co 13).

A democracia moderna precisa desesperadamente de um novo espírito de civilidade. E os cristãos poderiam mostrar o caminho demonstrando o fruto do Espírito de Deus: amor, alegria, paz, paciência, benignidade, bondade, fidelidade, mansidão e autocontrole.

As armas da misericórdia podem ser poderosas. Contei sobre minha visita à Casa Branca, que provocou uma chuva de cartas iradas. Dois líderes cristãos em nossa reunião sentiram a necessidade de pedir desculpas ao presidente pela ausência de graça demonstrada pelos companheiros cristãos. Um deles disse: "Os cristãos macularam a credibilidade do evangelho com a maldade de [...] ataques pessoais contra o presidente e sua família". Enquanto estivemos lá, também ouvimos uma história contada por Hillary Clinton, alvo de muitos desses ataques.

Susan Baker, republicana e esposa do ex-secretário de Estado James Baker, convidou a sra. Clinton para ir ao seu estudo bíblico bipartidário. A primeira-

-dama admitiu que se sentia cética a respeito de um encontro com um grupo de mulheres que se descreviam como "conservadoras e liberais, republicanas e democratas, mas todas fiéis a Jesus". Ela já foi prevenida, pronta para defender suas posições e absorver alguns golpes verbais, mas a reunião começou com uma das mulheres dizendo:

"Sra. Clinton, todas nós nesta sala concordamos em orar pela senhora fielmente. Queremos pedir desculpas pela maneira com que tem sido tratada por algumas pessoas, até mesmo por alguns cristãos. Nós a tratamos de maneira errada, a difamamos, não a tratamos de maneira cristã. A senhora nos perdoa?"

Hillary Clinton disse que tinha se preparado para qualquer coisa naquela manhã, menos para um pedido de perdão. Todas as suas suspeitas se acabaram. Mais tarde, ela dedicou todo um discurso no "Oração Nacional do Café da Manhã" para enumerar os "dons" espirituais que recebera do grupo. Perguntou se não poderiam iniciar um grupo semelhante para jovens da idade de sua filha, pois Chelsea não conhecia muitos cristãos "cheios de graça".

Entristeço-me porque a correspondência dos grupos religiosos conservadores é, no tom, muito parecida com a da ACLU[c] e da People for the American Way.[d] Os dois lados apelam para a histeria, advertem contra conspirações fanáticas e ocupam-se em acabar com o caráter dos inimigos. Resumindo, ambos exalam o espírito da ausência de graça.

É preciso reconhecer que, Ralph Reed renunciou publicamente a esses métodos. Agora ele se arrepende de usar linguagem com ausência da "graça redentora que deveria sempre caracterizar nossas palavras e atos". "Se tivermos sucesso", Reed escreveu em *Active Faith* [Fé ativa], "será porque seguimos o exemplo de Martin Luther King de sempre amar aqueles que nos odeiam, lutando 'com armas cristãs e com amor cristão'. Se falharmos, não será um fracasso por causa de dinheiro ou métodos, mas um fracasso do coração e da alma.[...] Cada palavra que dizemos e cada ato nosso devem refletir a graça de Deus".[7]

---

[c] União de Liberdades Civis dos EUA [N. do R.].
[d] PAW – organização radical cuja meta declarada é acompanhar e contra-atacar os objetivos divisivos da direita religiosa [N. do R.].

Ralph Reed cita corretamente Martin Luther King Jr., que tem muito a ensinar-nos a respeito de política de confrontação. "Ataque a ideia falsa, não a pessoa que defende essa ideia", King insistia. Ele lutou para pôr em prática a ordem de Jesus de "amar os inimigos", mesmo dentro de uma prisão e sendo ridicularizado por esses inimigos. Só podemos persuadir nossos adversários com base na verdade, ele disse, não recorrendo à meia-verdade, ao exagero ou à mentira. Cada voluntário na organização de King comprometia-se a seguir oito princípios, incluindo estes: meditar diariamente sobre os ensinamentos e a vida de Jesus, andar e falar com amor e observar as regras da cortesia com todos, amigos e inimigos.

Eu estava presente em uma cena pública de confrontação que seguiu o padrão cheio de graça estabelecido pelo dr. King. Na manhã em que entrevistei o presidente Clinton, como já mencionei, nós dois assistimos à "Oração Nacional do Café da Manhã" em que ouvimos Madre Teresa falar. Foi um evento memorável. Os Clinton e os Gore sentaram-se nas mesas ao lado de Madre Teresa. Introduzida em uma cadeira de rodas, a frágil mulher de 83 anos de idade, laureada com o Prêmio Nobel da Paz, precisou de ajuda para levantar-se. Uma plataforma especial foi colocada para permitir que ela olhasse por cima do púlpito. Mesmo assim, curvada, com sua pequena estatura, mal podia alcançar o microfone. Ela falou claramente e devagar com um forte sotaque na voz que, apesar da idade, conseguia encher o auditório.

Madre Teresa disse que a América tinha se transformado em uma nação egoísta, correndo o risco de perder o devido significado do amor: "dar até doer". A maior prova, ela dizia, é o aborto, cujos efeitos podem ser vistos na escalada da violência.

"Se aceitarmos que uma mãe pode matar até mesmo seu próprio filho, como podemos dizer às outras pessoas para não se matarem umas às outras?. [...] Qualquer país que aceita o aborto não está ensinando as pessoas a amar, mas a usar a violência para obter o que deseja."

Ela disse que somos incoerentes quando nos preocupamos com a violência, com as crianças famintas em lugares como a Índia e a África, e não nos importamos com os milhões que são mortos por escolha deliberada de suas próprias mães. E propôs uma solução para as mulheres grávidas que não querem os filhos:

"Deem esses filhos para mim. Eu os quero. Eu cuidarei deles. Estou disposta a aceitar qualquer criança que seria abortada e darei essa criança a um casal unido pelo matrimônio que vai amá-la e será amado por essa criança."

Naquela época, ela já havia colocado três mil crianças em lares adotivos em Calcutá.

A religiosa encheu seu discurso com histórias comoventes de pessoas às quais ela havia servido, e ninguém que as ouvisse podia ir embora impassível. Depois do café, Madre Teresa reuniu-se com o presidente Clinton e, mais tarde, naquele dia, eu vi que a conversa o comovera também. O próprio Clinton trouxe à tona diversas das histórias por ela contadas durante nossa entrevista.

Corajosa e firmemente, mas com cortesia e amor, Madre Teresa conseguira reduzir a controvérsia do aborto aos seus termos: vida ou morte, amor ou rejeição. Um cético poderia dizer sobre sua oferta: "Madre Teresa, a senhora não compreende as complexidades envolvidas. Há mais de um milhão de abortos sendo feitos apenas nos Estados Unidos anualmente. Tenho certeza de que a senhora irá cuidar de cada uma dessas crianças!"

Mas, afinal, ela era a Madre Teresa. Vivera sua vocação especial de Deus e, se ele lhe enviasse um milhão de recém-nascidos, ela provavelmente encontraria um meio de cuidar de todos. Ela compreendeu que o amor sacrificial é uma das mais poderosas armas no arsenal cristão da graça.

Os profetas apresentam-se em todos os estilos e em todas as formas, e eu imagino que o profeta Elias, por exemplo, teria empregado palavras mais fortes do que Madre Teresa ao denunciar as injustiças morais. Ainda agora, não consigo parar de pensar que, de todas as palavras sobre o aborto ouvidas pelo presidente Clinton na ocasião de seu mandato, as palavras de Madre Teresa foram as que mais o tocaram profundamente.

Minha segunda conclusão talvez pareça contradizer a primeira: o compromisso com um estado de graça não significa que os cristãos irão conviver em perfeita harmonia com o governo. Como Kenneth Kaunda, o primeiro presidente de Zâmbia, escreveu: "O que a nação precisa mais do que tudo não é de um governante cristão, mas de um profeta cristão ao alcance da voz".[8]

Desde o princípio o cristianismo — cujo fundador foi executado pelo Estado — vivenciou a tensão com o governo. Jesus advertira seus discípulos que o mundo os odiaria como odiara a ele mesmo e, no caso de Jesus, foram os poderosos que conspiraram contra ele. Quando a igreja se disseminou pelo Império Romano, seus seguidores adotaram o lema "Jesus Cristo é o Senhor",[9] uma afronta direta às autoridades romanas que exigiam que todos os cidadãos declarassem: "César [o Estado] é o senhor". Um propósito impassível encontrara uma força irresistível.

Os cristãos primitivos exageraram nas regras para reger seus deveres diante do Estado. Proibiram algumas atuações profissionais: atores que deveriam se apresentar como deuses pagãos, professores obrigados a ensinar mitologia pagã em escolas públicas, gladiadores que tomavam a vida humana por esporte, soldado que matava, policial e juiz. Justino, que se tornou mártir, enunciou os limites da obediência a Roma: "A Deus somente prestamos adoração, mas em outras coisas alegremente os servimos, reconhecendo-os como reis e governadores dos homens e orando para que, com seu poder real, façam também um julgamento perfeito".[10]

Com o passar dos séculos, alguns governadores demonstraram julgamento perfeito; outros, não. Quando houve conflito, os cristãos colocaram-se contra o Estado, apelando para uma autoridade mais elevada. Thomas Becket disse ao rei da Inglaterra: "Não temamos ameaças, porque a corte da qual viemos está acostumada a dar ordens aos imperadores e reis".[11]

Os missionários que levaram o evangelho a outras culturas viram a necessidade de desafiar certas práticas, entrando em conflito direto com o Estado. Na Índia, atacaram o sistema de castas, o casamento infantil, a queima das noivas, a imolação das viúvas. Na América do Sul, baniram o sacrifício humano. Na África, opuseram-se à poligamia e à escravidão. Os cristãos compreenderam que sua fé não era simplesmente particular e devocional, mas tinha implicações para toda a sociedade.

Não por acidente os cristãos foram pioneiros no movimento antiescravatura, por exemplo, com suas argumentações teológicas. Filósofos como David Hume consideravam os negros inferiores, e os homens de negócio os consideravam uma fonte barata de trabalho. Alguns cristãos corajosos viram, acima da utilidade dos escravos, seu valor essencial como seres humanos criados por Deus e lideraram sua emancipação.

Com todas as suas falhas, a igreja às vezes — esporádica e imperfeitamente, é verdade — tem distribuído a mensagem da graça de Jesus ao mundo. Foi o cristianismo, e apenas o cristianismo, que acabou com a escravidão. E também foi o cristianismo que inspirou a criação dos primeiros hospitais e hospícios. A mesma energia impeliu o primeiro movimento trabalhista, o voto das mulheres, as campanhas dos direitos humanos e os direitos civis.

Quanto à América, Robert Bellah diz que "não houve nenhuma questão importante na história dos Estados Unidos a respeito da qual as organizações religiosas não falassem pública e clamorosamente".[12] Na história atual, os principais líderes do movimento dos direitos civis (Martin Luther King Jr., Ralph Abernathy, Jesse Jackson, Andrew Young) foram pastores e seus comoventes sermões deram prova disso. Igrejas de negros e brancos proporcionaram os edifícios, as redes, a ideologia, os voluntários e a teologia para apoiar o movimento.

Martin Luther King Jr. mais tarde alargou sua cruzada para encampar as questões da pobreza e da oposição à guerra no Vietnã. Apenas recentemente, quando o ativismo político passou para as causas conservadoras, o envolvimento cristão na política provocou alarme. Como Stephen Carter sugere em *The Culture of Disbelief* [A cultura da descrença], esse alarme pode simplesmente denunciar o fato de que aqueles que estão no poder não gostam das posições dos novos ativistas.

Stephen Carter oferece bom conselho a respeito de ativismo político: para que sejam eficientes, os cristãos "cheios de graça" precisam ser sábios nas questões que escolhem apoiar ou combater. Historicamente, eles tendem a sair pela tangente. Sim, nós lideramos o caminho para a abolição e para os direitos civis. Os protestantes, porém, também se envolveram em campanhas frenéticas contra os católicos, contra a imigração, contra os maçons. Grande parte da preocupação da sociedade moderna com o ativismo cristão retrocede a essas campanhas mal formuladas.

E hoje? Estamos escolhendo nossas batalhas com sabedoria? Obviamente, aborto, questões sexuais e definições de vida e morte são problemas dignos de nossa atenção. Mas, quando leio a literatura produzida por evangélicos que estão na política, encontro assuntos como o direito de portar armas, abolição da Secretaria de Educação, acordos comerciais do NAFTA, o tratado do Canal do Panamá e limites de períodos para os congressistas. Há alguns anos, ouvi o presidente da Associação Nacional dos Evangélicos incluir em sua lista das dez preocupações principais a "rejeição do imposto sobre lucros do capital". Com muita frequência a agenda dos grupos religiosos conservadores está de acordo com a linha da agenda dos políticos conservadores e não fundamenta suas prioridades em uma fonte transcendente. Como todos os outros, os evangélicos têm o direito de apresentar suas propostas em todas essas questões, mas, no momento em que as apresentamos como parte de alguma plataforma "cristã", abandonam o elevado fundamento moral.

Quando o movimento dos direitos civis — a grande cruzada moral do nosso tempo — emergiu em meados da década de 1960, os evangélicos, na sua maioria, permaneceram à margem. Muitas igrejas sulistas, como a minha, resistiram ferozmente às mudanças. Gradualmente, oradores como Billy Graham e Oral Roberts apoiaram o movimento. Apenas agora denominações evangélicas como a Comunidade Pentecostal da América do Norte e os batistas do Sul procuraram unir-se com as igrejas negras. Somente agora os movimentos populistas como os dos Promise Keepers[e] estão fazendo da reconciliação racial uma prioridade.

Para vergonha nossa, Ralph Reed admite que a centelha da recente onda dos evangélicos na política não foi acesa pela preocupação com o aborto, a injustiça na África do Sul, ou qualquer outra questão moral constringente. Não, a administração Carter acendeu o novo ativismo quando mandou que o Internal Revenue Service[f] investigasse as escolas particulares, exigindo que provassem que não foram organizadas com o intuito de preservar a segregação. Pegando nas armas por causa dessa brecha existente na barreira igreja-Estado, os evangélicos saíram às ruas.

Com demasiada frequência, em suas incursões na política, os cristãos provaram ser "astutos como as pombas" e "sem malícia como as serpentes" — exatamente o oposto do preceito de Jesus. Se esperamos que a sociedade leve a sério nossa contribuição, então temos de demonstrar mais sabedoria em nossas escolhas.

---

[e] Organização de homens cristãos com mais de 5 milhões de membros nos EUA [N. do R.].
[f] Equivalente à Secretaria da Receita Federal no Brasil [N. do R.].

Minha terceira conclusão a respeito das relações igreja-Estado é um princípio que tomei emprestado de G. K. Chesterton: a intimidade entre os dois é boa para o Estado e ruim para a igreja.

Já adverti contra o fato de a igreja transformar-se na "exterminadora moral" do mundo. Na verdade, o Estado precisa de exterminadores morais e vai recebê-los de braços abertos sempre que a igreja fizer esse favor. O presidente Eisenhower disse à nação em 1954: "Nosso governo não faz sentido se não for fundamentado sobre uma fé religiosa profundamente sentida — e não me importo qual seja ela".[13] Eu costumava rir da declaração de Eisenhower até que, em um fim de semana, fiquei diante de uma situação que me mostrou a pura verdade por trás dessa declaração.

Eu participava de um fórum em New Orleans com dez cristãos, dez judeus e dez muçulmanos; a ocasião coincidia com o auge do período do Carnaval. Ficamos em um centro católico para retiros, longe da confusão da cidade. Uma noite, porém, alguns dos participantes foram passear pelo bairro francês para ver um dos desfiles do Carnaval. Foi uma cena assustadora.

Milhares de pessoas acotovelavam-se nas ruas tão perto umas das outras que fomos arrastados por uma onda humana, incapazes de nos desvencilharmos. Garotas debruçavam-se sobre as sacadas gritando: "Mostramos os seios por um colar!". Em troca de um colar colorido de bolinhas plásticas, elas levantavam a camiseta e mostravam os seios rapidamente. Por um colar mais elaborado, ficavam nuas. Vi homens embriagados pegando uma adolescente na multidão e gritando: "Mostre os seios!". Quando ela se recusou, arrancaram sua blusa, levantaram-na até a altura dos ombros e a apalparam enquanto ela gritava, protestando. Em meio à bebedeira, à lascívia e até mesmo à violência, os foliões demonstravam o que acontece quando os desejos humanos recebem o aval da permissividade.

Na manhã seguinte, de volta ao retiro, comparamos as histórias da noite anterior. Algumas das mulheres, feministas entusiasmadas, estavam muito abaladas. Sabíamos que cada uma de nossas religiões tinha algo a contribuir para a sociedade em geral. Os muçulmanos, os cristãos e os judeus ajudavam a sociedade a compreender por que aquele comportamento animal não era apenas inaceitável, mas também maligno. A religião define o mal e dá às pessoas a força moral para resistir. Como "a consciência do Estado", ajudamos a informar o mundo a respeito da justiça e da retidão.

Nesse sentido cívico, Eisenhower estava certo: a sociedade precisa de religião, e pouco importa que tipo de religião. A nação islâmica ajuda a acabar com o gueto; a igreja mórmon diminui a criminalidade em Utah, tornando-o um Estado de famílias e amigos. Os fundadores dos Estados Unidos reconheceram que uma democracia, menos dependente da ordem imposta e mais da virtude dos cidadãos livres, precisa de um fundamento religioso.

Alguns anos atrás, o filósofo Glenn Tinder escreveu um artigo amplamente comentado para o *The Atlantic Monthly* intitulado "Podemos ser bons sem Deus?". Sua conclusão, meticulosamente discutida, em uma só palavra foi: não. Os seres humanos, inevitavelmente, caminham para o hedonismo e para o egoísmo a não ser que alguma coisa transcendente — o amor *ágape* — os leve a se importar com alguém mais do que com eles mesmos. Com senso de oportunidade irônico, o artigo foi publicado um mês depois da queda da Cortina de Ferro, um evento que acabou com o idealismo daqueles que haviam tentado construir uma sociedade justa sem Deus.

Não nos atrevemos, entretanto, a esquecer a última parte do aforismo de Chesterton: embora um acomodamento entre a igreja e o Estado possa ser bom para o Estado, é ruim para a igreja. Aí reside o principal perigo para a graça: o Estado, que governa pelas regras da ausência de graça, gradualmente esgota a sublime mensagem da graça da igreja.

Insaciável de poder, o Estado pode muito bem decidir que a igreja seria ainda mais útil se ele a controlasse. Isso aconteceu de maneira mais dramática na Alemanha nazista, quando, de forma sinistra, os cristãos evangélicos foram atraídos pela promessa de Hitler de restaurar a moral do governo e da sociedade. Muitos líderes protestantes inicialmente agradeceram a Deus pelo surgimento dos nazistas, que pareciam a única alternativa para o comunismo. De acordo com Karl Barth, a igreja "quase unanimemente recebeu bem o regime de Hitler, com confiança verdadeira, realmente com a mais elevada esperança".[14] Tarde demais aprenderam que, mais uma vez, ela fora seduzida pelo poder do Estado.

A igreja funciona melhor como uma força de resistência, um contrapeso ao poder consumidor do Estado. Quanto mais íntima ela fica do governo, mais diluída torna-se sua mensagem. O próprio evangelho muda quando se transforma em religião civil. Como nos lembra Alasdair MacIntyre, a ética elevada de Aristóteles não dá lugar a um homem bom demonstrando amor por um homem mau. Em outras palavras, não havia lugar para um evangelho da graça.

Em suma, o Estado deve sempre diluir a qualidade absoluta dos mandamentos de Jesus e transformá-los em uma forma de moralidade externa — o oposto do evangelho da graça. Jacques Ellul chega a ponto de dizer que o Novo Testamento não ensina algo como a "ética judaico-cristã". Ele ordena conversão e depois o seguinte: "Portanto, sejam perfeitos como perfeito é o Pai celestial de vocês."[15] Leia o Sermão do Monte e tente imaginar qualquer governo agindo segundo esse conjunto de leis.

Um governo pode fechar lojas e teatros aos domingos, mas não pode exigir a adoração. Pode prender e punir os assassinos da Ku Klux Klan, mas não pode curar seu ódio, muito menos lhes ensinar amor. Pode aprovar leis tornando o divórcio mais difícil, mas não pode obrigar os maridos a amar suas esposas e as esposas a amar seus maridos. Pode dar subsídios aos pobres, mas não pode forçar os ricos a demonstrar por eles compaixão e justiça. Pode banir o adultério, mas não a concupiscência; o roubo, mas não a cobiça; a fraude, mas não o orgulho. Pode encorajar a virtude, mas não a santidade.

19
Caminhos verdejantes

A abdicação da fé torna o comportamento mesquinho.
EMILY DICKINSON

Durante a erupção vulcânica do monte Santa Helena, o calor intenso derreteu o solo, deixando a rocha nua coberta por um espesso manto de cinzas. Os ambientalistas do Serviço Florestal ficaram imaginando quanto tempo seria preciso para que alguma coisa viva pudesse se desenvolver ali. Um dia, um funcionário do parque deparou com uma espécie de canteiro viçoso com flores silvestres, samambaias e capim profundamente enraizados em uma parte do local devastado. Levou apenas alguns segundos para constatar um fato extraordinário: aquele fragmento de vegetação tinha o formato de um alce. As plantas haviam brotado do material orgânico que jazia no local em que o animal fora sepultado pelas cinzas. Daquele momento em diante, os ambientalistas começaram a procurar aqueles fragmentos luxuriantes como um subsídio para calcular a perda da vida selvagem.

Muito tempo depois que uma sociedade começa a decair, sinais de sua vida antiga continuam aparecendo. Sem saber por que, as pessoas se apegam aos costumes morais do passado, aos "hábitos do coração", nas palavras de Robert Bellah. Devidamente semeados, como as formas dos animais pontilhando os declives vazios do monte Santa Helena, dão vida a uma paisagem considerada estéril.

A Inglaterra vitoriana oferece um exemplo de um lugar onde os canteiros verdes brotaram para a vida, um lugar onde um grupo de cristãos dedicados agraciou toda a sociedade. Foi um período histórico sombrio, marcado pela escravidão nas colônias, pelo trabalho infantil nas fábricas e pela sujeira nas cidades. A mudança veio de baixo, como costuma acontecer, não imposta de cima.

Das quase quinhentas organizações britânicas de caridade criadas durante o século 14, pelo menos três quartos delas são evangélicas em seus métodos. O Grupo de Clapham — pequeno grupo de cristãos leais e comprometidos, incluindo Charles Simeon e William Wilberforce — conseguiu que cinco dos seus membros fossem eleitos para o Parlamento. Enquanto Wilberforce dedicava toda a sua carreira à abolição da escravidão, outros grupos assumiram a causa dos devedores presos, resultando na libertação de 1,4 mil prisioneiros. Outros ainda lideraram cruzadas em favor da educação, abrigo para os pobres e auxílio aos incapacitados, ao mesmo tempo em que se opunham ao trabalho infantil, à imoralidade pública e ao alcoolismo. Oponentes zombavam dos "santos", um rótulo do qual o Grupo de Clapham se orgulhava.

Nesse mesmo período, William Booth costumava passear pelos cortiços e bairros miseráveis do extremo leste de Londres, onde sua esposa dirigia um grupo de estudo bíblico. Ele observou que um em cada cinco edifícios era um *pub* em que homens passavam o dia inteiro bebendo o sustento de suas famílias. Muitos bares tinham até degraus junto ao balcão para que crianças pequenas pudessem subir e pedir gim. Assustado com essas condições, William Booth criou a "Missão Cristã", em 1865, servindo os "abatidos e esquecidos" ignorados pelos outros e, dessa visão, nasceu o Exército de Salvação (imagine uma organização sendo criada com esse nome hoje!). Quando as denominações tradicionais franziram o nariz por causa da clientela que Booth estava atraindo, ele teve de organizar sua própria igreja para acomodar esses "troféus da graça".

Muitas pessoas não sabem que o Exército de Salvação funciona como uma igreja local, além de fazer caridade. Mas nenhuma organização de caridade atraiu maior apoio financeiro quanto essa, que alcança o ponto mais alto em qualquer avaliação de eficiência: eles alimentam os famintos, abrigam os que não têm lar, tratam dos viciados e dos alcoólatras, sendo os primeiros a aparecer nos cenários das desgraças. O movimento continuou a crescer, de modo que hoje esses soldados da graça chegam a um milhão — um dos maiores exércitos em atividade no mundo atual — e servem em uma centena de países. O fermento de William Booth leveda agora sociedades ao redor do mundo.

As reformas realizadas por William Booth e pelo Grupo de Clapham finalmente se transformaram em política pública. E as qualidades vitorianas da honestidade, diligência, pureza e caridade espalharam-se por toda a sociedade, ajudando a poupar a Inglaterra das violentas dilacerações de outras nações.

A Europa e os Estados Unidos continuam a recorrer ao capital moral da fé cristã, ao transbordamento da graça. Todavia, a opinião pública revela que a maioria dos americanos está ansiosa a respeito do futuro (a pesquisa do Gallup diz que 83% dos americanos creem que a nação está em declínio moral). A historiadora Barbara Tuchman, que ganhou o prêmio Pulitzer por suas obras e certamente não representa o alarmismo da direita religiosa, preocupa-se com a bancarrota moral. Ela falou a Bill Moyers sobre sua preocupação:

> Preocupa-me a perda de um senso moral, de se conhecer a diferença entre o certo e o errado, e de ser governado por esse conceito. Vemos tudo isso no tempo. Abrimos qualquer jornal matutino e lemos que algumas autoridades foram indiciadas por fraude ou corrupção. As pessoas andam por aí atirando em seus colegas ou matando gente.[...] Eu fico me perguntando: as nações já entraram em declínio por causa de uma perda de senso moral em vez de motivos físicos ou pressões dos bárbaros? Acho que sim.[1]

Quando o consenso cristão se desvanece, quando a fé religiosa é arrancada da sociedade, o que ocorre? Não precisamos especular, pois o século 20 deu exemplos claros de respostas para essa mesma pergunta. Pense na Rússia.

O governo comunista atacou a herança russa com uma fúria antirreligiosa sem precedentes na História humana. Arrasaram igrejas, mesquitas e sinagogas, baniram a instrução religiosa das crianças, fecharam seminários e mosteiros, prenderam e mataram sacerdotes. Todos nós sabemos o que aconteceu, naturalmente. Depois de dez milhões de mortes e de experimentar o caos social e moral, o povo da Rússia finalmente acordou. Como sempre acontece, os artistas falaram primeiro. Alexander Soljenitsyn disse:

> Há meio século, enquanto eu ainda era criança, lembro-me de ouvir as pessoas mais velhas oferecerem a seguinte explicação para os grandes desastres que desabaram sobre a Rússia: "Os homens esqueceram-se de Deus; por isso tudo aconteceu." Desde então, passei quase cinquenta anos trabalhando na história de nossa revolução; no processo, li centenas de livros, reuni centenas de testemunhos pessoais e já contribuí com oito volumes para o esforço de limpar o entulho deixado por essa transformação social. Mas, se me pedissem hoje para formular da maneira mais concisa possível a causa principal da desastrosa revolução que engoliu cerca de sessenta milhões de pessoas, não poderia expô-lo mais adequadamente do que repetindo: "Os homens esqueceram-se de Deus; por isso tudo aconteceu".²

Soljenitsyn proferiu essas palavras em 1983, quando a URSS ainda era uma superpotência e ele estava sendo muito atacado. Menos de uma década depois, entretanto, os líderes da Rússia repetiam suas palavras com aprovação, conforme ouvi pessoalmente quando visitei a Rússia em 1991.

Vi naquele país pessoas morrendo com fome de graça. A economia e toda a sociedade estavam em queda livre e todos se acusavam mutuamente. Os reformadores acusavam os comunistas, os comunistas linha-dura acusavam os americanos, os estrangeiros acusavam a Máfia e a ética trabalhista nojenta dos russos. As recriminações abundavam. Observei que os cidadãos russos comuns comportavam-se como crianças espancadas: cabeça baixa, fala vacilante, olhar furtivo. Em quem podiam confiar? Exatamente como uma criança espancada acha difícil acreditar na ordem e no amor, essas pessoas achavam difícil acreditar em um Deus que controla de maneira sobrenatural o Universo e que as ama apaixonadamente. Achavam difícil acreditar na graça. Mas, sem a graça, o que colocaria um fim no ciclo da ausência de graça no país?

Deixei a Rússia impressionado com as mudanças necessárias que eles tinham pela frente, mas também com um profundo sentimento de esperança. Até mesmo em uma paisagem moral arrasada, vi sinais de vida, fragmentos de vegetação amenizando o deserto, crescendo e adquirindo o formato do que foi morto.

Conheci cidadãos comuns que agora desfrutam de liberdade para adorar. Muitos deles aprenderam a fé com uma *babushka,* as vovós idosas. Quando o Estado derrubou a igreja, ignorou esse grupo: "Deixemos que as mulheres idosas varram o chão, vendam velas e se apeguem às tradições até que todas morram", raciocinavam. As mãos idosas das *babushkas,* entretanto, embalaram os berços. Jovens frequentadores de igrejas hoje dizem que aprenderam a respeito de Deus na infância por meio dos hinos e histórias que a avó sussurrava enquanto caíam no sono.

Nunca me esquecerei de uma reunião na qual os jornalistas de Moscou choraram — eu nunca vira jornalistas chorando — quando Ron Nikkel, da Prison Fellowship International,[a] falou das igrejas secretas que agora floresciam nas colônias penais da Rússia. Durante setenta anos as prisões foram o repositório da verdade, o único lugar em que se podia enunciar seguramente o nome de Deus. Foi na prisão, não na igreja, que pessoas como Soljenitsyn encontraram Deus.

Ron Nikkel contou também sobre sua conversa com um general que dirigia o Ministério dos Assuntos Internos. O general ouvira falar da Bíblia por meio dos cristãos idosos e tinha admiração por ela, como se fosse uma peça de museu, não uma coisa para se crer. Os acontecimentos recentes, entretanto, fizeram-no reconsiderar. No final de 1991, quando Boris Yeltsin ordenou o fechamento de todos os escritórios nacionais, regionais e locais do Partido Comunista, seu ministério policiou o desmantelamento. "Nenhum partido oficial", disse o general, "nenhuma pessoa diretamente afetada pelo fechamento protestou." Ele contrastou isso com a campanha de setenta anos para destruir a igreja e esmagar a fé em Deus. "A fé cristã sobreviveu a qualquer ideologia. A igreja está agora ressurgindo de um modo diferente de qualquer coisa que eu tenha testemunhado."

Em 1983, um grupo da JOCUM (Jovens com uma Missão)[b] desfraldou de maneira ousada uma bandeira na manhã do domingo de Páscoa na Praça Vermelha: "Cristo ressuscitou!", diziam em russo. Alguns russos mais idosos

---

[a] A Prison Fellowship International (PFI) é um órgão consultivo da ONU para assuntos penitenciários, sendo um movimento voluntário cristão internacional de apoio aos reclusos [N. do R.].

[b] Missão internacional e interdenominacional de caráter filantrópico, empenhada na mobilização de jovens de todas as nações para a obra missionária [N. do R.].

caíram de joelhos e choraram. Soldados logo cercaram os perturbadores que cantavam hinos, rasgaram a bandeira e os levaram para a prisão. Menos de uma década depois desse ato de desobediência civil, em toda a Praça Vermelha as pessoas cumprimentavam-se no domingo de Páscoa usando a fórmula tradicional: "Cristo ressuscitou!"... "Ele realmente ressuscitou!".

Durante o longo percurso de avião de Moscou para Chicago, tive muito tempo para refletir sobre o que vira na Rússia. Enquanto estive lá, senti-me como Alice no País das Maravilhas. Apesar da falta de recursos, o governo estava investindo bilhões de rublos para ajudar a restaurar as igrejas danificadas ou destruídas pelo regime comunista. Oramos com o Soviete Supremo e com a KGB. Vimos Bíblias à venda nos edifícios do governo russo. Os editores do *Pravda* perguntaram se um de nós poderia escrever um artigo religioso para a primeira página do jornal. Educadores convidaram-nos para que sugeríssemos um currículo baseado nos Dez Mandamentos.

Tive a impressão explícita de que Deus estava se movendo, não no sentido espiritualizado dessa frase, mas literalmente fazendo as malas e se mudando. A Europa Ocidental agora dá pouca importância a Deus, os Estados Unidos estão deixando Deus de lado, e talvez o futuro do Reino de Deus pertença a lugares como Coreia, China, África e Rússia. O Reino de Deus viceja onde seus súditos seguem os desejos do Rei — será que isso descreve os Estados Unidos da América e a América Latina hoje?

Como americano, a perspectiva dessa "mudança" deixa-me triste. Contudo, ao mesmo tempo, entendo mais claramente do que nunca que minha lealdade máxima jaz no Reino de Deus, não nos Estados Unidos. Os discípulos originais de Jesus viram sua bem-amada Jerusalém sendo arrasada e incendiada, e tenho certeza de que olharam para trás através das lágrimas quando foram para Roma, Espanha e Etiópia. Agostinho, que escreveu *A cidade de Deus*[c] para ajudar a explicar a cidadania dupla de um cristão, viveu o colapso de Roma e viu do seu leito de morte as chamas devorando sua cidade natal de Hipona, no norte da África.

---

[c] Vozes, 2005 [N. do R.].

Não faz muito tempo tive uma conversa com um missionário idoso que passou o começo de sua carreira na China. Ele estava entre os 6 mil missionários expulsos depois que os comunistas assumiram o poder. Como na Rússia, esses comunistas também lutaram vigorosamente para destruir a igreja que, até então, fora uma vitrine do movimento missionário. O governo proibiu as igrejas nos lares, tornou ilegal que os pais dessem educação religiosa aos filhos, prendeu e torturou pastores e professores da Bíblia.

Enquanto isso, os missionários exilados ficaram sem ação e torcendo as mãos. Como a igreja na China ficaria sem eles? Sem seus seminários e suas escolas bíblicas, a igreja sobreviveria? Durante quarenta anos esses missionários ouviram rumores, alguns desencorajadores e outros não, a respeito do que estava acontecendo na China, mas nenhum sabia com certeza até que o país deu início ao processo de abertura na década de 1980.

Perguntei a esse missionário, agora um renomado especialista em assuntos da China, o que ocorrera nos quarenta anos intermediários. "Calculando de maneira um tanto conservadora, eu diria que quando saí da China havia 750 mil cristãos. E agora? Bom, ouvimos toda sorte de estimativas, mas acho que um cálculo seguro seria 35 milhões de cristãos." Aparentemente, a igreja e o Espírito Santo passaram muito bem sozinhos. A igreja na China agora constitui a segunda maior comunidade evangélica do mundo; apenas os Estados Unidos a excedem.[d]

Um especialista calcula que o reavivamento na China representa o maior reavivamento numérico na história da Igreja. De maneira estranha, a hostilidade do governo operou em favor da igreja. Excluídos das estruturas do poder, os cristãos chineses dedicaram-se a adorar e a evangelizar, a missão original da igreja, e não se preocuparam muito com política. Eles se concentraram em transformar vidas, não em transformar leis.

Regressei da Rússia menos preocupado com o que poderia acontecer por trás das paredes de mármore e granito dos edifícios do Capitólio e da Suprema Corte dos Estados Unidos e mais preocupado com o que poderia

---

[d] O Brasil é hoje o terceiro país com a maior comunidade evangélica do mundo, perdendo apenas para a China e os Estados Unidos [N. do R.].

acontecer por trás das paredes das igrejas espalhadas por toda a América. Uma renovada espiritualidade nos Estados Unidos não descerá do alto; se ocorrer, vai começar da base, crescendo de baixo para cima.

Tenho de admitir que meu retorno aos Estados Unidos deu-me pouca esperança de que a Rússia e o mundo possam aprender sobre a graça por meio dos cristãos de meu país. Randall Terry dizia na Rádio Nacional Oficial que as enchentes do meio-oeste, que fizeram milhares de fazendeiros perderem suas terras, suas casas e seu gado, vieram como juízo de Deus contra o fracasso da América em apoiar a cruzada antiaborto. O ano seguinte, 1992, foi comprovadamente um dos anos eleitorais mais difíceis, à medida que a direita religiosa demonstrava sua força pela primeira vez em escala nacional. Os cristãos pareciam mais interessados no poder do que na graça.

Logo após a eleição de 1992, participei de um debate com Lucinda Robb, neta do presidente Lyndon Johnson e filha de Lynda e do senador Chuck Robb. Sua família passara por uma campanha humilhante contra Oliver North, na qual os cristãos da ala direita fizeram manifestações em cada apresentação deles. "Pensei que fôssemos cristãos", Lucinda contou. "Crescemos com Billy Graham nos visitando frequentemente e sempre fomos atuantes na igreja. Nós realmente cremos. Mas esses manifestantes nos trataram como se fôssemos demônios do inferno."

O debate do qual participamos discutia o tema "guerras culturais" diante de um grande ajuntamento que se inclinava na direção da convicção democrática liberal e incluía forte minoria judia. Fui escolhido como símbolo do cristão evangélico. Além de Lucinda Robb, estavam presentes os presidentes do Disney Channel e da Warner Brothers, o presidente da Universidade Wellesley e o advogado pessoal de Anita Hill.

A fim de preparar meu discurso, li os evangelhos em busca de orientação, apenas para ser lembrado de como Jesus foi apolítico. Nas palavras de P. T. Forsyth: "A referência maior e mais profunda do evangelho não é ao mundo ou aos seus problemas sociais, mas à eternidade e às suas obrigações sociais".[3] Hoje, sempre que uma eleição está para acontecer, os cristãos debatem se este ou aquele candidato é o "homem de Deus" para assumir o cargo. Projetando-me para a época de Jesus, tenho dificuldade em imaginá-lo ponderando se Tibério, Otávio ou Júlio César seriam o "homem de Deus" para o império.

Quando chegou minha vez de falar, disse que o homem que eu seguia, um judeu-palestino do primeiro século, também esteve envolvido em uma guerra cultural. Ele se levantou contra uma instituição religiosa rígida e um império pagão. Os dois poderes, geralmente em desacordo, conspiravam juntos para eliminá-lo. Sua reação? Não lutar, mas dar sua vida pelos inimigos, apontando para esse dom como prova do seu amor. Entre as últimas palavras que ele enunciou antes da sua morte estavam as seguintes: "Pai, perdoa-lhes, pois não sabem o que estão fazendo".[4]

Depois do debate, uma celebridade da televisão aproximou-se de mim anunciando: "Preciso dizer que suas palavras atingiram em cheio meu coração. Eu estava preparado para não gostar de você porque não gosto dos cristãos da ala direita e entendi que você era um deles. Você não pode imaginar as cartas que recebo dos partidários da ala direita. Não sou discípulo de Jesus, sou judeu. Mas, quando você falou de Jesus perdoando seus inimigos, percebi como estou afastado desse espírito. Tenho muito a aprender com o espírito de Jesus".

Na vida dessa celebridade, a lenta e firme força da graça estava operando.

As imagens apresentadas por Jesus descrevem o Reino como um tipo de força secreta. Ovelhas entre lobos, tesouro escondido em um campo, a menor das sementes no jardim, trigo crescendo entre joio, um punhado de fermento operando na massa do pão, uma pitada de sal na carne. Tudo isso aponta para um movimento que opera dentro da sociedade, mudando-a de dentro para fora. Você não precisa de uma pá cheia de sal para preservar uma fatia de presunto; um pouco já é suficiente.

Jesus não deixou uma hoste organizada de discípulos, pois Ele sabia que um punhado de sal gradualmente operaria através do mais poderoso império do mundo. Contra todas as possibilidades, as grandes instituições de Roma — o código de leis, as bibliotecas, o Senado, as legiões romanas, as estradas, os aquedutos, os monumentos públicos — desmoronaram gradualmente, mas o pequeno grupo a quem Jesus entregou essas imagens prevaleceu e continua até hoje.

Søren Kierkegaard descreve a si mesmo como um espião, e realmente os cristãos agem como espiões, vivendo em um mundo enquanto nossa mais profunda fidelidade pertence a outro. Somos alienígenas residentes, ou *forasteiros,* utilizando uma expressão bíblica. As visitas que fiz aos estados totalitários conferiram a esse termo um novo significado.

Durante muitos anos, os dissidentes na Europa Oriental reuniam-se secretamente, falavam em código, evitavam telefones públicos e publicavam artigos com pseudônimos em jornais da resistência. Em meados da década de 1970, entretanto, começaram a perceber que suas vidas duplas tinham custado caro. Trabalhando em segredo, sempre com um olhar nervoso por sobre o ombro, haviam sucumbido ao medo e eram alvo de seus oponentes comunistas o tempo todo. Foi então que tomaram uma decisão consciente de mudar de tática. "Vamos agir como se fôssemos livres, aconteça o que acontecer", decidiram os dissidentes poloneses e tchecos. Começaram a realizar reuniões públicas, geralmente nas igrejas, apesar da presença de informantes conhecidos. Assinaram artigos, às vezes acrescentando endereço e número de telefone, e distribuíram jornais abertamente nas esquinas das ruas.

Na verdade, os dissidentes começaram a agir como achavam que a sociedade deveria agir. Se você quer liberdade de palavra, fale abertamente. Se ama a verdade, fale a verdade. As autoridades não souberam como reagir. Às vezes, iam para cima — quase todos os dissidentes passaram algum tempo na prisão —, às vezes, observavam com uma frustração que chegava às raias da fúria. Enquanto isso, as táticas descaradas dos dissidentes tornavam muito mais fácil que se comunicassem entre si e com o Ocidente. Com isso, um tipo de "arquipélago de liberdade" tomava forma, uma contrapartida luminosa ao sombrio "arquipélago Gulag".

Notavelmente, vivemos para ver esses dissidentes triunfarem. Um reino alternativo — de súditos esfarrapados, prisioneiros, poetas e sacerdotes que colocaram suas palavras em um *samizdat* rabiscado à mão — derrubou o que parecia uma fortaleza inexpugnável. Em cada nação a igreja operou como uma contraforça, às vezes mansamente e às vezes em voz alta, insistindo em uma verdade que transcendia e, na maioria dos casos, contradizia a propaganda oficial. Na Polônia, por exemplo, os católicos marcharam diante dos edifícios do governo gritando: "Nós os perdoamos!" Na Alemanha Oriental, os cristãos acenderam velas, oraram e marcharam nas ruas até que uma noite o Muro de Berlim caiu como uma barreira frágil.

Há muito tempo, Stalin construiu uma vila na Polônia e a chamou de Nowa Huta, ou seja, "Nova Cidade", para demonstrar a promessa do comunismo. Ele dizia que não podia transformar todo o país de repente, mas podia construir uma cidade-modelo com uma reluzente fábrica de aço, apartamentos espaçosos, abundância de parques e largas ruas como sinal do que viria a seguir. Mais tarde, Nowa Huta tornou-se um dos berços do Partido Solidariedade, demonstrando, assim, o fracasso do comunismo até mesmo para fazer uma simples cidade funcionar.

E se os cristãos usassem o mesmo método na sociedade secular e tivessem sucesso? "No mundo, os cristãos são uma colônia do verdadeiro lar", diz Bonhoeffer.[5] Talvez os cristãos devessem trabalhar com mais afinco para estabelecer colônias do Reino que apontassem para nosso verdadeiro lar. Com demasiada frequência, a igreja levanta um espelho refletindo a sociedade que a cerca, em vez de uma janela revelando um caminho diferente.

Se o mundo despreza uma pecadora notória, a igreja vai amá-la. Se o mundo nega ajuda ao pobre e ao sofredor, a igreja vai oferecer-lhe alimento e cura. Se o mundo oprime, a igreja vai levantar o oprimido. Se o mundo envergonha um pária social, a igreja vai proclamar o amor reconciliador de Deus. Se o mundo busca lucro e autossatisfação, a igreja dispõe-se ao sacrifício e ao serviço. Se o mundo se divide em facções, a igreja reúne-se em unidade. Se o mundo destrói seus inimigos, a igreja ama-os.

Essa, pelo menos, é a visão da igreja no Novo Testamento: uma colônia do céu em um mundo hostil. Dwight L. Moody disse: "De cem homens, um lerá a Bíblia; 99 lerão o cristão."

Como dissidentes em países comunistas, os cristãos vivem por meio de um conjunto de regras diferente. Somos um povo "peculiar", escreveu Bonhoeffer. Um povo que ele definiu como extraordinário, fora do comum, que não é natural. Jesus não foi crucificado por ser um bom cidadão, por ser apenas um pouco melhor do que os outros. Os poderes do seu tempo acertadamente o viram e a seus seguidores como subversivos, porque receberam ordens de um poder mais alto do que o de Roma ou Jerusalém.

Que aparência teria uma igreja subversiva nos Estados Unidos da atualidade? Alguns observadores chamaram os Estados Unidos de a nação mais religiosa do mundo. Se for verdade, o fato conduz a uma pergunta revigorante feita por Dallas Willard: meio quilo de sal sobre meio quilo de carne não deveria surtir mais efeito?

É claro que um povo peculiar deveria demonstrar um padrão mais elevado de ética pessoal do que o mundo que o rodeia. Mas, dando apenas um exemplo, George Barna, pesquisador da opinião pública, descobriu que os cristãos regenerados na América moderna têm realmente um índice mais elevado de divórcios (27%) do que os incrédulos (23%); aqueles que se descrevem como fundamentalistas apresentam o índice mais elevado de todos (30%). Na verdade, quatro dos seis estados com a taxa mais elevada de divórcios encontram-se na região conhecida como Cinturão da Bíblia. Longe de serem peculiares, os cristãos modernos tendem a parecer-se com todos os demais. Se nossa ética pessoal não subir acima do nível que nos cerca, dificilmente poderemos esperar agir como defensores da moral.

Mas, mesmo que os cristãos demonstrassem elevado padrão ético, só esse fato não cumpriria o evangelho — afinal, os fariseus tinham uma ética impecável. Antes, Jesus reduziu a marca de um cristão a uma única palavra. "Com isso todos saberão que vocês são meus discípulos, se vocês se *amarem* uns aos outros."[6] O mais subversivo ato que a igreja pode praticar é obedecer sistematicamente a esse mandamento.

Talvez a política tenha demonstrado ser tamanha armadilha para a igreja porque o poder raramente coexiste com o amor. As pessoas no poder fazem listas de amigos e inimigos. Daí, recompensam os amigos e punem os inimigos. Os cristãos receberam ordem de amar até mesmo seus inimigos. Chuck Colson, que aperfeiçoou a arte da política do poder sob a administração Nixon, diz agora que tem pouca fé na política para resolver os problemas sociais da atualidade. Nossos melhores esforços em uma sociedade mutante falharão a não ser que a igreja possa ensinar o mundo a amar.

Colson cita um exemplo comovente de um cristão que obedeceu ao mandamento do amor, em vez de obedecer às regras do poder. Depois que o presidente Nixon renunciou, desacreditado, retirou-se para sua propriedade em San Clemente para viver praticamente isolado. Uma vez que os políticos não queriam manchar sua reputação sendo vistos com ele, Nixon recebia poucas visitas no início. Uma exceção foi Mark Hatfield, um cristão sincero que muitas vezes se opusera a Nixon no Senado dos Estados Unidos. Colson perguntou a Hatfield por que ele se arriscava a viajar até San Clemente. "Faço isso para que o sr. Nixon saiba que alguém o ama", ele respondeu.

Conheço algumas das ofensas que Billy Graham recebeu por visitar Bill e Hillary Clinton e por orar na posse de Clinton. Graham também acredita que o mandamento transcende as diferenças políticas, e por isso tem ministrado a cada presidente desde Harry Truman, apesar da política. Em entrevista particular, perguntei ao reverendo Billy Graham com que presidente ele passara mais tempo. Para minha surpresa, ele citou Lyndon Johnson, um homem com o qual tinha profundas diferenças políticas. Mas Johnson temia a morte e "sempre quisera um pastor por perto". Para Graham, o indivíduo era mais importante do que a política.

Durante a era Brezhnev, no auge da Guerra Fria, Billy Graham visitou a Rússia e encontrou-se com líderes do governo e da igreja. Os conservadores de seu país reprovaram-no por tratar os russos com cortesia e respeito. Ele deveria ter assumido um papel mais profético, disseram, condenando os abusos dos direitos humanos e da liberdade religiosa. Um dos críticos acusou-o de fazer a igreja retroceder cinquenta anos. Graham ouviu, abaixou a cabeça e respondeu: "Estou profundamente envergonhado. Tenho me esforçado muito para fazer a igreja retroceder 2 mil anos".

A política determina limites entre pessoas; em contraste, o amor de Jesus passa por cima dessas linhas e distribui graça. Isso não significa, naturalmente, que os cristãos não deveriam envolver-se em política. Significa simplesmente que, ao fazê-lo, não devemos permitir que as regras do poder descartem o mandamento do amor.

Ron Sider disse:

> Imagine o impacto se a primeira coisa que as feministas radicais pensassem quando a conversa se voltasse para os homens evangélicos fosse que eles tinham a melhor reputação em manter os votos matrimoniais e em servir suas esposas à maneira difícil de Jesus na cruz. Pense no impacto se a primeira coisa que a comunidade homossexual pensasse quando alguém mencionasse os evangélicos fosse que eram pessoas que dirigiam com amor abrigos para aidéticos e cuidavam deles carinhosamente até o último suspiro.

Um exemplo um pouco mais sólido e uma mordomia mais difícil valem mais que milhares de palavras verdadeiras enunciadas com aspereza.[7]

Uma amiga minha trabalhava em um centro de aconselhamento para grávidas em Michigan. Católica atuante, ela aconselhava as mulheres a fazer sua escolha contra o aborto e a deixar que ela encontrasse pais adotivos para os bebês. Uma vez que o centro se localizava perto de uma universidade importante, as ativistas da pró-escolha com frequência faziam passeatas na frente do prédio. Em um dia frio e nevoso, minha amiga mandou buscar rosquinhas com café, encomendando o suficiente para todas as ativistas que se opunham ao seu trabalho. Quando chegou o alimento, ela saiu e ofereceu às "inimigas".

"Sei que discordamos a respeito desse assunto", ela informou, "mas ainda as respeito como pessoas, e sei que devem estar sentindo frio por ficar aí fora o dia inteiro. Achei que gostariam de comer alguma coisa."

As ativistas ficaram sem fala. Gaguejaram palavras de gratidão e ficaram olhando para o café, embora muitas se recusassem a bebê-lo (será que ela não colocara veneno?).

Nós, cristãos, podemos resolver entrar na arena do poder, mas, quando o fizermos, não devemos atrever-nos a deixar o amor para trás. "O poder sem amor é imprudente e abusivo", disse Martin Luther King Jr. "O poder é principalmente o amor implementando as exigências da justiça."

Friedrich Nietzsche acusava a igreja cristã de ter "apoiado tudo o que é fraco, vil e inadequado".[8] Ele zombava de uma religião piedosa que negava a teoria da evolução e suas regras favorecendo o poder e a competição. Nietzsche lembrou do escândalo da graça, um escândalo que retrocedia ao "Deus na cruz".

Ele estava certo. Nas parábolas de Jesus, os ricos e sadios nunca pareciam tomar parte na festa de casamento, enquanto os pobres e os fracos vinham correndo. E, com o passar dos anos, os santos cristãos escolheram os objetos

---

[c] A Comunidade da Arca foi fundada em 1964 por Jean Vanier. Espalhadas hoje pelo mundo, essas comunidades oferecem às pessoas deficientes um lar no qual podem encontrar refúgio e fazer desabrochar um espírito de entrega e estima [N. do R.].

mais antidarwinianos para o seu amor. As freiras de Madre Teresa enchem de cuidados os miseráveis sem lar que ainda possuem alguns dias, se não horas, de vida. Jean Vanier, fundador do movimento L'Arche,ᵉ mora em uma casa que emprega dezessete ajudantes para trabalhar com dez homens e dez mulheres mentalmente perturbados, nenhum dos quais jamais será capaz de falar ou coordenar os próprios movimentos. Dorothy Day, do Catholic Worker Movement, admitiu a extravagância financeira cometida para viabilizar a sua sopa dos pobres: "Como é maravilhoso", ela disse, "cometer ousadas extravagâncias, ignorando o preço do café e continuando a servir a longa fila de destituídos que nos procuram para tomar um bom café e comer o melhor dos pães".⁹

O cristão sabe servir aos fracos não porque eles mereçam, mas porque Deus estendeu seu amor a nós quando ainda merecíamos o oposto. Cristo *desceu* do céu e, sempre que seus discípulos alimentavam sonhos de prestígio e poder, ele os lembrava de que o maior é aquele que serve. A escada do poder sobe, a escada da graça desce.

Como jornalista, tenho tido o privilégio de ver muitos exemplos maravilhosos de cristãos distribuindo a graça. Diferentemente dos ativistas políticos, esse grupo não aparece com frequência nos jornais. Eles servem fielmente, temperando nossa cultura com a força preservadora do evangelho. Estremeço ao imaginar qual seria a aparência dos Estados Unidos da atualidade sem o "sal da terra" em seu meio.

"Nunca subestime o poder de uma minoria que dá valor à visão de um mundo bom e justo", disse Robert Bellah.¹⁰ Esse é o povo que eu desejaria que viesse à mente dos meus companheiros de voo quando pergunto: "Como você acha que é um cristão evangélico?".

Sei bem como funciona um hospital para pacientes terminais, pois minha esposa trabalha em um como capelã. Certa vez entrevistei a dra. Cicely Saunders, fundadora do movimento *hospice* moderno,ᶠ no Hospital de St. Christopher,

---

ᶠ   O conceito de cuidados paliativos teve origem no movimento *hospice*, originado por Cecily Saunders e seus colegas, disseminando pelo mundo uma nova filosofia sobre cuidar, com dois elementos fundamentais: o controle efetivo da dor e de outros sintomas decorrentes dos tratamentos em fase avançada das doenças e o cuidado que abrangesse as dimensões psicológicas, sociais e espirituais dos pacientes e de suas famílias [N. do R.].

em Londres. Assistente social e enfermeira, ela ficava estarrecida com a maneira pela qual a equipe médica tratava as pessoas em estado terminal — em essência, ignorando-as, como provas de fracasso. Essa atitude ofendeu Saunders como cristã, pois o cuidado dos moribundos tem sido tradicionalmente uma das sete obras de misericórdia da igreja. Uma vez que ninguém daria ouvido a uma enfermeira, ela voltou para a faculdade de Medicina e formou-se médica antes de fundar um local no qual as pessoas pudessem ficar para morrer com dignidade e sem dor. Agora, esses hospitais existem em quarenta países, dois mil só nos Estados Unidos, dos quais cerca da metade tem fundamento cristão. A dra. Cicely acreditava, desde o início, que os cristãos oferecem a melhor combinação de cuidados físicos, emocionais e espirituais para as pessoas enfrentarem a morte. Ela considera os cuidados dos *hospices* uma alternativa brilhante ao dr. Kevorkian e seu movimento do "direito de morrer".

Penso nos milhares de grupos que se fundamentam no programa dos doze passos e se reúnem nos subsolos das igrejas, salões e salas da VFW (Veterans of Foreign Wars) por toda a nação, uma noite por semana. Os cristãos que fundaram os Alcoólicos Anônimos enfrentaram uma escolha: ou fazer dela uma organização restritamente cristã ou fundá-la sobre princípios cristãos e, então, abri-la para todos. Escolheram a última alternativa, e agora milhares de pessoas na América procuram o programa — fundamentado na dependência de um "poder mais alto" e em uma comunidade de apoio — como remédio para o vício do álcool, das drogas, do sexo e da comida. Penso em Millard Fuller, um empresário milionário do Alabama que ainda fala com o sotaque fanhoso dos plantadores de algodão. Rico mas infeliz, com o casamento acabado, dirigiu-se para Americus, na Geórgia, onde foi influenciado pela palavra de Clarence Jordan e da Comunidade Koinonia. Em pouco tempo, Fuller distribuiu sua fortuna e fundou uma organização com base na simples premissa de que cada pessoa do planeta merece um lugar decente para viver. Hoje, o HFH [no Brasil, *Habitat* para a Humanidade] reúne milhares de voluntários para a construção de casas em todo o mundo. Uma vez ouvi Fuller explicar sua obra a uma mulher judia cética: "Minha senhora, nós não procuramos evangelizar. Não é preciso ser cristão para viver em uma de nossas casas ou ajudar a construir uma. Mas o fato é que o motivo que me leva a fazer o que faço, assim como tantos voluntários fazem o que fazem, é que estamos sendo obedientes a Jesus".

Penso em Chuck Colson, preso por sua participação no caso Watergate, que acabou com um desejo de descer, não de subir. Ele fundou a Prison Fellowship, que hoje opera em quase oitenta países. Famílias de mais de dois milhões de prisioneiros nos Estados Unidos têm recebido presentes de Natal graças ao projeto "Colson's Angel Tree". No exterior, membros de igrejas levam sopa e pão fresco aos prisioneiros que, de outra forma, morreriam de fome. O governo brasileiro até permite que a Prison Fellowship administre uma prisão dirigida pelos próprios prisioneiros cristãos. A prisão de Humaitá emprega apenas dois funcionários e, mesmo assim, não tem problemas com tumultos ou fugas. Ao contrário, tem uma média de infratores reincidentes de apenas 4%, comparada aos 75% nas outras prisões do país.[g]

Penso em Bill Magee, cirurgião plástico que ficou estarrecido quando descobriu que, nos países do Terceiro Mundo, muitas crianças passavam pela vida com "lábios leporinos" sem nunca receber o devido tratamento. Elas não podem sorrir e seus lábios se mantêm abertos em um constante esgar de zombaria, fazendo delas objeto de ridicularização. Magee e sua esposa organizaram um programa chamado Operação Sorriso: aviões lotados de médicos e equipe de apoio viajam a lugares como Vietnã, Filipinas, Quênia, Rússia e Oriente Médio para reparar deformidades faciais. Até agora já operaram mais de 36 mil crianças, proporcionando um legado de sorrisos infantis.

Penso nos missionários médicos que conheci na Índia, especialmente aqueles que trabalham com pacientes leprosos. Na escala da ausência da

---

[g] Em 1972, um grupo de 15 pessoas, preocupadas com o grave problema das prisões na cidade de São José dos Campos (SP), passou a pesquisar a situação em nível nacional. Elas frequentavam o presídio de Humaitá para evangelizar e dar apoio moral aos presos. Em 1974, um juiz, considerando a necessidade de ofertar novas vagas para o crescente número de detentos, tomou a decisão ousada de transferir a gerência do presídio de Humaitá para aquela equipe, instituindo a APAC (Associação de Proteção e Assistência aos Condenados), entidade jurídica sem fins lucrativos, com o objetivo de recuperar o preso por meio de um método de valorização humana, protegendo a sociedade e promovendo a justiça. A APAC aceitou a tarefa de reformar a prisão de Humaitá e dirigi-la, com o apoio da comunidade, sem praticamente nenhum ônus para o Estado, dispensando a figura do policial e do carcereiro. Em 1986, a APAC filiou-se à PFI (Prison Fellowship International), órgão consultivo da ONU para assuntos penitenciários [N. do R.].

graça, não há um grupo de pessoas na Terra mais desprezado do que as vítimas da lepra provenientes da casta dos "intocáveis". Não se pode descer mais. A maior parte dos avanços no tratamento da lepra veio dos missionários cristãos, porque são as únicas pessoas prontas a tocar e a cuidar das vítimas dessa doença. Graças principalmente ao trabalho desses servos fiéis, a lepra é agora totalmente controlável com drogas, e a chance de contágio é mínima.

Penso na organização Pão para o Mundo,[h] agência fundada por cristãos que acreditavam ser capazes de ajudar melhor os famintos, deixando de lado a competição com a Visão Mundial e tentando influenciar o Congresso em benefício dos necessitados. Penso também na Casa de José, um lar para pacientes aidéticos em Washington, D.C., ou na Operação Bênção, de Pat Robertson, que dirige programas no centro de 35 grandes cidades. Pensei no projeto Save a Baby Homes, de Jerry Falwell, lares nos quais mulheres grávidas podem buscar apoio caso desejem ter seus bebês, em vez de abortar. Todos esses programas recebem muito menos atenção do que as opiniões políticas dos seus fundadores.

Rousseau disse que a igreja estabeleceu um dilema insolúvel de lealdade. Como os cristãos podem ser bons cidadãos neste mundo se estão principalmente preocupados com o outro mundo? As pessoas que mencionei, e muitos milhares de outras como elas, anulam o argumento de Rousseau. Como bem observou C. S. Lewis, aqueles que estão muito conscientes de um outro mundo tornaram-se cristãos muito mais eficientes neste mundo.[i]

---

[h] A Pão para o Mundo foi fundada em 1959 como ação da Igreja Evangélica na Alemanha e das Igrejas Autônomas (metodistas, batistas e outras). A entidade se preocupa em mostrar que os cristãos na Alemanha têm a sua parte na responsabilidade pelo combate às causas da fome e da miséria no mundo. Em meio à sociedade alemã, a Pão para o Mundo tornou-se porta-voz mundial daqueles que não têm nem pão, nem voz. Ela destina os recursos arrecadados a entidades que, no mundo todo, atuam junto aos mais pobres para que tenham acesso a seus direitos. A Visão Mundial é uma organização não governamental (ONG) cristã humanitária e de desenvolvimento criada em 1950 e presente em aproximadamente cem países [N. do R.].

[i] In: *Cristianismo puro e simples* [N. do E.].

20
Gravidade e graça

O homem nasce quebrado. Ele vive com remendos.
A graça de Deus é a cola.

Eugene O'Neil

A vida de Simone Weil brilhou como uma vela luminosa até sua morte, aos 33 anos de idade. Intelectual francesa, preferiu trabalhar em fazendas e fábricas buscando identificar-se com a classe trabalhadora. Quando os exércitos de Hitler invadiram a França, ela fugiu para se juntar aos franceses livres em Londres, vindo a falecer na cidade. Vítima da tuberculose, Weil recusou-se a se alimentar, para compartilhar o sofrimento de seus compatriotas que haviam permanecido na França e que sofriam com a ocupação nazista. Como único legado, essa judia cristã deixou em diários e em notas esparsas um denso registro de sua peregrinação rumo a Deus.

Weil concluiu que duas grandes forças governavam o Universo: a gravidade e a graça. A gravidade leva um corpo a atrair outros corpos, de modo que aumenta continuamente, absorvendo mais e mais do Universo em si mesmo. Alguma coisa igual a essa mesma força opera nos seres humanos. Nós também queremos nos expandir, adquirir, inchar significativamente. O desejo de "sermos como deuses", afinal, levou Adão e Eva a se rebelarem.

Emocionalmente, Weil concluiu: nós, humanos, operamos por meio de leis tão fixas quanto a lei de Newton. "Todos os movimentos *naturais* da alma são controlados por leis análogas às da gravidade física. A graça é a única exceção."[1] Muitos de nós continuamos presos pelo campo gravitacional do amor-próprio e, assim, "tapamos as fissuras pelas quais a graça poderia passar".

Mais ou menos na época em que Weil estava escrevendo, outro refugiado dos nazistas, Karl Barth, fez o comentário de que o dom do perdão de Jesus, da graça, era para ele o mais surpreendente dos seus milagres. Os milagres quebraram as leis físicas do Universo; o perdão rompeu com as regras morais. "O início do bem é percebido no meio do mal.[...] A simplicidade e a abrangência da graça — quem as medirá?"[2]

Quem realmente poderia medi-la? Tenho andado pelo perímetro da graça como alguém que caminha por uma catedral grande demais para ser vista de uma só vez. Tendo iniciado com perguntas do tipo "O que há de tão maravilhoso na graça e por que os cristãos não demonstram mais sobre ela?", agora concluo com uma pergunta final: "Como é um cristão cheio de graça?"

Talvez eu devesse refazer a pergunta: "Qual é a *aparência* de um cristão cheio de graça?". Creio que a vida cristã não se concentra principalmente em ética ou regras, mas, antes, envolve uma nova maneira de ver. Escapo da força da "gravidade" espiritual quando começo a ver a mim mesmo como um pecador que não pode agradar a Deus por nenhum método de autodesenvolvimento ou autoengrandecimento. Então posso voltar para Deus para buscar ajuda de fora: a graça. E, para meu próprio espanto, aprendo que um Deus santo já me ama apesar dos meus defeitos. Consigo escapar da força da gravidade novamente quando reconheço que meus semelhantes também são pecadores amados por Deus. Um cristão cheio de graça é aquele que olha para o mundo por meio de "lentes tingidas de graça".

Um amigo pastor estava estudando o texto de Mateus 7 no qual Jesus dizia, mais ou menos impetuosamente: "Muitos me dirão naquele dia: 'Senhor, Senhor, não profetizamos em teu nome? Em teu nome não expulsamos demônios e não realizamos muitos milagres?' Então eu lhes direi claramente: Nunca os conheci. Afastem-se de mim vocês, que praticam o mal!".

A frase "Nunca os conheci" saltou da página. Claramente Jesus não disse "*Vocês* nunca *me* conheceram", ou "Vocês nunca conheceram o Pai". Meu amigo assustou-se ao perceber que uma de nossas principais tarefas, talvez a principal, é fazer-nos conhecidos de Deus.

Boas obras não bastam — "não profetizamos nós em teu nome?" —, qualquer relacionamento com Deus deve ser fundamentado na plena revelação. As máscaras têm de ser tiradas.

"Não podemos encontrá-lo se não reconhecermos que precisamos Dele", escreveu Thomas Merton.³ Para alguém que foi criado em fortes fundamentos eclesiásticos, essa conscientização não vem facilmente. Minha própria igreja tendia para o perfeccionismo, o que nos levava a seguir o exemplo de Ananias e Safira, fingindo espiritualmente. Aos domingos, famílias aparentemente impecáveis saíam dos seus carros com sorrisos nos rostos mesmo quando, depois ficávamos sabendo, haviam discutido vergonhosamente a semana inteira.

Quando criança, eu me comportava da melhor maneira possível nos domingos de manhã, vestindo-me para Deus e para os cristãos que me cercavam. Nunca me ocorreu que a igreja era um local onde se deveria ser honesto. Agora, entretanto, quando procuro olhar para o mundo pelas lentes da graça, percebo que a imperfeição é seu pré-requisito. A luz só consegue passar através das rachaduras.

Meu orgulho ainda me tenta a parecer melhor, a manter as aparências. "É fácil reconhecer", disse C. S. Lewis "mas quase impossível aceitar, que somos espelhos cuja luminosidade, se somos luminosos, provêm totalmente do sol que brilha sobre nós. Certamente, temos um pouco, não importa quanto, de luminosidade natural. Não temos? Certamente, não podemos ser *apenas* criaturas."⁴ E ele continua em seu raciocínio: "A graça substitui uma aceitação total, infantil e deliciosa da nossa necessidade, uma alegria na dependência total. Nós nos tornamos 'mendigos joviais' ".

Nós, criaturas, alegremente mendigos, damos glória a Deus pela nossa dependência. Nossas feridas e defeitos são as próprias fissuras através das quais a graça poderia passar. É nosso destino humano na Terra sermos imperfeitos, incompletos, fracos e mortais, e apenas aceitando esse destino podemos escapar da força da gravidade e receber graça. Só então podemos crescer, aproximando-nos de Deus.

Estranhamente, Deus está mais perto dos pecadores do que dos "santos" (por "santos" quero dizer aquelas pessoas reconhecidamente piedosas — os verdadeiros santos nunca perdem de vista sua pecaminosidade). Vejamos agora a explicação de um palestrante falando a respeito de espiritualidade: "Deus no céu, segura cada pessoa por uma corda. Quando você peca, você corta a corda. Então, Deus amarra você de novo, fazendo um nó, e assim o traz para um pouco mais perto dele. Repetidas vezes seus pecados cortam a corda. E, a cada nó feito a mais, Deus continua atraindo você para mais perto".⁵

Quando minha visão particular se transforma, começo a ver a igreja por um prisma diferente também: como uma comunidade de pessoas sedentas de graça. Como os alcoólatras no caminho da recuperação, partilhamos uma fraqueza mutuamente reconhecida. A gravidade tenta fazer-nos crer que podemos viver sozinhos; a graça corrige esse erro.

Lembro mais uma vez do comentário da prostituta no início deste livro: "Igreja! Por que eu deveria ir até lá? Já me sinto horrível agora. Eles apenas farão com que eu me sinta pior". A igreja deveria ser um porto para as pessoas que se sentem horríveis com relação a elas mesmas — teologicamente, esse é o nosso bilhete de entrada. Deus precisa de pessoas humildes (o que geralmente significa pessoas humilhadas) para realizar sua obra. Qualquer coisa que nos faça sentir superiores às outras pessoas, qualquer coisa que nos tente a exibir um senso de superioridade é gravidade — e não graça.

Os leitores dos evangelhos maravilham-se com a capacidade de Jesus de relacionar-se tão facilmente com os pecadores e os marginalizados. Tendo passado algum tempo com "pecadores", e também com pretensos "santos", tenho um palpite sobre a razão que levou Jesus a passar tanto tempo com o primeiro grupo: acho que ele preferia a companhia deles. Porque os pecadores eram honestos a respeito de si mesmos e não fingiam, Jesus podia lidar com eles. Em contraste, os santos assumiam ares, julgavam-no e tentavam apanhá-lo em uma armadilha moral. No final, foram os santos, não os pecadores, que prenderam Jesus.

Lembre-se da história do jantar de Jesus na casa de Simão, o fariseu, no qual uma mulher não muito diferente da prostituta de Chicago derramara perfume sobre ele e enxugara seus pés com os cabelos. Simão sentiu repulsa. Aquela mulher não merecia nem mesmo entrar em sua casa! Eis aqui a resposta de Jesus naquela atmosfera tensa:

> Em seguida, virou-se para a mulher e disse a Simão: "Vê esta mulher? Entrei em sua casa, mas você não me deu água para lavar os pés; ela, porém, molhou os meus pés com suas lágrimas e os enxugou com seus cabelos. Você não me saudou com um beijo, mas esta mulher, desde que entrei aqui, não

parou de beijar os meus pés. Você não ungiu a minha cabeça com óleo, mas ela derramou perfume nos meus pés. Portanto, eu lhe digo, os muitos pecados dela lhe foram perdoados; pois ela amou muito. Mas aquele a quem pouco foi perdoado, pouco ama.[6]

Por que, eu me pergunto, a igreja às vezes transmite o espírito de Simão, o fariseu, em vez de transmitir o espírito da mulher perdoada? Por que, com frequência, é isso que eu faço?

Um romance publicado há cerca de dois séculos, *The Damnation of Theron Ware*[7] [A condenação de Theron Ware], propiciou-me uma imagem duradoura do que a igreja deveria ser. Um médico cético, conversando com um pastor fundamentalista e um sacerdote católico, disse: "Se vocês me permitirem — é claro que os vejo de todo imparcialmente, do lado de fora —, direi que me parece lógico que uma igreja deveria existir para aqueles que precisam de sua ajuda, não para aqueles que, por sua própria profissão, já são tão bons que são eles que ajudam a igreja". O cético então descreveu a igreja como um lugar que deveria manter a graça sempre fluindo. "Alguns vêm todos os dias, outros apenas uma vez por ano, alguns talvez só no batismo e no funeral. Mas todos eles têm o direito de estar ali, tanto o ladrão profissional quanto o santo imaculado. A única condição é que não devem vir sob falsos pretextos [...]."

A imagem da igreja distribuindo graça "sempre fluindo" enternece-me especialmente por causa de um grupo dos AA que se reunia no subsolo de minha igreja em Chicago. Os Alcoólicos Anônimos não conseguem muitas igrejas que lhes podem ceder suas instalações por um motivo muito prático: costumam deixar muita bagunça. Os membros dos AA lutam contra os demônios do vício das drogas e do álcool apoiando-se em demônios menores como cigarros e café, e poucas igrejas estão dispostas a tolerar as manchas nos assoalhos e nas mesas e os estragos que os cigarros causam nas paredes e nas cortinas. A igreja que eu frequentava decidiu abrir as portas para os AA assim mesmo.

Às vezes eu assistia à reunião em solidariedade a um amigo alcoólatra em recuperação. A primeira vez em que o acompanhei fiquei surpreso com o que encontrei, pois de muitas maneiras assemelhavam-se com uma igreja do Novo Testamento. Um conhecidíssimo apresentador de TV e diversos milionários proeminentes misturavam-se livremente com desempregados e garotos que usavam *band-aids* para esconder sinais de agulhas nos braços. O "momento de compartilhar" era como um pequeno grupo discutindo o manual de instruções, marcado por atenção compassiva, respostas calorosas e muitos abraços. As apresentações eram mais ou menos assim: "Boa noite, eu sou Tom, sou alcoólatra e viciado em drogas". Imediatamente, todos respondiam em uníssono, como um coro grego: "Boa-noite, Tom!". Cada pessoa presente dava um depoimento pessoal falando do progresso na luta contra o vício.

Com o tempo percebi que os AA funcionavam sobre dois princípios: honestidade radical e dependência radical. São exatamente os mesmo princípios expressos na Oração do Pai-Nosso, o resumo de Jesus sobre viver "um dia de cada vez". De fato, muitos grupos dos AA recitam juntos o Pai-Nosso em suas reuniões.

Os AA não permitem nunca que uma pessoa diga: "Alô, eu sou Tom, eu era um alcoólatra e agora estou curado". Mesmo que Tom não tenha bebido nada por trinta anos, ele ainda deve identificar-se como um alcoólatra, pois negando sua fraqueza ele estaria sendo sua vítima. Além disso, Tom nunca poderia dizer: "Posso ser um alcoólatra, mas não sou tão mau quanto Betty. Ela é viciada em cocaína". Entre as pessoas dos grupos dos AA o chão é nivelado.

Como Lewis Meyer disse:

> É o único lugar que conheço no qual *status* não significa nada. Ninguém engana ninguém. Cada um está ali porque transformou sua vida em uma bagunça e está tentando recolocar as peças no lugar.[...] Eu já assisti a milhares de reuniões na igreja, reuniões em lojas maçônicas, reuniões de confrarias, mas nunca encontrei o tipo de amor que encontrei nos AA. Durante uma curta hora os importantes e poderosos descem e os humildes sobem. O resultado do nivelamento é o que as pessoas querem dizer quando utilizam a palavra "fraternidade".[8]

Para uma "cura", o programa dos AA exige que seus membros dependam radicalmente de um poder superior e dos companheiros de luta. Muitas pessoas nos grupos às quais assisti substituíram o "poder superior" por "Deus". Abertamente, pedem a Deus perdão e força, e pedem a seus amigos que os cercam que lhes apoiem. Vão ao AA porque creem que ali a graça flui "sem medida".

Às vezes, quando subo e desço as escadas que ligam o santuário da nossa igreja ao subsolo, penso no contrastante sobe-e-desce entre os domingos de manhã e as noites de terça-feira. Apenas alguns dos que se reúnem nas noites de terça-feira voltam aos domingos. Embora apreciem a generosidade da igreja em dispor o subsolo para sua utilização, os membros dos AA com os quais conversei disseram que não se sentiriam à vontade na igreja. Lá em cima as pessoas pareciam inteiras, enquanto eles mal se aguentavam. Sentiam-se mais confortáveis no meio da fumaça, sentados nas cadeiras de metal, vestidos com *jeans* e camiseta e utilizando palavras de baixo calão quando tinham vontade. É àquele lugar que pertenciam, não a um santuário com vitrais e bancos alinhados.

Se tão somente percebessem, se tão somente a igreja pudesse perceber que, em algumas das lições mais importantes de espiritualidade, os membros do grupo do subsolo eram nossos mestres! Começaram com honestidade radical e terminaram com dependência radical. Sedentos, vieram como "alegres mendigos" todas as semanas porque o AA era o único lugar que lhes oferecia graça em abundância.

Algumas vezes, em minha igreja, eu pregava o sermão e depois ajudava na cerimônia da ceia do Senhor. "Eu não participo porque sou uma boa católica, santa, piedosa e cordial", escreve Nancy Mairs a respeito da Eucaristia. "Participo porque sou uma pessoa ruim, cheia de dúvidas, ansiedades e ira: desfalecendo de uma séria hipoglicemia da alma."[9] Após transmitir o sermão, eu ajudava a nutrir as almas famintas.

Aqueles que desejassem participar vinham à frente, ficavam silenciosamente em um semicírculo e esperavam que levássemos os elementos. "O corpo de Cristo que foi dado por você", eu dizia enquanto apresentava um pão para ser partido pela pessoa diante de mim. "O sangue de Cristo derramado por você", o pastor ao meu lado dizia, segurando um cálice comum.

Minha esposa trabalhava para a igreja e eu dava aulas a uma classe havia muitos anos — por isso conhecia as histórias de algumas pessoas que estavam diante de mim. Sabia que Mabel, a mulher com cabelo cor-de-palha e postura alquebrada que viera ao centro dos cidadãos idosos, fora uma prostituta. Minha esposa trabalhara com ela durante sete anos antes de Mabel confessar o segredo obscuro enterrado lá no fundo. Cinquenta anos antes, ela vendera seu único filho. Era uma menina. Sua família passara a rejeitá-la muito tempo antes; a gravidez havia eliminado sua única fonte de recursos e ela sabia que seria uma mãe negligente, por isso vendeu o bebê a um casal de Michigan. Não conseguia se perdoar, dizia. Agora estava aguardando para comungar, com manchas de *blush* no rosto, as mãos estendidas, esperando receber o dom da graça. "O corpo de Cristo oferecido por você, Mabel..."

Ao lado dela estavam Gus e Mildred, personagens principais na única cerimônia de casamento realizada entre os idosos da igreja. Eles perderam 150 dólares por mês de benefícios do seguro social porque se casaram, em vez de viverem juntos, por insistência de Gus. Ele disse que Mildred era a luz de sua vida, e não se importava em viver na pobreza contanto que ela estivesse ao seu lado. "O sangue de Cristo derramado por você, Gus, e por você, Mildred..."

A seguir vinha Adolphus, um jovem negro enraivecido cujos piores temores a respeito da raça humana se confirmaram no Vietnã. Adolphus assustava as pessoas, afastando-as da igreja. Uma vez, em uma aula sobre o livro de Josué, ele levantou a mão e pronunciou-se: "Eu gostaria de ter agora uma M-16. Eu mataria todos vocês, branquelos, que estão nesta sala". Um ancião da igreja que era médico levou-o para a sala ao lado e conversou com ele, insistindo que tomasse seu remédio antes dos cultos aos domingos. A igreja tolerava Adolphus porque sabia que ele era fruto não somente do ódio, mas também da fome. Se perdesse o ônibus e ninguém lhe oferecesse carona, às vezes ele caminhava cinco quilômetros para chegar à igreja. "O corpo de Cristo moído por você, Adolphus..."

Eu sorria para Christina e Reiner, um elegante casal alemão contratado pela Universidade de Chicago. Ambos eram doutores e vinham da mesma comunidade pietista do sul da Alemanha. Eles nos haviam contado a respeito do impacto mundial do movimento moraviano que ainda influenciava a igreja na sua pátria. Agora estavam lutando com uma notícia que, para eles, era difícil de aceitar: o filho partira para uma viagem missionária na Índia. Planejava viver por um ano na pior favela de Calcutá. Christina e Reiner sempre respeitaram esse sacrifício pessoal, mas agora, quando se tratava do filho, tudo parecia diferente. Temiam pela saúde e segurança dele. Christina segurava o rosto nas mãos e as lágrimas escorriam por entre os dedos. "O sangue de Cristo derramado por você, Christina, e por você, Reiner..."

Então veio Sarah, com um turbante cobrindo a cabeça calva, uma cicatriz onde os médicos haviam retirado um tumor cerebral. E Michael, que gaguejava tanto que se encolhia fisicamente sempre que alguém lhe dirigia a palavra. E Maria, a tempestuosa e obesa italiana que acabara de casar pela quarta vez. "Desta vez vai ser diferente, eu sei."

"O corpo de Cristo... o sangue de Cristo..." O que poderíamos oferecer a essas pessoas além de graça em abundância? O que de melhor poderia a igreja oferecer além dos "meios da graça"? A graça aqui, entre essas famílias destruídas e indivíduos que mal se suportam? Sim, aqui. Talvez a igreja lá em cima não fosse tão diferente dos grupos AA lá embaixo, afinal.

De maneira bastante estranha aos olhos humanos, as lentes da graça revelam aqueles que estão fora da igreja da mesma forma que revelam a nós, os cristãos. Assim como eu, e como todos aqueles que estão dentro da igreja, eles também são pecadores amados por Deus. São filhos perdidos. Alguns se distanciaram muito do lar, mas, mesmo assim, o Pai permanece preparado para recebê-los de volta com alegria e celebração. Adivinhos no deserto, artistas modernos e atuais pensadores procuram em vão fontes alternativas da graça. "O que o mundo precisa, tenho vergonha de dizer, é do amor cristão", escreveu Bertrand Russell. Pouco tempo antes de morrer, a humanista secular e romancista Marghanita Laski disse a um entrevistador: "O que eu mais invejo em vocês, cristãos, é o seu perdão. Eu não tenho ninguém que me perdoe". E Douglas Coupland, que inventou a expressão "Geração X", concluiu em seu livro *Life After God* [A vida depois de Deus]: "Meu segredo é que eu preciso de Deus. Estou doente e não posso mais aguentar sozinho. Preciso de Deus para me ajudar a fazer o bem aos outros, porque me parece que não sou mais capaz disso; para me ajudar a estender a mão, porque já não me sinto mais capaz de bondade; para me ajudar a amar, porque parece que estou além da capacidade desse sentimento".

Fico maravilhado com a ternura de Jesus ao lidar com pessoas que expressaram esses anseios. João narra a conversa improvisada de Jesus com uma mulher perto de um poço. Naquele tempo, era o marido quem solicitava o divórcio, e essa mulher samaritana fora abandonada por cinco homens diferentes. Jesus poderia ter começado apontando a confusão que ela havia provocado em sua vida. Ele não disse: "Mulher, você percebe que coisa imoral você está fazendo, vivendo com um homem que não é seu marido?". Antes, disse: *Vejo que você está com muita sede.* Jesus continuou dizendo-lhe que a água que ela estava bebendo nunca a satisfaria. E, então, lhe ofereceu a água viva para matar sua sede para sempre.

Tento recapturar esse espírito de Jesus quando me encontro com alguém que desaprovo moralmente. *Esta deve ser uma pessoa muita sedenta,* digo a mim mesmo. Uma vez falei com o padre Henri Nouwen logo depois que ele voltou de San Francisco. Ele visitara vários ministérios com vítimas da AIDS e estava abalado e comovido com suas tristes histórias. "Eles precisam tão desesperadamente de amor que estão literalmente morrendo", foram suas palavras. Ele as via como pessoas sedentas, ofegando pelo tipo certo de água.

Quando me sinto tentado a afastar-me horrorizado dos pecadores, das pessoas "diferentes", lembro do que deve ter sido para Jesus viver na Terra. Perfeito, sem pecado, ele tinha todo o direito de ficar enojado com o comportamento daqueles que o cercavam. Mas não. Tratou pecadores notórios com misericórdia, não com críticas e julgamentos.

Aquele que foi tocado pela graça não vai mais olhar para quem se desviou como "aquela gente ruim" ou "aquela pobre gente que precisa de nossa ajuda". Nem devemos procurar sinais de "merecimento de amor". A graça ensina-nos que Deus nos ama pelo que Ele é, não pelo que nós somos. Categorias de merecimento não valem nada. Em sua autobiografia, o filósofo alemão Friedrich Nietzsche falou de sua capacidade de "sentir o cheiro" das partes mais ocultas de cada alma, especialmente a "abundante sujeira escondida no fundo do caráter".[10] Nietzsche foi um mestre da ausência da graça. Nós somos chamados para fazer o oposto, para sentir o cheiro dos resíduos do valor oculto.

Em uma cena do filme *Ironweed*, as personagens representadas por Jack

Nicholson e Meryl Streep tropeçam em uma velha mulher esquimó deitada na neve, provavelmente embriagada. Intoxicados eles mesmos, discutem o que deveriam fazer com ela.

— Ela está bêbada ou é uma vadia? — Nicholson pergunta.
— Apenas uma vadia. É o que tem sido a vida inteira.
— E antes disso?
— Era prostituta no Alasca.
— Ela não pode ter sido uma prostituta a vida inteira. E antes disso?
— Não sei. Apenas uma garotinha, acho.
— Bem, uma garotinha é alguma coisa. Não é uma vadia e não é uma prostituta. É alguma coisa. Vamos recolhê-la.

Os dois vagabundos viram a mulher esquimó com as lentes da graça. Onde a sociedade veria apenas uma vadia e uma prostituta, a graça viu "uma garotinha", uma pessoa feita à imagem de Deus, não importa quão desfigurada essa imagem estivesse.

O cristianismo tem um princípio, "Odeie o pecado, mas ame o pecador", mais facilmente pregado do que praticado. Se os cristãos pudessem simplesmente recuperar essa prática tão preciosamente modelada por Jesus, avançaríamos bastante no cumprimento de nossa vocação como distribuidores da graça de Deus. Conforme conta C. S. Lewis, durante um longo tempo ele não conseguia entender a diferença diminuta existente entre odiar o pecado de uma pessoa e odiar o pecador. Como seria possível odiar o que o homem faz e não odiar o homem?

Veja o resumo de sua história:

> Anos depois, porém, ocorreu-me que havia um homem ao qual eu fizera isso toda a minha vida — isto é, eu mesmo. Por mais que detestasse minha própria covardia, meu orgulho ou minha ganância, eu continuava me amando. Não houve nunca a mais insignificante dificuldade nisso. Na verdade, o próprio motivo por que eu odiava essas coisas era por amar o homem. Exatamente por amar a mim mesmo, sentia-me triste em descobrir que eu era o tipo de homem que fazia essas coisas.[11]

Os cristãos não devem fazer concessões ao pecado, diz Lewis. Antes, deveríamos odiar os pecados nos outros da mesma forma que os odiamos em nós mesmos: sentindo que a pessoa tenha feito essas coisas e esperando que, de alguma forma, algum dia, em algum lugar, ela seja curada.

O documentário de Bill Moyers a respeito do hino *Preciosa a graça de Jesus* inclui uma cena filmada no Estádio de Wembley, em Londres. Diversos grupos musicais, principalmente bandas de *rock,* estavam reunidos celebrando as mudanças na África do Sul e, por algum motivo, os responsáveis pelo evento selecionaram uma cantora de ópera, Jessye Norman, para o número final.

O filme intercala as cenas, mostrando a multidão indisciplinada no estádio e Jessye Norman sendo entrevistada. Durante doze horas, bandas de *rock* como Guns' n' Roses atordoaram a multidão com palavras de ordem, irritando os fãs já alterados com álcool e drogas. A multidão gritou pedindo mais apresentações no palco e os grupos de rock atenderam. Enquanto isso, Jessye Norman aparece sentada em seu camarim discutindo a letra do hino com Moyers.

O hino fora escrito, como se sabe, por John Newton, um mercador de escravos, vulgar e cruel. Pela primeira vez ele clamou a Deus no meio de uma tempestade que quase o jogou para fora do navio. Newton viu a luz gradualmente, continuando a exercer o comércio mesmo depois de sua conversão. Ele escreveu o hino *How Sweet the Name of Jesus Sounds* [Como é doce o nome de Jesus] enquanto esperava em um porto africano um carregamento de escravos. Mais tarde, entretanto, renunciou à atividade profissional, tornou-se ministro e juntou-se a William Wilberforce na luta contra a escravidão. John Newton nunca perdeu de vista as profundezas das quais fora tirado. Nunca perdeu de vista a graça. Quando escreveu "... que salvou um miserável pecador como eu", queria dizer isso mesmo, de todo o seu coração.

No filme, Jessye Norman conta a Bill Moyers que Newton talvez tomasse emprestada uma antiga melodia cantada pelos próprios escravos, redimindo a canção, exatamente como ele fora redimido.

Por fim, chega a hora de ela cantar. Um simples círculo de luz acompanha Norman, uma majestosa mulher afro-americana usando um esvoaçante *dashiki* africano, enquanto atravessa o palco. Sem nenhum acompanhamento, sem instrumentos musicais, apenas Jessye. A multidão agita-se, nervosa. Poucos reconhecem a diva da ópera. Uma voz grita pedindo Guns' n' Roses. Outros se juntam ao grito. A cena começa a ficar pesada.

Sozinha, *a capella*, Jessye Norman começa a cantar, muito lentamente:

> Preciosa a graça de Jesus,
> que um dia me salvou.
> Perdido andei, sem ver a luz,
> mas Cristo me encontrou.

Algo espantoso aconteceu no Estádio de Wembley naquela noite. Setenta mil fãs roucos ficaram em silêncio diante da ária da graça.

Quando Norman chegou à segunda estrofe, a soprano já tinha a multidão em suas mãos:

> A graça, então, meu coração
> do medo libertou.
> Oh, quão preciosa salvação
> a graça me outorgou!"

Ao chegar à quarta estrofe:

> Perigos mil atravessei
> e a graça me valeu.
> Eu são e salvo agora irei
> ao santo lar do céu.[a]

centenas de fãs estavam cantando junto, cavando profundamente em lembranças já esquecidas, em busca das palavras que haviam ouvido muito tempo antes.

Jessye Norman mais tarde confessou que não tinha ideia do poder que desceu sobre o Estádio de Wembley naquela noite. Acho que sei o que era. O mundo tem sede da graça. Quando a graça se manifesta, o mundo fica em silêncio.

---

[a] Hino 314, in: *Hinário para o Culto Cristão*. Rio de Janeiro: JUERP, 1999 [N. do E.].

Notas

CAPÍTULO 1: A ÚLTIMA PALAVRA PERFEITA

1. NIEBUHR, Richard. Apud D. Ivan DYKSTRA. *Who Am I? and Other Sermons.* Holland, Mich.: Hope College, 1983, p. 104.
2. BERNANOS, Georges. *The Diary of a Country Priest.* Garden City, N.Y.: Doubleday/Image, 1974, p. 233 [***Diário de um pároco de aldeia*, Paulus, 2004**].
3. SEAMANDS, David. Perfectionism: Fraught with Fruits of Self-Destruction. In: _.*Christianity Today,* 1981, p. 24-5.
4. MACDONALD, Gordon. Conversa particular.
5. ULSTEIN, Stefan. *Growing up Fundamentalist.* Downers Grove, Ill.: InterVarsity Press, 1995, p. 72.

CAPÍTULO 2: A FESTA DE BABETTE: UMA HISTÓRIA

1. DINESEN, Isak. Conto incluído em: *Anecdotes of Destiny and Ehrengard.* New York: Random House/ Vintage, 1993 [***A festa de Babette e outras anedotas do destino*, Editora Record, 2001; *Anedotas do destino*, Cosac & Naify, 2006**].

CAPÍTULO 3: UM MUNDO SEM GRAÇA

1. HERBERT, George. The Church Militant. In: _.*The English Poems of George Herbert.* Totowa, N.T.: Rowman and Littlefield, 1975, p. 196.
2. Jo 1.17.
3. Jó 13.12.
4. TOURNIER, Paul. *Guilt and Grace.* New York: Harper & Row, 1962, p. 23 [***Culpa e graça: uma análise do sentimento de culpa e o ensino do Evangelho*, ABU, 2001**].
5. BOMBECK, Erma. *At Wit's End.* N. p.: Thorndike Large Print Edition, 1984, p. 63.
6. JAMES, William. *The Varieties of Religious Experience.* New York: The Modern Library, 1936, p. 297 [***As variedades da experiência religiosa:* um estudo sobre a natureza humana. Cultrix, 1995**].
7. CRUZ, São João da. *Dark Night of the Soul.* Garden City, N.Y.: Doubleday/Image, 1959 [***Noite obscura*, Editorial Estampa, 1993**].
8. HECHT, Anthony. Galatians. In: _.*Incarnation.* Ed. Alfred Corn, New York: Viking, 1990, p. 158.
9. THIELICKE, Helmut. *The Waiting Father.* San Francisco: Harper & Row, 1959, p. 133.
10. FRANKLIN, Benjamin. *Autobiography.* New York: Buccaneer Books, 1984, p.

103,114 [*Autobiografia*, Ediouro, 2000; Martin Claret, 2005].

11. McDowell, Jeanne. True Confessions by Telephone. *Time*, 3 out. 1988, p. 85.

12. Smedes, Lewis B. *Shame and Grace*. San Francisco: Harper-Collins, 1993, p. 80, 31.

13. Kristof, Nicholas D. Japanese Say No To Crime: Tough Methods, at a Price. *The New York Times*, 14 mar. 1995, p. 1.

14. Hemingway, Ernest. The Capitol of the World. In: _. *The Short Stories of Ernest Hemingway*. New York: Scribner, 1953, p. 38 [*Contos de Ernest Hemingway*, **Bertrand Brasil, 2001**].

15. Apud Paul Johnson, *Intellectuals*. New York: Harper & Row, 1988, p. 145 [*Os intelectuais*, **Imago, 2000**].

16. Greave, Peter. *The Second Miracle*. New York: Henry Holt and Company, 1955.

CAPÍTULO 4: O PAI QUE SOFRE POR AMOR

1. Apud Scott Hoezee, *The Riddle of Grace*. Grand Rapids: Eerdmans, 1996, p 42.
2. Lc 15.24.
3. Lc 15.20.
4. Lc 15.10.
5. Nouwen, Henri J. M. *The Return of the Prodigal Son*. New York: Doubleday/Image, 1994, p. 114 [*A volta do filho pródigo*, **Edições Paulinas, 2005**].
6. Lc 18.13.
7. Lc 15.7.
8. Lc 23.42,43.
9. Kierkegaard, Soren. *Training in Christianity*. Princeton: Princeton University Press, 1947, p. 20.
10. Lc 15.24.

CAPÍTULO 5: A NOVA MATEMÁTICA DA GRAÇA

1. Lc 15.3-7.
2. Jo 12.3-8.
3. Mc 12.41-44.
4. Mt 20.1-16.
5. Mt 20.13-15.
6. Buechner, Frederick. *Telling the Truth*. San Francisco: Harper & Row, 1977, p. 70.
7. Mt 18.21-22.
8. Mt 18.28.
9. Lewis, C. S. On Forgiveness. In: *The Weight of Glory and Other Addresses*. New York: Collier Books/Macmillan, 1980, p. 125 [*Peso de glória*, **Vida Nova, 2001**].
10. Lewis, C. S. & Calabria, Don Giovanni. *Letters*, Ann Arbor, Mich.: Servant Books, 1988, p. 67.

11. VOLF, Miroslav. *Exclusion and Embrace.* Nashville: Abingdon Press, 1996, p. 85.
12. Is 55.8,9.
13. Mq 7.18.
14. Os 11.6-9.
15. Os 3.1.
16. Rm 5.20.
17. BUECHNER, Frederick. *The Longing for Home.* San Francisco: Harper Collins, 1996, p. 175.
18. SAYERS, Dorothy L. *Christian Letters to a Post-Christian World.* Grand Rapids: Eerdmans, 1969, p. 45.
19. História contada por Ernest Kurtz em *The Spirituality of Imperfection.* New York: Bantam, 1994, p. 105-6.
20. DONNE, John. *John Donne's Sermons on the Psalms and the Gospels.* Berkeley: University of California Press, 1963, p. 22.
21. 1Pe 5.10.

CAPÍTULO 6: CICLO ININTERRUPTO: UMA HISTÓRIA

1. Lc. 15.1-24.
2. BAILEY, Kenneth E. *Poet & Peasant,* Grand Rapids: Eerdmans, 1976, p. 161-4, 181.

CAPÍTULO 7: UM ATO NADA NATURAL

1. SHIRER, William L. *Love and Hatred: The Stormy Marriage of Leon and Sonya Tolstoy.* New York: Simon & Schuster, 1994, p.26, 65-7 [*Amor e ódio: o casamento tumultuado de Sônia e Leon Tolstói,* **Paz e Terra, 2000**].
2. AUDEN, W. H.. "September 1, 1939" (1 de setembro de 1939), em *Selected Poems,* New York: Vintage Books/Random House, 1979, p. 86 [*Poemas,* **Companhia das Letras, 2000**].
3. O'CONNOR, Elizabeth. *Cry Pain, Cry Hope.* Waco, Tex.: Word Books, 1987, p. 167.
4. Mt 6.12.
5. WILLIAMS, Charles. *The Forgiveness of Sins.* Grand Rapids: Eerdmans, 1984, p. 66.
6. Mt 6.15.
7. BREDVOLD, Louis I. *The Best of Dryden.* New York: T. Nelson and Sons, 1933, p. 20.
8. Mt 5.23,24.
9. Mt 18.35.
10. JONES, Gregory. *Embodying Forgiveness: A Theological Analysis.* Grand Rapids: Eerdmans, 1995, p. 195. (Nota de rodapé.)
11. Mt 5.44,45.
12. BONHOEFFER, Dietrich. *The Cost of Discipleship.* New York: Macmillan, 1959, p. 134-5 [*Discipulado,* **Sinodal, 8. ed., 2005**].
13. THIELICKE, Helmut. *Waiting,* cit., p. 112.

14. Nouwen, Henri. *Return*, cit., p. 129-30.
15. Rm 12.19.

CAPÍTULO 8: POR QUE PERDOAR?

1. Apud "Colorful Sayings of Colorful Luther", *Christian History,* v. 34, p. 27.
2. Marquez, Gabriel García. *Love in the Time of Cholera.* New York: Alfred A. Knopf, 1988, p. 28-30 [*O amor nos tempos do cólera,* **Record, 2001**].
3. Mauriac, François. *The Knot of Vipers.* London: Metheun, 1984.
4. Karr, Mary. *The Liar's Club.* New York: Viking, 1995.
5. Smedes, Lewis B. *Shame,* cit., p. 136, 141.
6. Watterson, Kathryn. *Not by the Sword.* New York: Simon & Schuster, 1995.
7. Hugo, Victor. *Les Misérables.* New York: Penguin, 1976, p. 111. [*Os miseráveis,* **Melhoramentos, 2000**].
8. Smedes, Lewis B. "Forgiveness: the Power to Change the Past", *Christianity Today,* 1 jan. 1983, p. 24.
9. Weil, Simone. *Gravity and Grace.* New York: Routledge, 1972, p. 9 [*A gravidade e a graça,* **Cultura Espiritual, 2001; Martins Fontes, 2000; ECE, 1986**].
10. Hb 4.15.
11. 2Co 5.21.
12. Mt 26.39.
13. Lc 23.34.

CAPÍTULO 9: ACERTO DE CONTAS

1. Wiesenthal, Simon. *The Sunflower.* New York: Schocken, 1976.
2. Klausner, Joseph. *Jesus of Nazareth: His Life, and Teaching.* London: George Allen & Unwin, 1925, p. 393.
3. Smedes, Lewis B. *Forgive and Forget.* San Francisco: Harper & Row, 1984, p. 130 [*Perdoar e esquecer,* **Claridade, 2002**].
4. Guardini, Romano. *The Lord.* Chicago: Regnery Gateway, 1954, p. 302.
5. Thielicke, Helmut. *Waiting,* cit., p. 62.
6. Wilson, Mark Noll. "Belfast: Tense with Peace", *Books & Culture,* novembro-dezembro 1995, p. 12.
7. O'connor, Elizabeth. *Cry Pain,* cit., p. 50.
8. Morrow, Lance. "I Spoke... As a Brother", *Time,* 9 jan. 1984, p. 27-33.
9. Lc 23.34.

CAPÍTULO 10: O ARSENAL DA GRAÇA

1. Wink, Walter. *Engaging the Powers.* Minneapolis: Fortress, 1992, p. 275.
2. Buruma, Ian. *The Wages of Guilt: Memories of War in Germany and Japan.* New York: Farrar, Straus and Giroux, 1994.
3. Apud *Response,* publicação do Simon Wiesenthal Center de Los Angeles.
4. Trueblood, Elton. *The Yoke of Christ.* Waco, Tex.: Word, 1958, p. 37.

5. WINK, Walter. *Engaging,* cit., p. 191.

6. HENDERSON, Michael. *The Forgiveness Factor.* Salem, Ore.: Grosvenor Books USA, 1996, p. xix.

7. GARROW, David. *Bearing the Cross.* New York: William Morrow, 1986, p. 81, 500, 532.

8. VAN DER POST, Laurens. *The Prisoner and the Bomb.* New York: William Morrow and Company, 1971, p. 133.

CAPÍTULO 11: UM LAR PARA BASTARDOS: UMA HISTÓRIA

1. CAMPBELL, Will D.. *Brother to a Dragonfly.* New York: The Seabury, 1977, p. 220-4.

2. Rm 5.8 (grifo do autor).

CAPÍTULO 12: ESQUISITICES, NÃO

1. Lv 11.11.
2. Lv 11.44.
3. WOUK, Herman. *This Is My God.* New York: Little, Brown and Company, 1987, p.111 [*Este é o meu Deus*: a maneira judaica de viver, Sefer, 2002].
4. Apud Sheldon ISENBERG e Dennis E. OWEN, "Bodies, Natural and Contrived: the Work of Mary Douglas". *Religious Studies Review,* v. 3, nº 1, 1977, p.1-17.
5. NEUSNER, Jacob. *A Rabbi Talks with Jesus.* New York: Doubleday, 1993, p.122 [*Rabino conversa com Jesus:* um diálogo entre milênios e confissões, Imago, 2001].
6. Lv 21.17-20.
7. Apud John TIMMER, "Owning Up to Baptism". *The Reformed Journal,* maio-junho 1990, p. 14.
8. Volf. *Exclusion,* cit., p. 74.
9. At 1.8.
10. Mc 11.18.
11. Lc 14.13.
12. Gl 3.28.
13. Hb 4.14,16 (grifo do autor).
14. Hb 10.19-21.
15. Rm 8.26.

CAPÍTULO 13: OLHOS CURADOS PELA GRAÇA

1. Rm 3.23.
2. TOURNIER, Paul. *The Person Reborn.* New York: Harper & Row, 1966, p. 71.
3. THIELICKE, Helmut. *How the World Began.* Philadelphia: Muhlenberg, 1961, p. 62.
4. THIELICKE, Helmut. *Christ and the Meaning of Life.* Grand Rapids, Baker, 1975, p. 41.

5. Apud Helmut THIELICKE, *Waiting*, cit., p. 81.

CAPÍTULO 14: BRECHAS

1. Entrevista de rádio. Baseada na história *The Fatal Shore,* de Robert Hughes.
2. AUDEN, W. H.. "For the Time Being", *The Collected Poetry of W. H. Auden.* New York: Random House, 1945, p. 459 [*Poemas*, **Companhia das Letras, 2000**].
3. Apud Stephen BROWN, *When Being Good Isn't Good Enough.* Nashville: Nelson, 1990, p. 102.
4. 1Tm 1.13-15 (grifo do autor).
5. LEWIS, C. S. St. Augustine. In: _.*Letters to an American Lady.* Grand Rapids: Eerdmans, 1967, p. 71. [*Cartas a uma senhora americana.* **Vida, 2006, p. 91**].
6. LEWIS, C. S. *O problema do sofrimento.* São Paulo: Editora Vida, 2006, p. 138.
7. Apud Helen VENDLER, "Books". *The New Yorker,* 3 mar. 1989, p. 107.
8. TOURNIER, Paul. *Guilt,* cit., p. 112.
9. LEWIS, C. S. *Mere Christianity.* New York, Macmillan, 1960, p. 60 [*Cristianismo puro e simples,* **Martins Fontes, 2005**].
10. Jo 3.17.
11. TOURNIER, Paul. *Guilt,* cit., p. 159-60.
12. Jd 4.
13. Apud Walter KAUFMANN, *The Faith of a Heretic.* Garden City, N.Y.: Doubleday, 1961, p. 231-32.
14. 2Pe 3.18.
15. TROBISCH, Walter. *Love Yourself.* Downers Grove, III.: InterVarsity Press, 1976, p. 26.
16. Rm 3.23.
17. Rm 5.20.
18. Rm 6.1.
19. Rm 6.15.
20. Rm 6.2.
21. Rm 6.11 (grifo do autor).
22. Rm 6.12
23. MAURIAC, François. *God and Mammon,* London: Sheed & Ward, 1946, p. 68-9.
24. Apud Clifford WILLIAMS, *Singleness of Hearts.* Grand Rapids: Eerdmans, 1994, p. 107.
25. Tt 2.12.
26. MAIRS, Nancy. *Ordinary Time.* Boston: Beacon Press, 1993, p. 138.
27. Apud Kathleen NORRIS, *The Cloister Walk.* New York: Riverhead, 1996, p. 346 [*O caminho do claustro,* **Nova Era, 2001**].

CAPÍTULO 15: ANULAÇÃO DA GRAÇA

1. Mt 23.33, 16-18, 27.
2. Lc 11.39.

3. Mt 6.2-6.
4. Mt 22.37.
5. Mt 5.48.
6. Leon TOLSTOI, "An Afterword to 'The Kreutzer Sonata'", por A. N. Wilson, em *The Lion and the Honeycomb: The Religious Writings of Tolstoy.* San Francisco: Harper & Row, 1987, p. 69.
7. Lc 11.46.
8. Ex 20.7.
9. Ex 23.19.
10. Ex 20.14.
11. Mt 23.23,24.
12. Apud Walter WINK, *Naming the Powers.* Philadelphia Fortress, 1984, p. 116.
13. Lc 12.1, Mt 23.3.
14. Mt 23.5-7.
15. Is 64.6
16. NOUWEN, Henri J. M. *Return,* cit., p. 71.
17. Rm 7.7,8.
18. KÜNG, Hans. *On Being a Christian.* Garden City, N.Y.: Doubleday, 1976, p. 242 [**Ser cristão, Vozes, 2001**].
19. Apud Karen ARMSTRONG, *A History of God.* New York, Alfred A. Knopf, 1974, p. 276.
20. CAPON, Robert Farrar. *Between Noon and Three.* San Francisco: Harper & Row, 1982, p. 148.
21. Rm 14.17.

CAPÍTULO 17: AROMA MISTO

1. Government Is Not God's Work. *New York Times,* 29 ago. 1993.
2. Sl 11.3.
3. Apud Rodney CLAPP, "Callling the Religious Right to Its Better Self". *Perspectives,* abril de 1994, p. 12.
4. CULVER, Virginia. 200 hear Terry hit "baby killers". *The Denver Post,* 30 jul. 1992, p. 4B.
5. Apud Jim WALLIS, *Who Speaks for God?.* New York: Delacorte, 1996, p. 161.
6. WILLIMON, William H.. Been there, preached that. *Leadership,* outono de 1995, p. 76.
7. Apud Robert Booth FOWLER, *Religion and Politics in America.* Metuchen, N.J.: Scarecrow, 1985, p. 234.
8. MANCHESTER, William. *A World Lit Only by Fire.* Boston: Little, Brown and Company, 1993, p. 191 [**Fogo sobre a Terra, Ediouro, 2004**].
9. JOHNSON, Paul. *A History of Christianity.* New York: Atheneum, 1976, p. 263 [**História do cristianismo, Imago, 2001**].
10. NEWBIGIN, Leslie. *Foolishness to the Greeks,* Grand Rapids: Eerdmans, 1986, p. 117.

11. Apud Walter WINK, *Engaging*, cit., p. 263.

12. Apud Rodney CLAPP, *Perspectives*, cit., p. 12.

13. Apud Brennan MANNING, *Abba's Child*. Colorado Springs: NavPress, 1994, p. 82.

CAPÍTULO 18: ASTÚCIA DE SERPENTE

1. Apud Paul JOHNSON. "God and the Americans", palestra apresentada em 1994 na Biblioteca Pierpont Morgan de Nova York.

2. Apud John R. HOWE JR., *The Changing Political Thought of John Adams*. Princeton: Princeton University Press, 1966, p. 185.

3. Apud Richard John NEUHAUS, *The Naked Public Square*. Grand Rapids: Eerdmans, 1986, p. 80.

4. Discurso de Earl Warren publicado em "Breakfast at Washington", *Time*, 14 fev. 1954, p. 49.

5. DOBSON, James. Why I Use "Fighting Words." *Christianity Today*, 1995, p. 28.

6. Mt 5.44.

7. REED, Ralph. *Active Faith*. New York: The Free Press, 1996, p. 120, 65.

8. Apud Tom SINE, *Cease Fire*. Grand Rapids: Eerdmans, 1995, p. 284.

9. Christoph SCHÖNBORN. "The Hope of Heaven, The Hope of Earth", *First Things*, abril de 1995, p. 34.

10. Apud Robert E. WEBBER, *The Church in the World: Opposition, Tension, or Transformation?*. Grand Rapids, Zondervan, 1986.

11. Apud Jacques MARITAIN, *The Things That Are Not Caesar's*. London: Sheed & Ward, 1930, p. 16.

12. BELLAH, Robert N. *The Good Society*. New York: Vintage, 1992, p. 180.

13. Apud Paul JOHNSON, *The Quest for God*. New York: HarperCollins, 1996, p. 35.

14. Apud Paul JOHNSON, *History*, cit., p.483.

15. Mt 5.48.

CAPÍTULO 19: CAMINHOS VERDEJANTES

1. Apud *Bill Moyers: A World of Ideas*. New York: Doubleday, Ed. Betty Sue Flowers, 1989, p. 5.

2. Extraído do discurso de Soljenitsyn durante a entrega do Templeton Prize de 1993.

3. Apud Donald BLOESCH, *The Crisis of Piety*. Colorado Springs: Helmers and Howard, 1988, p. 116.

4. Lc 23.34.

5. Dietrich BONHOEFFER, *Cost*, cit., p. 136.

6. Jo 13.35 (grifo do autor).

7. Apud Bob BRINER, *Deadly Detours*. Grand Rapids: Zondervan, 1996, p. 95.

8. NIETZSCHE, Friedrich. *The Anti-Christ.* New York: Penguin, 1968, p.115-8 [*O Anticristo,* **Centauro, 2006; Martin Claret, 2003; Ediouro, 2000**].

9. DAY, Dorothy. *The Long Loneliness.* San Francisco: HarperCollins, 1981, p. 235.

10. Apud discurso de John Stott.

CAPÍTULO 20: GRAVIDADE E GRAÇA

1. WEIL, Simone. *Gravity,* cit., p.1, 16.

2. BARTH, Karl. *The Word of God and the Word of Man.* New York: Harper & Row, 1957, p. 92 [*Palavra de Deus palavra do hom*em, **Cristã Novo Século, 2004**].

3. MERTON, Thomas. *No Man Is an Island.* New York: Harcourt, Brace and Company, 1955, p. 235 [*Homem algum é uma ilha,* **Verus, 2003**].

4. LEWIS, C. S. *The Four Loves.* London: Geoffrey Bles, 1960, p. 149 [*Os quatro amores,* **Martins Fontes, 2005**].

5. Apud Ernest KURTZ, *Spirituality,* cit., p. 29.

6. Lc 7.44-7

7. FREDERIC, Harold. *The Damnation of Theron Ware.* New York: Penguin, 1956, p. 75-6.

8. Apud Brennan MANNING, *The Gentle Revolutionaries.* Denville, NJ.: Dimension, 1976, p. 66.

9. MAIRS, Nancy. *Ordinary Time,* cit., p. 89.

10. Apud WILLIAMS. *Singleness,* cit., p. 126.

11. LEWIS, C. S. *Mere,* cit., p.105-6.